改訂第5版

運動器リハビリテーションシラバス

セラピストのための実践マニュアル

監修
日本運動器科学会
日本臨床整形外科学会

編集
星野雄一・佐藤公一・大江隆史・大井直往
志波直人・尾﨑敏文・竹下克志・池内昌彦

Musculo-skeletal
Rehabilitation Syllabus
Practical Manual for Therapist

南江堂

■ 監　修
日本運動器科学会
日本臨床整形外科学会

■ 編　集
星野　雄一	ほしの　ゆういち	栃木県立リハビリテーションセンター理事長
佐藤　公一	さとう　きみひと	佐藤整形外科院長
大江　隆史	おおえ　たかし	NTT東日本関東病院院長
大井　直往	おおい　なおゆき	福島県立医科大学リハビリテーション医学講座教授
志波　直人	しば　なおと	久留米大学病院病院長
尾﨑　敏文	おざき　としふみ	岡山大学学術研究院医歯薬学域整形外科学分野教授
竹下　克志	たけした　かつし	自治医科大学整形外科教授
池内　昌彦	いけうち　まさひこ	高知大学医学部整形外科学講座教授

■ 執　筆（執筆順）
岩谷　力	いわや　つとむ	長野保健医療大学学長
畑野　栄治	はたの　えいじ	はたのリハビリ整形外科理事長
藤野　圭司	ふじの　けいじ	藤野整形外科医院院長
佐藤　公一	さとう　きみひと	佐藤整形外科院長
星野　雄一	ほしの　ゆういち	栃木県立リハビリテーションセンター理事長
北　　潔	きた　きよし	北整形外科院長
藤本　健一	ふじもと　けんいち	自治医大ステーション・ブレインクリニック
宮本　雅史	みやもと　まさぶみ	赤心堂病院整形外科
田辺　秀樹	たなべ　ひでき	田辺整形外科医院院長
飛松　好子	とびまつ　よしこ	国立障害者リハビリテーションセンター顧問
石橋　英明	いしばし　ひであき	伊奈病院副院長
大江　隆史	おおえ　たかし	NTT東日本関東病院院長
大久保　雄	おおくぼ　ゆう	埼玉医科大学保健医療学部理学療法学科講師
金岡　恒治	かねおか　こうじ	早稲田大学スポーツ科学学術院教授
伊藤　博元	いとう　ひろもと	日本医科大学名誉教授
青木　孝文	あおき　たかふみ	山王病院整形外科部長
南野　光彦	なんの　みつひこ	日本医科大学多摩永山病院整形外科教授
山本　謙吾	やまもと　けんご	東京医科大学整形外科主任教授
上野　竜一	うえの　りゅういち	東京医科大学病院リハビリテーションセンター臨床講師
白土　修	しらど　おさむ	福島県立医科大学会津医療センター整形外科・脊椎外科学講座教授
千田　益生	せんだ　ますお	岡山大学病院総合リハビリテーション部教授
竹下　克志	たけした　かつし	自治医科大学整形外科教授

序　文

　古来より運動という行為は健康の維持・増進に役立つと考えられ，その実践が推奨されてきました．二千年以上前のギリシア時代に，かのアリストテレスは"Life is motion"という言葉により運動することの重要性を説いています．西洋医学で近代までの千年間バイブルとされてきた，イスラム世界で刊行された『アビセンナ医学典範』にも，健康維持の基本は運動・食物・睡眠であり，各器官別に適する運動方法，行う強度と量，実施に適する時刻など，驚くほど精緻な運動処方が記載されています．さらには，すべての人が実感していることと思いますが，運動には爽やかさや達成感という精神に対するポジティブな効果や，内臓など他の臓器の機能を健康に保つ作用もあります．

　近代医学の発展により，運動の効果として筋線維の肥大化，心肺機能の向上，骨量の増加などがそのメカニズムとともに明らかにされてきました．新しい展開として20年前頃から，筋で生成され全身に放出される生理活性物質であるマイオカインが注目されています．その代表的なものであるIL-6は糖代謝に関与し，アイリシンは脳機能向上に作用し，またスパークは大腸がん細胞のアポトーシスを促すなど，筋骨格系以外の臓器への作用が続々と解明されています．運動器リハビリテーションの目的は，直接的には種々の原因により低下した運動器の機能回復ですが，同時に精神や他の臓器への好ましい効果も副次的な目的といえると思います．

　このように健康維持を根幹から支えている運動器の重要性を広く国民に啓発するため，日本運動器科学会は平成18（2006）年から運動器リハビリテーションセラピスト資格取得研修会を開始し，これは診療報酬加算要因として厚生労働省から認められている稀有な制度の一つです．制度開始以来17年目を迎える本年の時点で，全国津々浦々で1万人程のセラピストが運動器リハビリテーションの実践に日々励んでいます．改訂第5版となる本書では，ロコモティブシンドローム関連の新展開（ロコモ度3，年代別基準値の設置など），令和4（2022）年4月1日に日本医学会連合から発出された「フレイル・ロコモ克服のための医学会宣言」など，国民の健康寿命延伸を目指す活動の最新情報も紹介されています．臨床の現場や地域社会で運動器リハビリテーションの実践者として活躍なさっている皆様の健闘を期待するとともに，本書が少しでも皆様のお役に立つことを願う次第です．

2022年6月

編集者代表　星野雄一

目　次

I章　運動器リハビリテーションとは　　　　岩谷　力　1

1. 運動器リハビリテーションとは ―――――――――――――――――― 1
2. 高齢社会における運動器疾患 ―― 健康寿命延伸に寄与する運動器リハビリテーション ―― 1
3. 運動器リハビリテーションにおける診断と評価 ―――――――――――― 8
4. 運動器疾患における機能低下の生活機能への影響 ――――――――――― 12
5. 併存症をもつ患者に対する運動リスク管理 ―――――――――――――― 13

II章　運動器リハビリテーションのプロセス　　　　畑野栄治　17

1. 医療安全対策および事故防止（リスク管理）――――――――――――― 17
   - A．リハビリテーション医療による事故事例……17
   - B．ヒヤリ・ハット報告の活用……18
   - C．リハビリテーション医療におけるリスク管理……20
   - D．事故の責任を問われるのはだれ……20
2. リハビリテーション治療の流れ（リハビリテーションマネジメント）――― 22
   - A．リハビリテーションマネジメントの考え方……22
   - B．リハビリテーション医療の実際……22
   - C．押さえておきたいポイント……26
   - D．リハビリテーションの算定日数制限……27
   - E．リハビリテーション実施計画書の書き方……28

III章　運動器疾患対策の社会との関わり　　　　35

1. 介護保険の仕組みと医療と介護との連携 ―――――――藤野圭司・佐藤公一　35
   - A．介護保険の仕組み……35
   - B．地域包括ケアシステム……37
2. 特定健康診査（特定健診）といわゆるフレイル健診 ――藤野圭司・佐藤公一　43
   - A．特定健診……46
   - B．フレイル健診……47
3. 学校健診に加わった運動器検診 ――――――――――――――佐藤公一　49
   - A．学校における運動器検診の意義……50
   - B．学校における運動器検診の方法……51
   - C．学校における運動器検診の課題と対策……53

Topics 新型コロナウイルス感染対策……佐藤公一　54

IV章　運動の仕組み　　　　星野雄一　57

1. 解　剖 ――――――――――――――――――――――――――― 57
   - A．神経系統 ―― 電気信号の伝達経路……57
   - B．筋・腱 ―― 運動を起こす……58
   - C．関節 ―― 運動の中心……58
   - D．骨 ―― 運動の軸……59
2. 生　理 ――――――――――――――――――――――――――― 60
   - A．筋　力……60
   - B．関節の動き……61
   - C．立位バランス……61
   - D．歩　行……62
   - E．運動の強度・負荷量……62
   - F．脊椎のバイオメカニクス……63

3. 病態 — 63
- A. 骨折……63
- B. 捻挫，靱帯損傷……66
- C. 筋・腱損傷……67
- D. 筋力低下……67
- E. 関節拘縮……68
- F. 関節の痛み……68

V章　運動機能と生活の評価　　北　潔　71

1. 神経機能の評価 — 71
- A. 神経障害（末梢・脊髄）……71
- B. 感覚障害の評価……71
- C. 腱反射……71
- D. 特殊な神経異常……71

2. 痛みの測定 — 72

3. 筋・骨格系機能の評価 — 72
- A. 関節可動域……72
- B. 徒手筋力検査（manual muscle testing：MMT）……75

4. 運動動作の測定 — 75
- A. タンデム歩行・タンデム肢位……75
- B. 開眼片脚起立時間……75
- C. 立って歩けテスト……76
- D. ファンクショナルリーチテスト……76
- E. 10 m 最大歩行速度……76

5. 認知症の評価 — 77

6. 生活活動の評価 — 77
- A. 基本的日常生活活動（basic ADL）……77
- B. 手段的日常生活活動（instrumental ADL）……77
- C. 要介護度判定基準……77

7. 生活の質の測定 — 79

VI章　認知症と運動器リハビリテーション　　藤本健一　83

1. 認知症とは何か — 83

2. 認知症の原因疾患と頻度 — 83
- A. アルツハイマー病……84
- B. レビー小体型認知症……84
- C. 血管性認知症……85
- D. 前頭側頭型認知症……85

3. 認知症の診断と評価 — 86

4. 認知症に運動器リハビリテーションは有効か — 87

5. 認知症の運動処方の注意点 — 90

VII章　物理療法の実施法および適応と禁忌　　宮本雅史　93

1. 温熱療法 — 93
2. 寒冷療法 — 95
3. 超音波療法 — 96
4. 低出力レーザー療法 — 98
5. 電磁波療法 — 98
6. 電気療法 — 100
7. 牽引療法 — 102
8. 水治療法 — 103

Topics　骨格筋電気刺激法――ベルト電極式骨格筋電気刺激法（B-SES）……田辺秀樹　105

VIII章 肢体不自由（運動器疾患と神経疾患）の運動療法　飛松好子　107

1. 運動処方の原則 —— 107
   - A. 運動強度……107
   - B. 運動負荷量……109
   - C. 運動療法の実際……110
   - D. 水中運動……110
2. 関節可動域訓練（ROMエクササイズ） —— 110
   - A. 安静臥床時における拘縮……111
   - B. 外傷や術後の局所的不動化による拘縮……111
   - C. 麻痺による拘縮……112
   - D. 禁忌と注意……113
3. 筋力増強訓練 —— 113
   - A. 筋収縮様式と筋力増強……113
   - B. 運動方法と筋力増強……115
   - C. 筋力増強訓練の方法……115
   - D. 禁忌と注意……116
4. バランス訓練 —— 116
   - A. 高齢者に対するバランス訓練……116
   - B. 小脳性失調に対する運動療法……116
   - C. 禁忌と注意……118
5. 歩行訓練 —— 118
   - A. 下肢関節疾患，術後……118
   - B. 片麻痺……119
   - C. 脳性麻痺……119
   - D. 失調，不随意運動……120
   - E. 安静臥床による廃用……120
   - F. 禁忌と注意……120
6. 運動器疾患の運動療法 —— 120
   - A. 片麻痺を伴う患者の運動療法……120
   - B. 神経筋疾患を伴う患者の運動療法……121
   - C. 認知症を伴う患者の運動療法……121

IX章 ロコモティブシンドロームと運動器不安定症　石橋英明　123

1. ロコモティブシンドロームの概念が提唱された背景 —— 123
2. ロコモティブシンドロームの特徴 —— 124
   - A. 運動器疾患は患者数が多く，重複罹患が多い……125
   - B. ロコモティブシンドロームの要因は相互に関連しながら緩徐に進行する……125
   - C. 筋力の強化は運動機能を向上させ，運動器疾患を予防・改善する……127
3. ロコモティブシンドロームのリスク評価・判定法——ロコチェック・ロコモ度テスト —— 127
   - A. ロコチェック……127
   - B. ロコモ度テスト……129
4. ロコモ対策としてのロコモーショントレーニング —— 131
5. ロコモーショントレーニングの介入効果 —— 133
6. 運動の注意事項 —— 136
7. ロコモティブシンドロームと運動器不安定症 —— 136
8. ロコモとフレイルとの協業　大江隆史 —— 137

X章 アスレティックリハビリテーション　大久保雄・金岡恒治　141

1. アスレティックリハビリテーションとは —— 141
2. スポーツ外傷・障害 —— 141
   - A. スポーツ外傷・障害の分類……141
   - B. スポーツ外傷・障害の定義……142
   - C. スポーツ外傷・障害の発生要因……143
   - D. スポーツ外傷・障害の予防……143

- 3. アスレティックリハビリテーションの内容 ————— 144
  - A. アスレティックリハビリテーションの留意点……144
  - B. アスレティックリハビリテーションの流れ……145
- 4. コアトレーニング ————— 147
  - A. アスレティックリハビリテーションにおけるコアトレーニング……147
  - B. 段階的なコアトレーニング……147

XI章　上肢のリハビリテーション　153

- 1. 肩関節 ————————————————— 伊藤博元　153
  - A. 五十肩（肩関節周囲炎）……153
  - B. 腱板損傷……158
  - C. 上腕骨近位端骨折……160
- 2. 肘関節 ———————————— 青木孝之・伊藤博元　162
  - A. 骨折などの外傷後拘縮……162
  - B. 野球肘……164
  - C. 上腕骨外側上顆炎（テニス肘）……165
- 3. 手，手関節 ———————— 南野光彦・伊藤博元　166
  - A. 腱損傷……166
  - B. 関節リウマチ……167
  - C. 骨折・拘縮……168
  - D. 麻痺手……169

XII章　下肢のリハビリテーション　山本謙吾・上野竜一　171

- 1. 股関節 ————— 171
  - A. 人工股関節全置換術（THA：total hip arthroplasty）後……171
  - B. 大腿骨近位部骨折……175
  - C. 変形性股関節症……176
  - D. 大腿骨頭壊死症……179
  - E. 関節リウマチ……180
- 2. 膝関節 ————— 181
  - A. 人工膝関節全置換術（TKA：total knee arthroplasty）後……181
  - B. 変形性膝関節症……182
  - C. 半月板損傷……184
  - D. 靱帯損傷……184
  - E. 膝蓋骨骨折……186
- 3. 足部 ————— 186
  - A. 足関節捻挫……186
  - B. アキレス腱断裂……188
  - C. 肉離れ……188

XIII章　脊椎のリハビリテーション　白土　修　191

- 1. 頚椎 ————— 191
  - A. 頚部痛……191
  - B. 神経根症……192
  - C. 脊髄（頚髄）症……194
  - D. 手術後……195
  - E. 頚椎装具の使い方……196
  - F. 頚椎牽引時および枕使用時の注意……197
  - G. 脊髄（頚髄）損傷……198
- 2. 胸椎 ————— 199
  - A. 側弯症の装具・体操……199
  - B. 骨粗鬆症性椎体骨折の保存治療……200
- 3. 腰椎 ————— 202
  - A. 腰痛症の生活指導（生活，腰痛体操）……202
  - B. 腰椎椎間板ヘルニア……204
  - C. 腰部脊柱管狭窄症……206
  - D. コルセットの処方……207
  - E. 杖の有用性……208
  - F. 職業性腰痛への対応……209

XIV章 切断，装具，杖，車いす　　千田益生　211

1. 切断・義肢 —————————————————————————— 211
   - A. 切断部位……211
   - B. 切断術後のリハビリテーション……211
   - C. 義　肢……213
2. 装　具 ——————————————————————————— 219
   - A. 上肢・手の装具……219
   - B. 下肢装具……220
   - C. 体幹装具……223
3. 杖 ————————————————————————————— 223
   - A. 松葉杖……224
4. 車いすの種類と適応指針 ———————————————————— 227
   - A. 手動型車いす……227
   - B. 電動車いす……228

付　録　　竹下克志　229

1. 関節可動域表示ならびに測定法 ———————————————— 229
2. 徒手筋力検査（MMT）————————————————————— 235
3. 運動器リハビリテーション実技プログラム（3ヵ月）—————— 239
4. 内科的併存症の管理と運動器リハビリテーション ——————— 240
5. JKOM（Japanese knee osteoarthritis measure）2004 ———————— 248
6. ロコモ 25 ——————————————————————————— 250
7. JLEQ（Japan low-back pain evaluation questionnaire）—————— 251
8. 健康づくりのための身体活動基準 2013（一部抜粋）（戸山芳昭座長）— 253
9. Mini-Mental State Examination（MMSE）回答用紙 ——————— 255
10. 改訂 長谷川式簡易知能評価スケール（HDS-R）検査用紙 ——— 256
11. フレイル・ロコモ克服のための医学会宣言 ——————————— 257

和文索引…………………………………………………………………259

数字・欧文索引…………………………………………………………264

運動器リハビリテーションとは

1 運動器リハビリテーションとは

　運動器疾患は身体の運動を制限し，ものをつかむ，握るなどの上肢動作，立ち座り，歩行などの体幹・下肢の動作を不自由にし，仕事，旅行，家事，買い物さらには食事，排泄，入浴などの基本的日常生活活動（動作）を困難とする．高齢者では，運動器疾患は寝たきりや要介護の主要な原因の1つである．超高齢社会を迎えたわが国においては，疾患を悪化させない配慮のもと，積極的に身体運動を行うことにより日常生活の自立度を高め，社会とのつき合いを活発にすることによって，寝たきりや要介護状態となることを予防することが求められている．

　加齢に伴い運動器には軟骨変性，骨量減少などの変化が生じる．これらの変化は当初は無症状であるが，やがて痛み，変形，可動域制限などの症状を覚えるようになる．さらに進行すると動作が困難となり日常生活に支障が生じ，ついには外出，近所づき合いなどができなくなり閉じこもり，寝たきりとなる．このような機能の低下は緩やかに進行するが，関節炎，かぜによる臥床，転倒・骨折，環境変化による心理的落ち込みなどにより加速される．

　多くの高齢者の運動器疾患は完治しないので，病気をコントロールし，病気を持つ人の心身機能，生活の活動性を的確に把握し，二次障害を予防し，機能の回復・維持を図り，生活の活動性を高め，長寿の全うを目指す総合的な取り組みが必要である．このような運動器疾患を持つ患者の心身機能と生活の活動性向上を図る治療が運動器リハビリテーションである．

2 高齢社会における運動器疾患
──健康寿命延伸に寄与する運動器リハビリテーション

1）高齢社会の現況

　総務省統計局データによると，わが国の人口は13年連続して自然減少しており，2019（令和元年）10月1日の総人口は1億2,616万7千人（男性6,141万1千人，女性6,475万6千人），日本人人口は1億2,373万1千人で，9年連続して減少している．15〜64歳人口は7,507万2千人，65歳以上人口は3,588万5千人で，前年に比べ30万7千人の増加，割合は28.4％，75歳以上の人口は1,849万人で，前年に比べ51万5千人の増加，割合は14.7％で過去最高となった．人口増減率を都道府県別にみると，増加は東京都，沖縄県，埼玉県，神奈川県，愛知県，滋賀県，千葉県の7都県で，40府県では減少した．44都道府県で75歳以上人口の割合が15歳未満人口の割合を上回っている[1]．

　2017年に国立社会保障・人口問題研究所が行った日本の将来人口の推計によると，出生中

位推計の結果に基づけば，総人口は2040年に1億1,092万人，2053年には9,924万人となり，2065年には8,808万人になるものと推計される．高齢者（65歳以上）人口は2030年に3,716万人，2042年に3,935万人でピークを迎える．その後は減少に転じ，2065年には3,381万人となる．高齢者人口割合は出生中位推計では，2036年に33.3％（3人に1人），2065年には38.4％（2.6人に1人）と推計されている[2]．

　2019（令和元）年国民生活基礎調査によると，2019年6月6日現在における全国の世帯総数は5,178万5千世帯，65歳以上の者のいる世帯は2,558万4千世帯（全世帯の49.4％），「高齢者世帯」は1,487万8千世帯（全世帯の28.7％），「夫婦のみの世帯」が1,263万9千世帯，「単独世帯」が1,490万7千世帯，「親と未婚の子のみの世帯」が1,471万8千世帯であった．65歳以上の者のいる世帯は，2,558万4千世帯（全世帯の49.4％）で，世帯構造をみると，「夫婦のみの世帯」が827万世帯（65歳以上の者のいる世帯の32.3％）でもっとも多く，次いで「単独世帯」が736万9千世帯（同28.8％），「親と未婚の子のみの世帯」が511万8千世帯（同20.0％）となっている[3]．

2）平均寿命と健康寿命

　2020（令和2）年簡易生命表によると，男性の平均寿命は81.64年，女性の平均寿命は87.74年，65歳の平均余命は男性20.05年，女性24.91年，75歳では男性12.63年，女性16.25年で，85歳では男性6.67年，女性8.76年である[4]．世界保健機関（WHO）が発表した2021年版世界保健統計によると，日本人の平均寿命は男女平均が84.3歳で世界第1位，男性は81.5歳で世界第2位，女性は86.9歳で世界第1位であった（表1）[5]．

　長い間わが国の健康施策の目標は，心臓病，がん，脳卒中などの主要死因疾患を克服し，平均寿命を伸ばすことであった．1990年代には，平均寿命に加え健康寿命の延伸が課題になった．

表1　平均寿命と健康寿命の国際比較（2021年：上位10ヵ国）　　単位：年

国	平均寿命			健康寿命		
	男女	男	女	男女	男	女
日本	84.3	81.5	86.9	74.1	72.6	75.5
シンガポール	83.2	81.0	85.5	73.6	72.4	74.7
韓国	83.3	80.3	86.1	73.1	71.3	74.7
スイス	83.4	81.8	85.1	72.5	72.2	72.8
キプロス	83.1	81.1	85.1	72.4	71.8	73.0
イスラエル	82.6	80.8	84.4	72.4	72.0	72.7
フランス	82.5	79.8	85.1	72.1	71.1	73.1
スペイン	83.2	80.7	85.7	72.1	71.3	72.9
アイスランド	82.3	80.8	83.9	72.0	71.7	72.3
イタリア	83.0	80.9	84.9	71.9	71.2	72.6
スウェーデン	82.4	80.8	84.0	71.9	71.7	72.1

〔WHO：Life expectancy and Healthy life expectancy Data by country, https://www.who.int/data/gho/data/indicators/indicator-details/GHO/life-expectancy-at-birth-(years)　および　https://www.who.int/data/gho/data/indicators/indicator-details/GHO/gho-ghe-hale-healthy-life-expectancy-at-birth（2022.5.13アクセス）より引用（著者訳）〕

健康寿命とはWHOにより「Average number of years that a person can expect to live in "full health" by taking into account years lived in less than full health due to disease and/or injury（傷病により完全でない健康状態の期間を除いた完全な健康状態の期間）」[6]と，厚生労働省により「平均寿命から寝たきりや認知症など介護状態の期間を差し引いた期間」と定義される[7]．良好な健康状態とは，病気がないということだけではなく，精神的にも，社会的にも良好な状態と定義されている．WHOの統計によると，わが国の健康寿命は，出生時の男性では72.6年，女性では75.5年でいずれも世界一位である（表1）．

わが国では，健康寿命の指標として，「日常生活に制限のない期間」，「自分が健康であると自覚している期間」，「日常生活動作が自立している期間」が用いられ，2010（平成22）年に比して2016（平成28）年には，3指標とも延伸傾向にある（表2）[8]．

3）高齢者の健康

運動器疾患は健康寿命に関連する重要な疾患として認識されている．2019（令和元）年の国民生活基礎調査によると，65歳以上の高齢者における自覚症状の有訴者率（人口千人対）は，65歳以上の男女合わせると433.6，男性413.2　女性450.3，75歳以上の男女合わせると495.5，男性477.3　女性508.6．通院者率（人口千対）は，65歳以上の男女合わせると689.6，男性692.8，女性686.9，75歳以上の男女合わせると730.5，男性735.7，女性726.8であった（表3）[9]．

表2　健康寿命の3指標　　　　　　　　　　　　　　　　　　　　　　　　　　　　　　　　　　　　　単位：年

性別	年	日常生活の制限		自分が健康である自覚		日常生活の自立	
		制限のない期間の平均	制限のある期間の平均	自覚している期間の平均	自覚していない期間の平均	自立している期間の平均	自立していない期間の平均
男	2010年	70.42	9.22	69.9	9.73	78.17	1.47
	2013年	71.19	9.01	71.19	9.02	78.72	1.49
	2016年	72.14	8.84	72.31	8.66	79.47	1.51
女	2010年	73.62	12.77	73.32	13.07	83.16	3.23
	2013年	74.21	12.4	74.72	11.89	83.37	3.24
	2016年	74.79	12.34	75.58	11.56	83.84	3.29

〔橋本修二：厚生労働科学研究費補助金（循環器疾患・糖尿病等生活習慣病対策総合研究事業）分担研究報告書　健康寿命の全国推移の算定・評価に関する研究　一全国と都道府県の推移一，http://toukei.umin.jp/kenkoujyumyou/houkoku/H29.pdf（2022.5.13アクセス）より引用〕

表3　有訴者率と通院者率（2019年調査）　　　　　　　　人口千対

	有訴者率		通院者率	
	65歳以上	75歳以上	65歳以上	75歳以上
男女	433.6	495.5	689.6	730.5
男	413.2	477.3	692.8	735.7
女	450.3	508.6	686.9	726.8

〔厚生労働省：2019年国民生活基礎調査の概況，https://www.mhlw.go.jp/toukei/saikin/hw/k-tyosa/k-tyosa19/index.html（2022.5.13アクセス）より引用〕

表4　65歳以上の高齢者におけるもっとも気になる症状別有訴者数（性別，上位10症状）　単位：千人

男	もっとも気になる症状	65～69	70～74	75～79	80～84	85歳以上	（再掲）65歳以上	（再掲）70歳以上	（再掲）75歳以上
1	腰痛	281	287	250	168	119	1,104	823	536
2	手足の関節が痛む	133	118	94	68	55	469	335	218
3	頻尿	78	113	128	82	60	462	384	271
4	せきやたんが出る	83	82	76	50	40	331	248	166
5	手足のしびれ	87	74	76	57	36	329	242	168
6	手足の動きが悪い	51	43	57	58	46	255	203	160
7	息切れ	31	38	50	42	35	196	165	127
8	きこえにくい	26	31	44	48	44	193	168	137
9	肩こり	69	47	45	16	12	190	121	73
10	物を見づらい	48	44	44	29	19	183	136	91

女	もっとも気になる症状	65～69	70～74	75～79	80～84	85歳以上	（再掲）65歳以上	（再掲）70歳以上	（再掲）75歳以上
1	腰痛	304	362	363	298	241	1,567	1,263	901
2	手足の関節が痛む	253	244	238	189	184	1,108	854	610
3	肩こり	131	111	99	53	33	427	296	185
4	手足の動きが悪い	59	59	79	85	131	412	354	295
5	手足のしびれ	73	79	87	67	83	389	316	237
6	せきやたんが出る	81	68	58	40	42	290	208	141
7	きこえにくい	29	38	55	64	78	264	235	197
8	もの忘れする	17	28	50	70	82	247	230	201
9	骨折・捻挫・脱臼	43	52	50	40	46	232	188	136
10	物を見づらい	48	54	56	37	37	232	184	130

入院者は含まない．
〔厚生労働省：国民生活基礎調査 令和元年国民生活基礎調査 健康，第86表，https://www.e-stat.go.jp/stat-search/files?page=1&layout=datalist&toukei=00450061&tstat=000001141126&cycle=7&tclass1=000001141142&tclass2=000001142126&tclass3val=0（2022.5.13アクセス）より引用〕

　65歳以上の高齢者におけるもっとも気になる症状の有訴者数では，男女ともに腰痛が第1位で，手足の関節の痛み，肩こり，手足のしびれ，手足の動きが悪いなどの運動器の症状が上位10位のうち多くを占めている（表4）[10]．
　65歳以上の高齢者の通院者率は，男女ともに第1位は高血圧症で，腰痛症は男女とも第4位，女性では骨粗鬆症が第5位，関節症が第8位を占めている（表5）[11]．

4）身体活動と死亡リスク
　運動器疾患は生活機能低下のみならず，生命予後の危険因子である．身体活動・体力は生活習慣病の罹患と密接な関連性があり，心血管疾患，がんの死亡率のみならず総死亡率と負の相

表5　疾患別通院者率

人口千対

男	傷病（複数回答）	65～69	70～74	75～79	80～84	85歳以上	（再掲）65歳以上	（再掲）70歳以上	（再掲）75歳以上
	通院者率	631.5	686.8	734	744.3	727.6	692.8	717.8	735.7
1	高血圧症	273	309.2	316.5	320.4	299.9	300.8	312.2	313.9
2	糖尿病	141.6	158.1	149.6	137.2	111.3	143.9	144.8	137.1
3	眼の病気	81.2	106.8	143.9	158.9	148.6	118.6	133.9	149.6
4	腰痛症	58	81.9	110.2	123.9	116	90.2	103.3	115.7
5	前立腺肥大症	44.8	69.3	108.2	136.9	135.4	86.5	103.5	123.2
6	歯の病気	71.9	81.6	95.5	100.7	65.6	82.7	87.1	90.2
7	脂質異常症	91.2	97	82.5	66.2	44.6	82.7	79.2	68.9
8	狭心症・心筋梗塞	44.2	58.7	80.6	85.2	90.6	66	74.9	84.3
9	その他の循環器系の病気	35.5	48.5	60.3	69.6	82.4	53.6	61	68.2
10	脳卒中	26.6	35.2	47.2	58.9	47.9	39.8	45.2	50.9

女	傷病（複数回答）	65～69	70～74	75～79	80～84	85歳以上	（再掲）65歳以上	（再掲）70歳以上	（再掲）75歳以上
	通院者率	609	683.9	728	737.3	714.7	686.9	713.2	726.8
1	高血圧症	222.7	284.2	315.6	331.6	348.2	292.2	315.6	330.2
2	眼の病気	101.9	140.2	170.8	172.5	163.3	145.3	159.9	169
3	脂質異常症	148.8	165.1	140.3	107.9	82.5	134.5	129.6	113.2
4	腰痛症	68.3	94.2	132.8	153.9	140.7	111.8	126.5	141.4
5	骨粗鬆症	49.9	78.3	115.7	126.1	137.6	95.2	110.5	125.4
6	糖尿病	73.7	96	94.7	87.5	77.8	86	90.2	87.5
7	歯の病気	90.6	91.2	96.4	85.2	50.9	85	83.1	79.3
8	関節症	43.3	52.4	65.5	75.7	81.8	60.9	66.8	73.5
9	肩こり症	40.4	49.3	59.5	62.6	53.8	51.9	55.7	58.7
10	その他の循環器系の病気	21.5	29.5	38.8	49.7	66.4	38.1	43.8	50.4
11	狭心症・心筋梗塞	13.5	25.7	36.3	49.4	61.7	33.9	40.8	47.9

通院者には入院者を含まない．
〔厚生労働省：令和元年国民生活基礎調査，第107表，https://www.e-stat.go.jp/stat-search/files?page=1&layout=datalist&toukei=00450061&tstat=000001141126&cycle=7&tclass1=000001141142&tclass2=000001142126&result_page=1&tclass3val=0（2022.5.13アクセス）より引用〕

関が認められている[12～14]．

　身体活動は，エネルギー消費を伴うすべての身体運動である．運動器は身体活動を直接遂行する器官である．運動器の疾患に関連する，痛み，筋力低下，関節可動域制限，脊柱変形など機能低下は，四肢体幹の運動，日常生活活動の制限，社会活動への参加の制約となり，身体活動の重要な制限因子である．また，運動器疾患は転倒の危険因子で[15, 16]，身体活動量が多いほ

どすべての骨折ならびに股関節骨折のリスクは低いが，膝関節周辺骨折のリスクは高いことが報告されている[17]．転倒は骨折のみならず，転倒不安を介して身体活動の制限因子となる．

体力は身体活動の遂行能力として評価される．歩行は代表的な有酸素運動である．有酸素運動能力が高いほど，身体活動量が高く，生命予後が改善する．脂質異常症，高血圧，糖尿病への運動療法として，ウォーキング，ジョギングなど有酸素運動が勧められている[18〜20]．

運動器リハビリテーションの目的は，疾患をコントロールし，機能低下の回復，維持・向上を図り，日常生活活動の自立を通して身体活動を増やし，要介護リスク，死亡リスクの低下を図ることである．

5）要介護者数と主な原因疾患

2000（平成12）年4月に介護保険が導入され，介護を社会が支える仕組みが作られ，生活機能（日常生活における活動性）を維持，回復，向上させることが健康政策の課題の1つとなった．要介護・要支援認定者は，制度導入時の2000（平成12）年度末には256万2千人であったが，2018（平成30）年度末には658万2千人[21]，介護保険給付費・地域支援事業費は2000（平成12）年の3.2兆円から2018（平成30）年には9.8兆円に増大した[22]．このような急激な利用者増による介護費用の膨張に対処するため，介護予防すなわち要介護状態となることの予防，要介護状態からの回復への取り組みが重要課題となった．

2019（令和元）年の国民生活基礎調査によると，要介護の原因の上位5傷病は認知症（17.6％），脳血管障害（16.1％），高齢による衰弱（12.8％），骨折・転倒（12.5％），関節疾患（10.8％）であった．要介護度階級別に原因疾患をみると，要介護3以上では，認知症，脳血管障害が50％を超え，要支援1・2では，骨折・転倒，関節症は，要支援1では30.8％，要支援2では23.2％を占めている（図1）[23]．65歳以上の要介護者等の介護が必要となった原因疾患を男女で比較すると，男性では脳卒中が23.0％を占め，群を抜いて多いが，女性では認知症が20.5％でもっとも多く，次いで高齢による衰弱，骨折，関節疾患，脳卒中がそれぞれ10〜16％と拮抗した比率を示している（図2）[24]．

これらのデータは，運動器疾患・外傷は要介護状態の主要な原因疾患であり，ことに女性では，関節疾患と骨折により要介護・要支援となる者が多いことを示している．運動器疾患・外傷患者の治療・リハビリテーションは介護予防のために重要であるのみならず，要支援，要介護1など軽度の要介護状態からの回復を促すものであり，高齢者の健康を増進させ，健康寿命の延伸に寄与するものと考えられる．

6）高齢者の運動器疾患

高齢者の運動器疾患・外傷は，要介護状態の主要な危険因子の1つであることが明らかである．代表的な高齢者運動器疾患である変形性関節症，骨粗鬆症患者数は次のように推計されている．

Kellgren-Lawrence分類でグレード2以上（X線像にて骨棘がみられ，関節裂隙の狭小化が疑われる程度）の変形性関節症の有病率は，膝関節では男性44.6％，女性66.0％，腰椎では男性82.6％，女性67.4％であり，これらの人々の3分の1は，膝痛，腰痛を有している（平均年齢72.3歳）．これらのデータから，わが国の推計変形性関節症の患者数は，膝2,400万人（症状を有する者820万人），腰椎3,500万人（症状を有する者1,020万人）と推定される[25,26]．

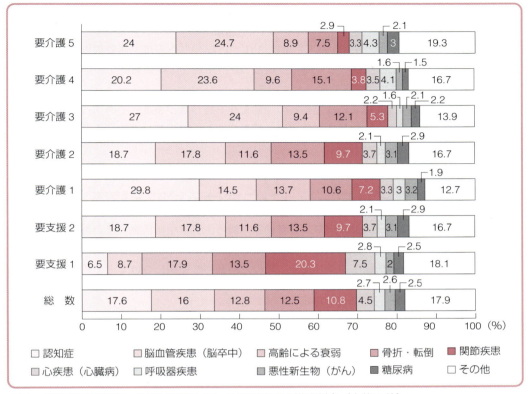

図1 要介護度階級別，介護が必要となった原因疾患の構成割合（上位6位）

〔厚生労働省：令和元年国民生活基礎調査，第26表，https://www.e-stat.go.jp/stat-search/files?page=1&layout=datalist&toukei=00450061&tstat=000001141126&cycle=7&tclass1=000001141143&tclass2val=0（2022.5.13 アクセス）より著者作成〕

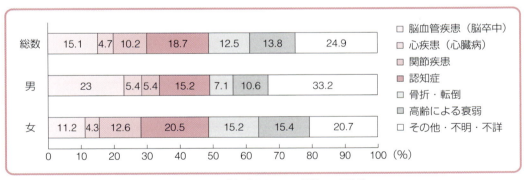

図2 性別にみた65歳以上の要介護原因（介護を要する者数10万対）

〔内閣府：令和元年版高齢社会白書（全体版）2. 健康・福祉，https://www8.cao.go.jp/kourei/whitepaper/w-2019/zenbun/pdf/1s2s_02_01.pdf（2022.5.13 アクセス）より引用〕

Note

● **Kellgren-Lawrence（ケルグレン・ローレンス）分類**

X線像において，関節裂隙の狭小化ならびに骨棘形成がごく軽度の状態をグレード1とし，関節裂隙の狭小化が高度，大きな骨棘がみられ，関節面の変形がみられる状態をグレード4とし，その中間を2段階に分類する評価法である[25]．

膝痛と腰痛を合併する高齢者は多く，農村地域在住高齢者を対象とした調査では，腰背部痛がある者の49.8％が膝痛を，膝痛がある者の74％が腰背部痛を持っていた[27]．

日本の骨粗鬆症患者数は，1,300万人と推計されている[28]．さらに，運動機能に重大な影響を及ぼす大腿骨頸部／転子部骨折の年間発生数は2012（平成24）年に推計19万人であったが，2040年には約32万人発生すると推計されている[29]．

これらのデータから，高齢者には運動器の加齢変化を持つ者が多く，そのすべてに症状が発現しているわけではないが，変形性関節症，骨粗鬆症などの有病率は高く，かつ複数の運動器症状を訴える者が多いことがわかる．

3 運動器リハビリテーションにおける診断と評価

運動器リハビリテーションは，病気，心身機能，動作，日常生活活動，社会参加の状態を把握することに始まる．病気，機能障害，活動制限の関係は国際生活機能分類（ICF）のモデルでとらえる．ICFの機能と活動の関係は運動，動作，活動の3領域に分けて考えると理解しやすい（図3[30]，表6[31]）．

Note

● 国際生活機能分類（ICF：International Classification of Functioning, Disability and Health）

1980年にWHOが発表した国際障害分類（ICIDH：International Classification of Impairments, Disabilities and Handicaps）では，疾患により生じる障害を機能障害―能力低下―社会的不利の3つの階層に区分した．ICFは2001年に承認されたICIDHの改訂版で，ヒトの健康状態（疾病），心身機能，日常生活や社会における活動の状態を構成する要素を7つに分類し，相互の関係を図式として示した（図3）[30]．疾患の生活への影響を医学，心理学，社会学の側面から多面的にとらえることによって，障害をわかりやすく説明し，要素間の原因と結果の関係を検討する手段に用いることができる．

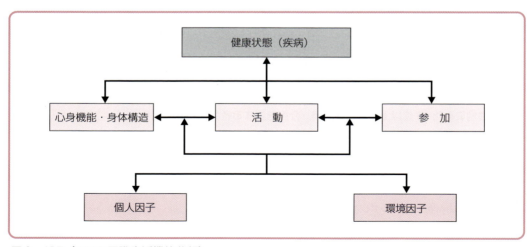

図3　ICF（WHO国際生活機能分類）
〔WHO：国際生活機能分類―国際障害分類改訂版，中央法規出版，東京，2002より引用〕

表6 ICFの用語の定義

	定義	問題点(障害の視点から)
健康状態	健康状態	病気〈疾病〉,変調,傷害,ケガなど
心身機能	身体系の生理的機能(心理的機能を含む) (注釈)神経,心臓,肺,腎臓,筋肉,関節,知能,感覚(視覚,聴覚,体性感覚)など,生理学的検査で測定される.運動器に関しては,関節可動域,筋力,柔軟性など	機能障害(impairments) 医学的・生物学的状態に関する,一般に認められた一般人口の標準からの偏位を表すもの.何を機能障害とするかの定義は,心身機能・構造を判断する資格を有するものによって,それらの標準に従って行われる
身体構造	器官・肢体とその構成部分などの,身体の解剖学的部分 (注釈)体幹・四肢の形態(奇形,変形,切断,欠失),四肢長,周径,アライメントなどで,測定,評価される	構造障害(impairments) 奇形・欠陥・欠損,その他の身体構造の著しい変異を含む
活動	課題や行為の個人による遂行 (注釈)身体運動,体幹・四肢の基本的動作(起居・移動,上肢動作など),日常生活活動(食事,排泄,着脱衣,洗面,身づくろい,歩行,入浴,階段昇降,家事,近所への外出など)などの行為を行うこと.ADL尺度で評点化される	活動制限 個人が活動を行うときに生じるむずかしさ
参加	生活・人生場面(life situation)へのかかわり (注釈)教育,職業,交際,趣味・余暇,スポーツ,役所での諸手続など社会生活を営むために必要なことをすること	参加制約 個人が何らかの生活・人生場面に関わるときに経験するむずかしさ
個人因子	性別,人種,年齢,その他の健康状態,体力,ライフスタイル,習慣,生育歴,困難への対処方法,社会的背景,教育歴,職業,過去および現在の経験(過去や現在の人生の出来事),全体的な行動様式,性格,個人の心理的資質,その他の特質など	
環境因子	(a)個人的:人が直接接触するような物的・物質的な環境や,家族,知人,仲間,よく知らない人などの他者との直接的な接触を含む (b)社会的:就労環境,地域活動,政府機関,コミュニケーションと交通のサービス,非公式な社会ネットワーク,さらに法律,規定,公式・非公式な規則,人々の態度,イデオロギーなどに関連する組織やサービスを含む	

〔WHO:国際生活機能分類—国際障害分類改訂版—〔厚生労働省掲載日本語版,http://www.mhlw.go.jp/houdou/2002/08/h0805-1.html(2022.5.13アクセス)〕を参考に筆者作成〕

　病気の診断は,症状の原因となっている原因と病理学的変化を同定し,重症度を判定することである.病気の診断,重症度は生理学的,生化学的,解剖学的検査結果により記述される.
　心身機能,動作,生活機能の状態は,①臓器の機能低下(関節が動くか,力が出るかなど)また欠損(切断,変形)の程度を調べる,②動作制限,移動(歩行,階段昇降),セルフケア(食事,排泄,更衣),物の運搬・操作(手による細かな操作,持ち上げて運ぶ)などができるかを調べる,③日常生活活動(ADL:activities of daily living)の自立度をバーセルインデックス(Barthel Index)や機能的自立度評価法(FIM:functional independence measure)を用いて評

価する，④生活活動の活動性を老研式活動能力指標などにより評価する（77頁，第Ⅴ章⑥参照），⑤QOL尺度を用いて自覚的な健康度を評価する，ことにより把握される．

　運動障害に関連する機能障害，症状，治療法を表7に示す．運動器疾患・外傷では，関節可動域，関節安定性，柔軟性，筋力，感覚（痛み），巧緻性，持続性（体力），随意性などの運動器機能が低下する．病気や機能低下によりうつや不安などが生じ，生活活動に影響を及ぼす．また，認知症のような精神的要因によっても身体運動・生活活動は影響を受ける．診断・評価は，これらの要因がどれくらい身体運動，動作，生活活動の低下に影響しているのかを明らかにすることである．

　体幹・四肢の運動器機能は角度（可動域），力（筋力）などにより測定し，外的基準と比較して評価することができる．運動機能は握力，歩行速度測定などのパフォーマンステストにより，動作，日常生活活動は，できるか，しているか，または介助が必要かを規準として測定される．日常の生活では複数の動作が組み合わされて行われており，それらの動作の自立度（その動作を遂行するために介助が必要か）で，日常生活活動の遂行能力を評価する．

　健康関連QOL尺度は，自分の健康に対する主観的評価を点数で表現した尺度である．包括的尺度では全般的な健康状態が，疾患特異的尺度では特定の疾患による健康状態が評価される．

　これらの機能評価に用いられる評価尺度を表8[32]に示す．

　患者の病気，心身機能，動作，生活機能の状態を表8のような検査法，測定法により診断する．検査，測定結果は数値として表されるので，治療の成果を客観的にとらえることができる．変形性膝関節症患者の診断評価結果の記述例を表9に示す．

表7　運動障害に関連する機能障害，症状

臓　器	機能不全状態	症　状	治療法
骨関節	不安定関節	関節不安定性，動揺関節	筋力増強訓練，装具，手術
	関節拘縮，強直	可動域制限，拘縮，強直，変形	ROM訓練，物理療法，CPM，手術
	四肢欠損，脚短縮，脚変形	変形，短縮，脚長差，切断，離断	徒手矯正，装具，義肢，手術
軟部組織	柔軟性低下	可動域制限，tightness	ストレッチング
末梢神経・筋	筋力低下	筋力低下	筋力増強訓練，電気刺激
感覚神経	疼痛	痛み，運動制限	鎮痛剤，物理療法，運動療法
	深部感覚鈍麻	運動失調・バランス低下	体操療法，重錘負荷
中枢神経	痙縮	共同運動，随意性低下	体操療法（神経生理学的アプローチ）
	運動失調	運動失調，協調運動障害	体操療法（協調性訓練）
	筋緊張異常（亢進，低下）	低緊張，痙性，固縮，不随意運動	薬剤，神経ブロック，電気刺激，ストレッチング，装具
	情動・意欲低下	うつ，不安	薬剤，心理療法，運動療法
心臓・呼吸器	心肺機能低下	持久性低下	有酸素運動

表8 機能評価尺度

運動機能		関節可動域（拘縮）	関節可動域測定
		柔軟性	体前屈テスト
		筋力	MMT（徒手筋力テスト），握力，筋力測定機器
		体力	6分間歩行距離，最大酸素摂取量測定，運動負荷テスト
		巧緻性（協調性）	Romberg（ロンベルグ）試験，指鼻試験，指タッピングテスト
感覚・認知機能		痛み	VAS（視覚的痛みスケール）
		感覚	感覚テスト（触覚，痛覚，温冷覚，振動覚，二点識別角）
		情緒（うつ，不安）	SDS（self-rating depression scale），MAS（manifest anxiety scale）
		知的能力（認知能力）	HDS-R（改訂長谷川式簡易知能評価スケール），MMSE（mini-mental state examination）
動作		上肢機能	脳卒中上肢機能テスト
		歩行能力	10m最大歩行速度，TUG〔timed up & go test（立って歩けテスト）〕
		バランス能力	片脚起立時間 FRT（機能的上肢到達検査：functional reach test）
		移動能力	Hoffer（ホッファー）の分類
運動器機能		日整会判定基準	頚髄症治療成績判定基準，股関節機能判定基準 変形性膝関節症治療成績判定基準，腰痛疾患治療成績判定基準
ADL（日常生活活動）		標準的	BI（バーセルインデックス），FIM（機能的自立度評価）
		手段的	老研式活動能力指標
		日常生活自立度	障害高齢者の日常生活自立度 認知症高齢者の日常生活自立度
高齢者包括的機能尺度			ロコモ25，基本チェックリスト CGA7（高齢者総合機能評価尺度）
患者立脚型機能評価尺度	包括的	選好に基づく	EQ-5D
		プロファイル型	SF-36，SF-8
	疾患特異的	変形性関節症	WOMAC（Western Ontario and McMaster Universities osteoarthritis index） JKOM（日本版変形性膝関節症患者機能評価尺度） JHEQ（日本整形外科学会 股関節疾患評価質問票）
		慢性腰痛	JLEQ（日本版慢性腰痛症患者機能評価尺度） RDQ（Roland-Morris disability questionnaire） JOABPEQ（日本整形外科学会腰痛評価質問票）
		骨粗鬆症	JOQOL（日本骨代謝学会骨粗鬆症患者QOL質問表）
		頚部脊髄症	JOACMEQ（日本整形外科学会頚部脊髄症評価質問票）
		肩関節疾患	患者立脚肩関節評価法 Shoulder 36（V 1.3）
		足・足関節疾患	足部足関節評価質問票（SAFE-Q）
		肘関節疾患	PREE日本語版（PREE-J）

〔岩谷 力，飛松好子（編）：障害と活動の測定・評価ハンドブック—機能からQOLまで，第2版，南江堂，東京，2015を参考に筆者作成〕

表9　変形性膝関節症患者の評価実施例

	測定法	測定結果	結果の解釈
病気	X線	KL分類　3	関節軟骨が中等度変性
	血液検査	CRP　0.1	炎症なし
機能障害・構造異常	関節可動域	20-130度	完全伸展，屈曲不能
	徒手筋力テスト	大腿四頭筋筋力　4	膝伸展力が低下
	痛み（VAS：10 cm）	5.6 cm	中程度の痛みがある
動作	歩行速度	60m/分	速歩困難（横断歩道を青信号で渡り切ることがややむずかしい）
	片脚起立時間	25秒	転倒の危険性は低い
生活活動	バーセルインデックス	100	家庭内の身辺動作に介助は不要
	寝たきり度	J2	何らかの障害はあるが，日常生活は自立しており，独りで隣近所に外出している
	老研式活動能力指標	11	金銭管理，読書，近所づき合いなどをしている
自己評価	JKOM	60	膝の痛みのために動作制限があり，活動が制約されている

4 運動器疾患における機能低下の生活機能への影響

　これまでの研究から，高齢者の運動器疾患が生活にどのような影響を及ぼしているかを変形性膝関節症を例に国際生活機能分類モデルに当てはめて整理し，**表10**に示す．

　変形性膝関節症患者が困難を訴える頻度が高い動作は正座，しゃがみ込み，片脚起立，小走りなどである．階段昇降では，早期には下りが困難となる[33]．機能障害においては関節可動域制限，筋力低下，フィットネスが低下し[34]，日常生活活動の制限は大腿四頭筋筋力低下と関連性が強い[35]．基本的動作の障害としては階段昇降，長距離歩行（数百m以上の），長時間の坐位，正座，しゃがみ込み，椅子からの立ち上がり，床から物を取り上げる，小走りなどの動作が困難となる[36]．手段的ADLに関しては，負担の重い家事，重い物の運搬，日用品の買い物，地域行事への参加，行楽に出かけるなどの生活活動を行うことが困難で，牛乳パックを開ける，ペンで字を書く，車のドアを開ける，包丁を使う，水道の蛇口をひねるなどの上肢機能に関連した動作にも困難を感じる人が多い[37]．さらに，変形性膝関節症患者の機能障害（disability）はうつ，不安と関連性が高いことが報告されている[38]．また，膝痛を持つ高齢者が階段，歩行，バスや電車に乗る，日用品の買い物などができないことと医療機関を受診することの間には有意な関連性が認められている[39]．

　変形性膝関節症を持つ人の生活状態は，関節軟骨の変性という病気によりこのような影響を受けているととらえられる．病気のあるかどうかにかかわらず，活動的な心身状態を作り出すためには，医療のほかに保健，体育，福祉の社会資源を最大限に利用することが効率的と考えられる．

表10 変形性膝関節症患者の生活機能障害

疾 患	関節軟骨変性
	炎症（腫脹，関節水症）
	変形（内反膝，外反膝）
機能低下	ROM制限
	筋力低下（大殿筋，中殿筋，大腿四頭筋）
	フィットネス低下
運動・動作制限	正座，しゃがみこみ
	椅子から立ち上がり
	歩行時方向転換
	片脚立位
	階段昇降
	歩行
基本的ADL制限	トイレ，浴槽の出入り
	靴下着脱，スカートやズボン着脱など
手段的ADL制限	重い家事
	重量物運搬
	買い物
社会参加制約	近所づき合い
	行楽・旅行

5 併存症をもつ患者に対する運動リスク管理

　高齢者には，高血圧，糖尿病，肥満などの有病率が高く，運動器疾患患者にはこれらの併存症を持つ人が多い．これらの生活習慣病は，脳卒中，狭心症，心筋梗塞などの危険因子であり，その予防・治療に，運動習慣の定着やバランスのとれた食生活などの生活習慣の改善が勧められている．

　これらの患者の中には，膝痛や腰痛などのため運動ができない人も少なくない．また，脳卒中，脊髄損傷などで身体運動が制限されている人に生活習慣病が多い[39]．これら身体運動負荷が困難な患者に対しても，安全な運動処方を行うことが必要である．

　安全に運動を負荷するためには，メディカルチェック，原疾患と合併症によるリスク，運動療法の禁忌，運動負荷の中止基準などについて理解しておかなければならない．**付録4**（240頁）に「内科的併存症の管理と運動器リハビリテーション」を掲載してあるので，必要に応じて参照してほしい．

・ 文　献 ・

1) 総務省統計局：人口推計 2019年（令和元年）10月1日現在, https://www.stat.go.jp/data/jinsui/2019np/pdf/2019np.pdf（2022.5.13アクセス）
2) 国立社会保障・人口問題研究所：日本の将来推計人口平成29年推計, http://www.ipss.go.jp/pp-zenkoku/j/zenkoku2017/pp29_gaiyou.pdf（2022.5.13アクセス）
3) 厚生労働省：2019（令和元）年 国民生活基礎調査の概況, https://www.mhlw.go.jp/toukei/saikin/hw/k-tyosa/k-tyosa19/dl/02.pdf（2021.08.14アクセス）
4) 厚生労働省：令和2年簡易生命表の概況, https://www.mhlw.go.jp/toukei/saikin/hw/life/life20/index.html（2022.5.13アクセス）
5) WHO：Life expectancy and Health life expectancy Data by country, https://www.who.int/data/gho/data/indicators/indicator-details/GHO/life-expectancy-at-birth-(years), https://www.who.int/data/gho/data/indicators/indicator-details/GHO/gho-ghe-hale-healthy-life-expectancy-at-birth（2022.5.13アクセス）
6) WHO：Healthy life expectancy（HALE）at birth, definition, http://apps.who.int/gho/data/node.wrapper.imr?x-id=66（2022.5.13アクセス）
7) 厚生労働省：e-ヘルスネット 健康寿命, https://www.e-healthnet.mhlw.go.jp/information/dictionary/alcohol/ya-031.html（2022.5.13アクセス）
8) 橋本修二：厚生労働科学研究費補助金（循環器疾患・糖尿病等生活習慣病対策総合研究事業）分担研究報告書 健康寿命の全国推移の算定・評価に関する研究―全国と都道府県の推移―, http://toukei.umin.jp/kenkoujyumyou/houkoku/H29.pdf（2022.5.13アクセス）
9) 厚生労働省：2019年国民生活基礎調査の概況, http://www.mhlw.go.jp/toukei/saikin/hw/k-tyosa/k-tyosa19/index.html（2022.5.13アクセス）
10) 厚生労働省：令和元年国民生活基礎調査, 第86表, https://www.e-stat.go.jp/stat-search/files?page=1&layout=datalist&toukei=00450061&tstat=000001141126&cycle=7&tclass1=000001141142&tclass2=000001142126&tclass3val=0（2022.5.13アクセス）
11) 厚生労働省：令和元年国民生活基礎調査, 第107表, https://www.e-stat.go.jp/stat-search/files?page=1&layout=datalist&toukei=00450061&tstat=000001141126&cycle=7&tclass1=000001141142&tclass2=000001142126&result_page=1&tclass3val=0（2022.5.13アクセス）
12) 佐々木淳：身体活動と健康長寿. 日老医誌 49：171-174, 2012
13) Inoue M et al：Daily total physical activity level and premature deathin menanad women：results from a large-scale population-basedcohort stuey in Japan（JPHC study）. Ann Epidemiol 18：522-530, 2008
14) Kikuchi H et al：Impact of moderate-intensity and vigorous-intensity physical activity on mortality. Med Sci Sports Exerc 50：715-721, 2018
15) 松本浩美ほか：ロコモティブシンドロームの重症度と転倒頻度, 低骨密度およびサルコペニアの関連性について. 理学療法学 43：38-46, 2016
16) 和田　崇ほか：地域在住高齢者における診断された運動器疾患数と転倒発生の関連についての横断的研究. 日転倒予会誌 3：37-45, 2017
17) LaMonte MJ et al：Association of Physical Activity and Fracture Risk Among Postmenopausal Women. JAMA Netw Open 2：e1914084, 2019
18) 厚生労働省：e-ヘルスネット 脂質異常症を改善するための運動, https://www.e-healthnet.mhlw.go.jp/information/exercise/s-05-003.html（2022.5.13アクセス）
19) 厚生労働省：e-ヘルスネット 高血圧症を改善するための運動, https://www.e-healthnet.mhlw.go.jp/information/exercise/s-05-004.html（2022.5.13アクセス）
20) 厚生労働省：e-ヘルスネット 糖尿病を改善するための運動, https://www.e-healthnet.mhlw.go.jp/information/exercise/s-05-005.html（2022.5.13アクセス）
21) 厚生労働省：平成30年度介護保険事業報告（年報）報告書の概要, https://www.mhlw.go.jp/topics/kaigo/osirase/jigyo/18/dl/h30_gaiyou.pdf（2022.5.13アクセス）
22) 厚生労働省：介護分野をめぐる状況について 社保審第176回（R2.3.16）, https://www.mhlw.go.jp/content/12300000/000608284.pdf（2022.5.13アクセス）
23) 厚生労働省：令和元年国民生活基礎調査, 第26表, https://www.e-stat.go.jp/stat-search/files?page=1&layout=datalist&toukei=00450061&tstat=000001141126&cycle=7&tclass1=000001141143&tclass2val=0（2022.5.13アクセス）
24) 内閣府：令和元年版高齢社会白書（全体版）, 2 健康・福祉, https://www8.cao.go.jp/kourei/whitepaper/w-2019/zenbun/pdf/1s2s_02_01.pdf（2022.5.13アクセス）

25) Muraki S et al：Prevalence of radiographic lumbar spondylosis and its association with low back pain in elderly subjects of population-based cohorts：the ROAD study. Ann Rheum Dis **68**：1401-1406, 2009
26) 川口　浩ほか：変形性関節症の疫学研究の現状と問題点：Research on Osteoarthritis Against Disability）研究．日整会誌 **83**：978-981，2009
27) 飛松好子ほか：腰痛の運動，生活，社会活動に及ぼす影響．日腰痛会誌 **10**：14-18，2004
28) 伊木雅之：骨粗鬆症・骨折の疫学〜現状と課題〜．Clin Calcium **24**：657-664，2014
29) H Hagino：Fragility fracture prevention：Review from a Japanese Perspective. Yonago Acta Medica **55**：21-28, 2012
30) WHO：国際生活機能分類—国際障害分類改訂版．中央法規出版，東京，2002
31) WHO：国際生活機能分類—国際障害分類改訂版—［厚生労働省掲載日本語版，http://www.mhlw.go.jp/houdou/2002/08/h0805-1.html（2022.5.13 アクセス）］
32) 岩谷　力，飛松好子（編）：障害と活動の測定・評価ハンドブック—機能から QOL まで，第 2 版，南江堂，東京，2015
33) 黒沢　尚ほか：膝 OA の症状と診断．変形性膝関節症，小林　晶（編），南江堂，東京，p61-70，1992
34) Ettinger WH, Afable RF：Physical disability from knee osteoarthritis：the role of exercise as an intervention. Med Sci Sports Exerc **26**：1435-1440, 1994
35) McAlinton TE et al：Determinant of disability in osteoarthritis of the knee. Ann Rheum Dis **52**：258-262, 1993
36) Guccione AA et al：Defining arthritis and measuring functional status in elders：Methodological issues in the study of disease and physical disability. Am J Public Health **80**：945-949, 1990
37) Davis MA et al：Knee osteoarthritis and physical functioning：Evidence from the NHANES I epidemiologic follow up study. J Rheumtol **18**：591-598, 1991
38) Salafi F et al：Analysis of disability in knee osteoarthritis. Relationship with age and psychological variables but not with radiological score. J Rheumatol **18**：1581-1586, 1991
39) 佐久間肇：障害者における生活習慣病の実態．臨床リハ **14**：792-797，2005

運動器リハビリテーションのプロセス

1 医療安全対策および事故防止（リスク管理）

　運動器リハビリテーション（運動器リハ）による特徴的な事故としては，転倒，関節可動域訓練による骨折，マイクロ波照射による熱傷などがある．医療の安全性向上と信頼維持のために，医療機関内に医療安全対策委員会を設置することが法的に義務づけられている．

　しかし，高度化した医療，電気などを応用したリハビリテーション（以後リハと略す）機器の利用，患者の権利主張・自己決定権や多くの合併症を持つ高齢者の増加など，さまざまな社会的要因，そして多職種での協業からなるリハ医療の特殊性のために，いつ事故が起こるかわからない．

　まず，リハ医療による事故事例をあげて，次に事故防止対策について述べる．

A リハビリテーション医療による事故事例

　裁判例から，リハ医療中の事故の管理責任の有無について例でみる．

・ケース1・　61歳　男性，右片麻痺

　右肩関節に他動的関節可動域改善訓練を施行中，上腕骨骨折を起こし，院長が訴えられた．廃用性の骨粗鬆症に配慮がなかったとして25万円の支払いとなった．

・ケース2・　70歳　女性

　四点杖での歩行訓練中に，理学療法士が次のプログラムに移るための準備をするために少し離れたときに転倒し，橈骨遠位端骨折を起こした．訓練中に患者から離れていたために転倒したとして，病院が訴えられ，80万円の支払いとなった．

　訴えられるのは医師か？　担当しているセラピストか？　一般的には，個人的に相当な責任や恨みがない限り，管理責任などにより賠償金を取りやすい医療機関や法人が訴えられることが多い．しかし，今後は医療法人とセラピストの当事者の両者が訴えられるようになるのではなかろうか？　事故を起こさないための安全管理上の対策として，次に述べる「ヒヤリ・ハット報告」の実践活用が重要である．また，「人はどんなに注意していても必ず事故を起こす」と考えておいたほうがよいので，リハ医療の提供前には，リスクについて必ず患者や家族に説明して署名してもらう（後述する運動器リハビリテーション実施計画書の中に項目がある）．

B ヒヤリ・ハット報告の活用

1）ハインリッヒ（Heinrich）の法則

運動器リハで対象とする患者の疾患は限られており，ミスが生じやすい箇所や背景も似ている．まず，どのような状況下でどのような事故が起きたのかを詳細に知る必要がある．

ハインリッヒの法則は，労災事故の研究から生まれた．すなわち，1件の重い傷害事故の背景には，同種の軽い傷害の事故が29件あり，そして300件の傷害に至らなかった同種のできごとがあったというものである．いわゆる，1：29：300として有名な比率である（図1）[1]．

2）ヒヤリ・ハット報告の必要性

川村[2]はヒヤリ・ハット報告の有効的な活用法を，著書の中でわかりやすく説明している．

事故は生じていないものの，「ヒヤリとした」あるいは「ハットした」経験を持ったことのあるセラピストはかなり多いと思う．それは運よく事故にならなかっただけのことである．

このように，事故にまで至らなかった「ヒヤリとした」「ハットした」だけのケースは，報告されずに放置されていることが多いのではないだろうか．これらの体験を個人のものにしておくのではなく，各人の体験を報告して集めた資料（図2）を分析し，全スタッフのために安全対策や事故防止の教訓として活かしたい．そのためには「ヒヤリとした」「ハットした」ことならどのような小さな体験でも気軽に報告をする体制を整備したいものである．

しかし，実際の現場ではヒヤリ・ハット報告したセラピストは，人事考課の際に「過ちを犯しやすいスタッフとして評価されるのではないだろうか？」という懸念を持つのが常である．ヒヤリ・ハット報告は人事考課の材料ではなく，安全管理向上のためであることを強調したい．幸いにもミスや事故にならなかった報告事例を集めて分析し，危険因子を探し出すことができると，同じミスや事故を防止するヒントを得ることができる．

そうなると，「あなたの報告のおかげで私はミスをしなくてすんだよ」などと，スタッフから報告者が感謝されるようになる．この繰り返しによって安全対策意識が向上する．報告の必

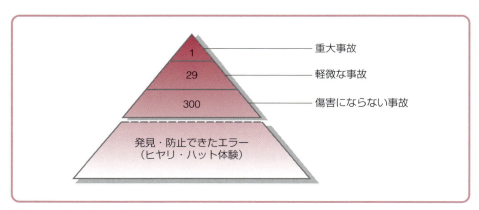

図1　ハインリッヒの法則

1件の重い傷害事故の背景には，同種の軽い傷害の事故29件，その背景には300件の傷害に至らなかった同種のでき事がある．

〔ハインリッヒ HW ほか：ハインリッヒ産業災害防止論，（財）総合安定工学研究所（訳），海文堂，東京，p3，1982を参考に筆者作成〕

1. 医療安全対策および事故防止（リスク管理） 19

要性をスタッフが理解するようになると，ミスや事故を起こしたスタッフが「何の役にも立たない面倒な報告書を書きたくない」という気持ちがなくなり，全スタッフによる安全対策への体制ができあがるはずである．

　生命をあずかる医療職スタッフは，「人はミスをしたり，事故を起こす者である」という認識を常に持つことが大切である．

事故およびヒヤリ・ハット報告書

報告年月日　　年　月　日

利用者氏名	□男　□女　年齢　　歳
利用状況　□入院　□通院　□通所リハビリテーション利用者	
発生年月日　　年　月　日（　）	発生時刻　am／pm　時　分頃
発生場所	報告者氏名

（損害の程度）
　①利用者への影響
　　□レベルⅠ　異常なし
　　□レベルⅡ　バイタルサインの変化・観察強化・要検査
　　□レベルⅢ　治療が必要な軽度の傷害
　　□レベルⅣ　入院加療が必要な傷害
　　□レベルⅤ　後遺障害が残る傷害或いは死亡
　②その他
　　□精神的苦痛を受けた
　　□器械・物品の破損
　　□その他（　　　　　　　）

（所見および治療）
　□骨折（　　　）　□創傷（　　　　　）　□熱傷（　　　　　）　□打撲（　　　　　）
　□肺炎　□脳挫傷・硬膜下血腫　□死亡　□その他（　　　　　　　　　　　　　　）

種類
　□転倒・転落　□外傷　□誤嚥・誤飲　□異食　□離設（離苑）　□食中毒　□熱傷　□感染　□自傷
　□利用者同士のトラブル・暴力　□金銭　□紛失・破損　□与薬　□注射（皮下・筋注・静注）　□点滴
　□介護保険・契約関連　□その他（　　　　　　　　　　　　　　　　　　　　　）

（発生状況）＊事実を記載
　□介助中　□リハ中　□レク中　□その他

（下の欄は、受傷者・被害者が利用者の場合のみ記入して下さい。）
　◆障害高齢者の日常生活自立度（寝たきり度）　□A-1　□A-2　□B-1　□B-2　□C-1　□C-2
　◆認知症高齢者の日常生活自立度　　　　　　　□Ⅰ　□Ⅱa　□Ⅱb　□Ⅲa　□Ⅲb　□Ⅳ　□M
　◆要　　介　　護　　度　　□要支援　□要介護1　□要介護2　□要介護3　□要介護4　□要介護5

（発生直後の緊急処置）

（利用者・家族への説明内容および施設への要望）

（事故原因または「ひやり・はっと」の場合は防ぐことができた理由）

図2　ヒヤリ・ハット，事故報告の例

C リハビリテーション医療におけるリスク管理[3〜5]

　医療法施行規則11条で，医療安全管理指針の作成，医療安全委員会や職員研修会の開催，そしてヒヤリ・ハットや事故の報告制度を作って事例を分析し，安全体制の確立に努めることが求められている．

　リハ医療では病気や障害のある患者に動いてもらうので，必ずリスクが内在している．何らかのリスクが予想される場合には，リスクをなるべく事前に評価して防止する必要がある（予見可能性）．リスクとして，基礎疾患と合併症の種類や程度などがあるが，現時点では知識・技術・経験が少ないセラピストでは，特にリハ技術を含めた安全性が懸念される．どんなに優秀なセラピストでも，勤務時間内ずっと緊張し続けることは困難であり，どこかでプツンと注意力や緊張が断絶する瞬間があるはずである．このようなときに限ってミスや事故が起こりやすい．そこで，ヒヤリ・ハット報告から判明している危険因子を，リハ開始前に確認するなどの安全対策が必要となる．

　現在，安全対策でもっとも大きな課題となっている「転倒による外傷例」について考えてみる．転倒を予見できるのであれば（予見義務）転倒対策を講じ，その対策について本人や家族に説明しておく必要がある．

　スタッフが1秒も患者から離れずに付き添うことは現実的に不可能なので，対策を講じても（注意義務）転倒を避けることができないことがあることを（結果回避義務），本人と家族に説明して理解を得る．そして，この安全対策のために努力した過程をカルテにしっかりと記載して証拠を残す．

D 事故の責任を問われるのはだれ

　「医療法　第十条2　病院又は診療所の開設者は，その病院又は診療所が，…それが主として医業を行うものであるときは臨床研修終了医師に，…これを管理させなければならない」．

　セラピストの約80％は看護職であり，保助看法（保健師助産師看護師法）では「診療の補助」を看護職が行える．患者の状態と補助する医療行為の危険性，そしてその看護職の力量を前提に，主治医が指導監督すると考えられている．リハでは運動という負荷を与えるので，常にリスクが内在している．セラピストは運動療法開始前に医師や理学療法士からしっかりと適応や禁忌，リスク管理などについて確認を求めることを勧める．リハには常に一定のリスクがあり，「事故を100％防ぐことはむずかしい」ので，対策を十分に講じて，患者や家族に説明をしておくことが必要である（説明責任）．

1）事故が生じたときの法的責任
①民事責任

　被害者への損害賠償責任が問われ，金銭での解決が求められる．債務不履行責任としての安全配慮義務や説明責任（インフォームドコンセント：十分な説明と患者の同意）が問われる．また，不法行為責任としての予見義務，注意義務，結果回避義務の責任が問われる．

　予見義務は，転倒の危険性があるのにアセスメント時に指摘していなかった場合である．注意義務は，リハを行う際に転倒の予防策をとっていない場合である．結果回避義務は，リハを行う際に転倒の回避をしなかった場合である．

②刑事責任

当事者のみならず，医療機関も起訴の対象になる可能性がある．業務上過失致死罪，業務上過失傷害罪などである（刑法211条）．

③行政処分

保険医療機関としての指定取り消し，業務の停止あるいは従事者の免許（資格）の取り消しなどである．

2）事故が生じた際の対応

①説明責任（インフォームドコンセント）

医療機関側の初期対応のまずさ（説明不足），すなわち最初のボタンの掛け違いが，家族の不信感を増大させ，後々の対応が違ってくる．

入院患者の例をあげると，普段あまり来院しない家族に対しては，しばしば来院する家族以上に十分な説明を行ったほうがよい．患者・家族は，医療機関が何か特別なことをしてくれるのではないかと期待する傾向がある．したがって，家族の医療機関に対する期待と現場との差異が不服（不満）となって表出する．日ごろから家族との十分なコミュニケーションを心がけ，現場の仕事をしっかりと説明して理解してもらう必要がある．

②記録の重要性

事故が起こったときの状況について，分単位で記録しておくことが大切である．

記録の方法は，
- 必要な事実を記録する
- 事実と評価を分ける
- 観察または新鮮な記憶に基づいて記録する
- 正確に記録する
- 判読可能な記録をする
- 記録を簡単に変更できないようにする
- 記録を変更する場合には，変更の事実と変更後の記録が確認できるようにする

このような記録は裁判になったときに証拠として有効である．

3）事故が起きると現実はきびしい

易転倒性の患者が認知症を合併していると，スタッフが頻回にチェックしていても，自ら動いて転倒・転落することがある．あらかじめ転倒のリスクを家族に説明していても，事故があると，落ち度と結果の間に法的因果関係がなくても適切なリハケアを受けられなかったということで，期待（機会）の侵害，すなわち期待を裏切ったとして慰謝料を支払わざるをえないことがある（期待権侵害論）．

患者を移乗させる際に前腕部を持って移乗させると，前腕部皮膚に剪断力が働いて皮膚剥離ができることがある．傷を作るのはリハ専門職としての職務怠慢として，注意義務違反になりかねない．

自院のセラピストの能力では必要なリハ医療サービスの提供が困難な場合には，きちんとしたリハを提供できる医療機関にいつでも紹介できる体制を作っておきなさい，という環境整備責任の法的義務が拡がってきている．

医療事故が起きたときには，過去1～2年間にどのようなリスクマネジメント活動をしたかということが問われる時代になっている．このように，現在は裁判を起こされないようにする

体制がリスクマネジメントの基本になっている．医療にかかわっているスタッフ一人ひとりが，患者の生命をあずかっているという意識を常に忘れてはいけない．

2 リハビリテーション治療の流れ（リハビリテーションマネジメント）

A リハビリテーションマネジメントの考え方[6〜10]

「障害は機能・構造障害にとどまらず患者や家族の生活や人生に大きな影響を及ぼす」ので，リハ医療は医師だけでは解決できない．リハ医療はチーム医療だといわれるゆえんである．

リハビリテーションチーム（リハチーム）は，医師，理学療法士，作業療法士，言語聴覚士，セラピスト，看護職，リハビリテーション助手，ソーシャルワーカーなどの専門家だけでなく，患者や家族を加えたメンバーで構成する．

医師が診断と機能評価を行った後で，リハ処方箋を出す．処方箋に従ってセラピストはリハ治療（運動療法，評価など）を実施する．

リハ開始後，できれば1週間以内に患者・家族も含めたリハチームでカンファレンスを開催する．そして，患者の生活や人生目標を視野に入れたリハビリテーション総合実施計画書を作成する．

患者や家族に対して，今後行う予定のリハ計画を説明した上で同意を得る．そののち，医師が新たに出すリハ処方箋をもとに，セラピストは他職種とともに共通目標に向けて訓練を開始する（図3）．

B リハビリテーション医療の実際

1）診　断

リハ医療は，基本的動作能力の回復などを目的として，実用的な日常生活における諸活動の実現を目標として行われる．要介護の原因としてロコモティブシンドロームが注目されるようになったが，介護予防の対象となる要支援相当の患者は，まず医療機関を訪れることが多い．そこで，運動器疾患の専門家である整形外科医療機関で，早期に発見・診断し，運動器リハを介入させることが大切となる．介護を必要とする状態になる前の水際作戦の戦術の中で，ロコモティブシンドロームの早期発見・診断がポイントとなる．

2）処方・リハビリテーション治療

医師は診察後に病名，疾病に続く障害の種類と程度，合併症，注意，禁忌事項などを記載したリハ処方箋を発行する．

リハ医療は運動負荷を治療手段とすることが他の医療と異なる．一病息災ではなく多病息災である高齢者にとって，特に大きな負荷を伴う運動は特有のリスクや多くのリハ阻害因子があるので，事故発生の危険性がつきまとう．事故を未然に防止するためには，訓練を行うときの運動プログラムの種類，負荷する量，禁忌，そしてリハ治療によって得られる効果の程度の予測などが必要となる．そうすることで担当セラピストは処方箋に従って，患者に医療事故が生じないような安全・安心なリハサービスを提供できる．

運動負荷量の目安として，Borg（ボルグ）指数による自覚的疲労運動強度，許容される最大

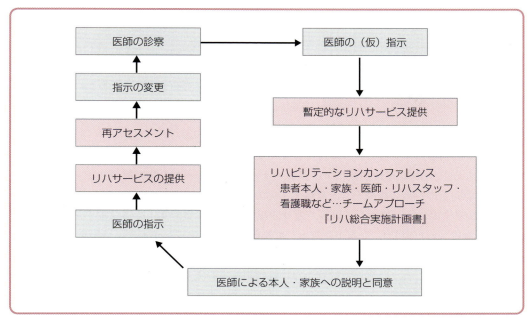

図3　リハビリテーション医療マネジメント

脈拍数，最大収縮期血圧，最大拡張期血圧などがある．高齢者に運動負荷を強いるので全身的なリスク管理が必要であり，その点において看護職のセラピストであれば安心である．

リハ治療による予後は，身体的要因だけでなく心理的・社会的・環境的など多くの要因が複雑に絡み合って決まる．リハサービス提供による予後予測能力を獲得するためには，自らが多くの文献を読むことはもちろんであるが，多くの経験も必要である．

<u>※リハビリテーション効果を高める運動療法計画作成のためのポイント</u>

才藤[11]は，運動学習に必要なものとして，①動機づけ，②行動の変化，③定着・保持などをあげて，この対策を次のように詳細に説明している．

学習不良のときは運動プログラムの選択が正しいかどうか，頻度はどうであるか，フィードバックの方法などの検討が必要であるとしている．一般に，運動は自らが主体的に動こうとしないと困難であるが，セラピストのちょっとした賞賛により動機づけに成功することがある．セラピストがリハ効果を評価したデータを説明すると，達成感から患者は動機づけがなされることもある．

達成感を得ることによる行動変化を起こすためには，運動量や頻度を適宜調節しなくてはならない．たとえば，負荷が強すぎると運動ができなくなり，逆に負荷が軽すぎると容易すぎるので，達成感が早期に出て進歩がなくなる．

立位で転倒危険性のある高齢者では，座っての運動がよい．虚弱な者には，自由度の高い運動は危険で事故を起こす可能性があるが，マシンを使用すれば限られた運動だけを行うことができるので安全である．

運動をはじめても多くの人は三日坊主で終わる．運動継続のための手段として，社会的報酬を与える，宣言をする，自己報酬，社会的サポートなどの何らかの仕掛け作りにより，行動変容を起こすことが必要となる．

> **Note**
> 筆者は，特殊な運動は継続性に乏しいので，日常生活の中でこまめに動くような指導をしている．たとえば，目的の所に行くときに，少し遠まわりをして行くなど，普段からの何でもない活動の積み重ねが大切である．
> 自らが動くという習慣を身につけるためには，「楽しむ者に如かず」の孔子の言葉にもあるように，好きなことに対しての働きかけを行うことも必要となる．

※マシンを使っての訓練について

　高齢者が転倒しやすくなったり歩行できなくなるのは，長年にわたって「年のせい」にされてきた．しかし，1990年代初頭にアメリカのナーシングホームの臨床的研究で，高齢者でも運動器機能向上のための訓練を行えば筋力・体力やADL（activities of daily living，日常生活活動）が改善することが判明し，以後，地球的規模で運動器機能向上の方法論が活発に検討されてきた[12,13]．わが国でも，介護予防策として高齢者向けのマシンが相次いで販売されており，企業主導の顧客争奪戦が繰り広げられている．マシンによる運動には前述したようなメリットもあるが，高価なこと，設置場所に行かなければ訓練を行えないなどの課題がある．運動器機能向上の方法は，いつでもどこでも容易に行えるものがよい．

3) 評　価

　リハは従来から「評価に始まり評価に終わる」といわれている．一般の病気，たとえば肝炎ならAST，ALTなどの血液検査により治療の効果を判定できる．リハ医学が一般の臨床医学とは異なるのは，病名の診断のみならず障害によってもたらされる生活機能状態のあらゆる困難，すなわち活動制限や社会参加の制約などについてアプローチすることである．

　このためには評価すべき項目は心身機能，身体構造（機能障害）だけでなく広範囲に及び，生活（活動レベル），人生（参加レベル）や環境など多分野にわたる．障害を抱えた人の障害部分だけでなく，健常な部位に対しても運動療法などによって機能を高めたり，あるいは住宅・福祉機器などによる環境整備で個人の生活機能を高めるアプローチがリハ医療の特徴である．

　リハ特有の評価方法がいろいろと提案されているが，その中では特に生活状況やADLの聴取が大切であり，また社会復帰に向けてはASL（activities of social life），QOL（quality of life），心理面や環境の評価も必要となる（評価については71頁，Ⅴ章を参照）．リハ介入効果の正確な評価のためには，障害に特有の信頼性と妥当性のある評価方法が要求されるが，病気の治療効果のように共通の物差しでは数値化しにくい要因がたくさんある．そこで，リハ実施者と評価者を別々にすることや，当事者である患者による評価も大切となる．

4) カンファレンス

　スタッフ任せの垂れ流しリハをなくすための手段として取り入れられたのが，カンファレンスを通じたリハビリテーション実施計画書作成の義務化である．介護保険でも，リハサービス報酬算定の条件として，医療保険と同じようにカンファレンスでの多職種協働によるリハマネジメントが前提となった．

　社会保険点数表（いわゆる青本）には，「リハビリテーションは適切な計画のもとに行われるものであり，その効果を定期的に評価し，それに基づき計画を見直しつつ実施するものである」と明記してある．すなわち，リハは消炎鎮痛処置と異なり，医師はきちんと障害などを評価・処方し，看護師，PT，OTなど他のリハ関連職種従事者，患者，家族などとともに定期的にカンファレンス（図4）を開催し，共通目標とそれに向けてのリハ処方内容を設定した上でリハ

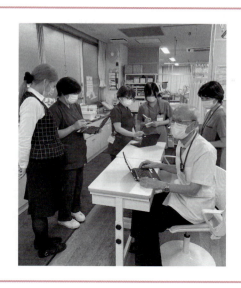

図4　多職種によるリハビリテーションカンファレンス風景
運動器セラピスト（あんま・マッサージ・指圧師），医師，PT，看護師が参加している．

ビリテーション実施計画書を作成し，最後に患者・家族に説明して同意を得ることが求められている．カンファレンスを通じて，リハ関連スタッフからの異なる角度での提案・課題を把握し，そして患者から出された目標を目指して共通認識のもとに協動する（目標指向型）．

　患者とスタッフがチームで共通目標を作成するためには，患者との共通言語が必要である．通院リハの患者は自宅で暮らしているので，どのように生活していてどのようなことが困難なのかなどについて，他職種から思いもよらなかった貴重な情報が入ることがある．要介護の高齢外来患者の目標は，何とか1人で留守番ができるか，1人で自宅にいられるかどうかであることが多い．そのためには排泄が自立でき，不意の訪問客への対処ができないといけない．

　このように，それぞれの患者が希望する生活目標を実現できるように，リハチームと患者や家族が相談して目標を作成し，リハ計画・リハ内容について説明し同意を得る．そうすることによって患者のリハ意欲が高まる．入院患者の場合には，看護記録には医師には訴えにくいような貴重な情報が入っており，玉手箱のようなものである．隅から隅まで読むと予想しないような目標へのヒントを得られることがある．

5）再評価

　リハ実施後には，定期的な評価（評価サイクル）によりリハプログラム・効果のチェックを行う．改善がなければプラトーに達したと判断して，通院・入院リハから介護保険や保健事業と連携をとることも必要となる．効果のない訓練を延々と継続して患者を訓練人生にすると，むしろ障害の受容が進むのを遅らせることとなり，社会参加への機会を逸することもある．

　高齢者が毎日の日常生活の中で生き甲斐を持って社会参加を促進し，それが生活の活動性の向上，引いては運動器機能向上に結びつくとよい．

6）再処方

　患者の状態をよく観察し，再発や急性増悪の際にはちょっとした変化でも見逃さないで医師

に報告して新たなリハ処方箋を出してもらうようにしてほしい．

C 押さえておきたいポイント

1）記録・記載もリハビリテーションのうち

　リハは治療を行ったらそれで終わりではない．リハの実施に当たっては，全患者について訓練内容の要点および実施時刻を診療録へ記載する．リハ室入室と退室時刻の記録ではなく，リハ開始時刻と終了時刻を記載する．リハ室に入室してからリハ開始まで，あるいはリハ終了後からリハ室退室までには，順番待ちや移動などリハ実施以外の時間が含まれるからである．

　患者から訓練に対しての医療費をいただくのであるから，実際に訓練を行った時間の記録が必要である．リハの実施に当たっては，医師は定期的な機能検査等をもとに効果判定を行い，リハビリテーション実施計画書を作成する必要がある．また，リハの開始時およびその後3ヵ月に1回以上（特別の定めのある場合を除く），患者に当該リハ実施計画の内容を説明し，診療録にその要点を記載することとされている．

　このように，運動器リハの診療報酬請求に際しては，物理療法だけを行った際の消炎鎮痛処置と異なり，カンファレンス開催，リハビリテーション実施計画書作成，定期的な評価などに予想外の時間をとられることにセラピストビギナーは驚くであろう．しかし，この一連のプロセスがリハには必要である．

2）運動器リハビリテーション料の算定条件は？

　理学療法士などリハ専門職がまったく不在でも，常勤・専従のセラピストがいれば運動器リハビリテーション料の施設としての届け出が可能である．**運動器リハビリテーション料の届け出を行っている保険医療機関**において，**セラピストが訓練を行った場合**については，**当該療法を実施するに当たり，医師または理学療法士が事前に指示**を行い，かつ**事後に当該療法にかかわる報告を受ける場合**にあっては，**運動器リハビリテーション料を算定**できる．しかし，症状が安定しており，同じ療法を一定期間継続する場合などにおいては，数日分まとめて指示することも可能である．また，事後報告に実施記録を利用する場合には，報告を受けるものによる確認後のサインが必要である．

　また，専任の医師が直接訓練を実施した場合にあっても，理学療法士または作業療法士が実施した場合と同様に算定できる．

　運動器リハビリテーション料は，1人の従事者が1人の患者に対して重点的に個別的訓練を行う必要があると認められる場合であって，セラピストと患者が1対1で20分以上個別療法として訓練を行った場合（1単位）にのみ算定するものである．屋外など，治療，訓練の専門施設外で訓練を実施した場合においても，所定点数により算定できる．

　運動器リハビリテーション料の所定点数には，徒手筋力検査およびその他のリハに付随する諸検査が含まれる．訓練時間が20分に満たない場合は運動器リハビリテーション料は請求できず，基本診療料（初診料あるいは再診料）に含まれる．

　介達牽引または消炎鎮痛などを併せて行った場合も，リハの所定点数に含まれ算定できない．電気治療，水治療や牽引などの物理療法だけを実施した際には，消炎鎮痛処置の請求となる．

3）運動器リハビリテーション料の対象となる患者（表1）

　当該患者が病態の異なる複数の疾患を持つ場合には，必要に応じそれぞれを対象とする疾患

表1　運動器リハビリテーション料の対象となる患者

① 急性発症した運動器疾患または手術後の患者とは，上・下肢の複合損傷（骨，筋・腱・靱帯，神経，血管のうち3種類以上の複合損傷），脊椎損傷による四肢麻痺（1肢以上），体幹・上・下肢の外傷・骨折，切断・離断（義肢），運動器の悪性腫瘍などのものをいう
② 慢性の運動器疾患により，一定程度以上の運動機能の低下および日常生活能力の低下をきたしている患者とは，関節の変性疾患，関節の炎症性疾患，熱傷瘢痕による関節拘縮，運動器不安定症等のものをいう

※以上の患者の中で医師が個別に運動器リハが必要であると認めたものは，運動器リハビリテーション料の対象となる．

別リハを算定できる．ただし，セラピストは運動器疾患リハビリテーション料しか算定できない．

D　リハビリテーションの算定日数制限

「高齢者リハビリテーションのあるべき方向」（高齢者リハビリテーション研究会報告書，平成16（2004）年1月）で，長期間にわたって効果が明らかでないリハ医療が行われているとの指摘があり，それを受けてリハ治療には算定日数制限が設けられた．

2006（平成18）年3月までの療養担当規則には，「理学療法は投薬，処置または手術によって治療の効果を上げることが困難な場合であって，この療法がより効果があるとき，またはこの療法を併用する必要があるときに行う」とあった．しかし，2006（平成18）年4月の改定で，「リハビリテーションは必要があると認められる場合に行う」こととなり，算定日数の上限が新たに設定され，リハの必要がないと判断される期間に行うリハは算定できなくなった．

いずれの疾患においても，急性期→回復期→生活期におけるシームレスなリハサービス提供の流れは今後ますます推し進められ，急性期と回復期リハは医療保険で，生活期リハは介護保険で行うことになっている．

運動器リハは，発症，手術または急性増悪から150日以内に限り所定点数を算定できる．しかし，介護保険での生活期リハの受け皿がまだ十分整備されていないとの理由により，標準算定日数制限を超えた場合でも，医療保険で算定することができるようになっている．

急性期または回復期におけるリハビリテーション料を算定する日数として，標準的算定日数を超えて継続してリハを行う患者のうち，「治療を継続することにより状態の改善が期待できると医学的に判断される場合」は，継続することとなった日を診療録に記載することと併せ，継続することとなった日およびその後1ヵ月に1回以上リハビリテーション実施計画書を作成し，患者または家族に説明の上交付するとともに，その写しを診療録に添付する．

E　リハビリテーション実施計画書の書き方

1）リハビリテーション実施計画書の考え方

運動器の障害は日常生活機能に支障をきたすばかりでなく，社会人としての活動，生き方，人生にも影響を及ぼす．障害を有する患者へのアプローチは，カンファレンスを開催して専門

分野別からの評価など多方面からの情報収集を行い，患者や家族から実生活や人生の中で困っていることや生活目標を聞き取ることが大前提となる．

リハのゴールを予測するためには，発症前の活動や社会参加についての情報などが必要である．リハ目標の設定に当たっては，疾患や障害ばかりにとらわれないで，何らかの障害があるが尊厳ある人としてみることが大切である．目標設定に際して，いずれの様式のリハビリテーション（総合）計画書にもICFの考え方が導入されている．身体の障害に対してただ機能訓練のプログラムを作成するだけでなく，患者の生活・活動・参加の状況など全人間的にみる視点が必要である．

一人ひとりの生活や個性を重視したリハプログラムとし，「できる活動」と「している活動」を区別して，「やればできる活動」を「実際の生活の場でしている活動」につながるようなリハプランにする．

従来は障害ばかりに視点をおくマイナス思考であったが，現在では患者が持っている残存機能や特徴などのよい面をみる．プラス思考をリハプランに反映する．受け身からチャレンジへの流れである．このようにマイナス思考からプラス思考への変更すなわち，「…できない（受け身的）」ではなく，「…したい（主体的，意欲的）」，残存機能（しているADL）だけでなく潜在能力（できるADL）をみる視点が大切となる．したがって，他の人と違った点・目立つ点よりも優れている部分，長所を見つけ出すことが大切となる．

Note

● リハビリテーション計画書内容の考え方

2001年の改正でICIDHが国際生活機能分類（ICF：International Classification of Functioning, Disability and Health）に変更されたことを受けたものになっている．ICFは，「Impairment（心身機能・身体機能）障害に関係— Activation（活動）生活に関係— Participation（参加）人生に関係」の3つのレベルからなり，これを包括したものを「生活機能」とする．それぞれの3つのレベルは，基本的能力，応用能力そして社会的適応とも通じている．自分らしい生活獲得のためには，社会参加と自分の生活へ向けた活動が大切である．なお，リハビリテーション総合実施計画書導入の背景について，田中ら[14]が詳細に自己決定権やクリニカルパスとの関連性から解説しているので参照していただきたい．

2）リハビリテーション総合実施計画書の書き方

運動器リハビリテーション料の施設基準に適合しているものとして届け出を行った保険医療機関において，医師，看護師，理学療法士，作業療法士，言語聴覚士，社会福祉士等の多職種が協働してリハの実施方法や効果等について評価を行ってリハビリテーション総合実施計画書を作成し，その内容を患者に説明の上交付するとともに，その写しを診療録に添付する．そうして，はじめてリハビリテーション総合計画評価料を算定可能である．

脳血管疾患など重度の障害者リハを担うリハ施設では，BI（バーセルインデックス）やFIM（機能的自立度評価法）などの評価法が入ったリハビリテーション総合実施計画書の複雑な様式（別紙様式23，23の2，23の3，23の4）が必要であるが，運動器リハの対象患者は関節痛や関節拘縮などが主体で，著しいADL低下や多彩な症状を示す患者が少ないので，基本的なADLや手段的なADLのほとんどが自立となり独自の様式が必要である．そこで，これらの様式に準じたものとして，日本運動器科学会（旧：運動器リハビリテーション学会）が作成した運動器リハ専用のリハビリテーション総合実施計画書（図5）の使用をお勧めする．

運動器リハビリテーション　総合実施計画書　　カルテID：

氏　名　：	（ 男・女 ）	生年月日 ： T・S H・R　年　月　日（　）歳
診断名　：		初診日 ：　年　月　日
経過・期限超継続理由　：		起算日 ： □発症日 □手術日 □急性増悪日　年　月　日
併存疾患・合併症　：		50日 ：　年　月　日 ／ 150日 ：　年　月　日
安静度・リスク　：		開始日 ：　年　月　日
禁忌・特記事項　：		評価日 ：　年　月　日

＜　心身機能・構造　＞　※関連する項目のみ記載

□疼痛			
□関節可動域制限			
□拘縮・変形			
□筋力低下	□握力（右　／左　）kg		
□感覚機能障害	□聴覚 □視覚 □表在覚 □深部覚 □その他（　）		
□意識障害	（ JCS・GCS　：　）	□循環障害	□FF（　%）□不整脈（有・無）
□呼吸機能障害	□酸素療法（　L/min）□気切 □人工呼吸器 □その他（　）	危険因子	□高血圧症 □脂質異常症 □糖尿病 □喫煙 □肥満 □高尿酸血症 □慢性腎臓病 □狭心症 □家族歴 □陳旧性心筋梗塞 □その他（　）
□高次脳機能障害	□記憶 □注意 □失行 □失認 □遂行		
□運動機能障害	□麻痺（　）□不随意運動 □運動失調 □パーキンソニズム	□発達障害	□自閉症スペクトラム症 □学習障害 □注意欠陥多動症性障害 □その他（　）
□筋緊張異常		□音声発話障害	□構音 □失語 □吃音 □その他（　）
□摂食嚥下障害	□栄養障害	□記憶障害	
□排泄機能障害	□見当識障害	□精神行動障害	
□褥瘡	□その他		

＜　基本動作　＞　※関連する項目のみ記載

□寝返り	□自立 □一部介助 □介助 □非実施	□座位保持	□自立 □一部介助 □介助 □非実施
□起き上がり	□自立 □一部介助 □介助 □非実施	□立位保持	□自立 □一部介助 □介助 □非実施
□立ち上がり	□自立 □一部介助 □介助 □非実施		□片脚立位保持（右　／左　）
□歩行	□自立 □一部介助 □介助 □非実施 □3mTUG：普通（　）速く（　）		
□その他	（　）		

＜　ロコモ度テスト　＞　（開始時）→（現在）　※関連する項目のみ記載

□ロコモ25　重症度区分（　）→（　）

合計点	→	ロコモ5	→
疼痛	→	活動・参加	→
屋内動作	→	不安	→
身の回り動作	→	その他	→

□立ち上がりテスト
両側（　）cm →（　）cm
右側（　）cm →（　）cm
左側（　）cm →（　）cm

□2ステップテスト
値（　）→（　）
歩幅（　）cm →（　）cm
身長（　）cm →（　）cm

□ロコモ度総合判定（0・1・2・3）→（0・1・2・3）

＜　日常生活活動（動作）　＞　※BIまたはFIMのいずれかを必ず記載。

BI・FIM 共通		項目	BI 点数	BI 開始時	BI 現在	FIM 開始時	FIM 現在
運動	セルフケア	食事	10・5・0	→		→	
		整容	5・0	→		→	
		清拭・入浴	5・0	→		→	
		更衣（上半身）	10・5・0	→		→	
		更衣（下半身）				→	
		トイレ	10・5・0	→		→	
	排泄	排尿コントロール	10・5・0	→		→	
		排便コントロール	10・5・0	→		→	
	移乗	ベッド・椅子・車椅子	15・10・5・0	→		→	
		トイレ				→	
		浴槽・シャワー				→	
	移動	歩行	15・10・5・0	→		→	
		杖・装具					
		車椅子					
		階段	10・5・0	→		→	
		BI合計／FIM小計	0～100	→		→	

FIM 項目			開始時	現在
認知	コミュニケーション	理解	→	
		表出	→	
	社会認識	社会的交流	→	
		問題解決	→	
		記憶	→	
		FIM小計	→	
		FIM合計	→	

点数	使用用具及び介助内容等
7点：完全自立	
6点：修正自立	
5点：監視	
4点：最小介助	
3点：中程度介助	
2点：最大介助	
1点：全介助	
合計点：18～126	

＜　栄養　＞　※回復期リハビリテーション病棟入院料1を算定する場合は必ず記載。

基礎情報　：□身長（　）cm □体重（　）kg □BMI（　）kg/m² □体脂肪率（　）%
栄養補給方法：□経口（□食事 □補助食品）□経管栄養 □静脈栄養（□末梢 □中心）□胃ろう　嚥下調節食の必要性：□有 □無
栄養状態の評価：□問題なし □低栄養 □低栄養リスク □過栄養 □その他（　）□学会分類コード（　）
【上記「問題なし」以外に該当した場合に記載】
必要栄養量　：熱量（　）kcal　蛋白質（　）g
総摂取栄養量：熱量（　）kcal　蛋白質（　）g

＜　社会保障サービスの申請状況　＞　※該当ある項目のみ記載

□要介護状態区分　：□申請中 □要支援区分：1・2 □要介護区分：1・2・3・4・5
□身体障害者手帳　：　種　級 □精神障害者保健福祉手帳：　級 □療育手帳・愛護：　障害程度
□その他・難病　：

目標（1ヶ月）：	□予定入院期間：　□退院先：
目標（終了時）：	□長期的・継続的にケアが必要：
治療・リハビリの方針：	
治療・リハビリの実施内容：	
主治医：　担当医：	看護師：　管理栄養士：
理学療法士：　作業療法士：	言語聴覚士：　社会福祉士：
説明日：　年　月　日 / 説明者署名：	説明を受けた人 □本人 □家族（　）□その他（　）　署名：

	目標　※該当する項目のみ記載		具体的な対応方針
参加	□居住場所	□自宅（□戸建 □マンション）□施設（　） □その他（　）	
	□復職	□現職復帰 □配置転換 □転職 □不可 □その他（　） □通勤方法の変更（　）	
	□就学・復学・進学	□可能 □就学に要配慮 □転校 □不可 □その他（　） □療育・通学先（　） □通学方法の変更（　）	
	□家庭内役割		
	□社会活動		
	□趣味		
活動	□床上移動（寝返り、ずりばい、四つ這い等）	□自立 □介助 □非実施 □装具・杖 等 □環境設定	
	□屋内移動	□自立 □介助 □非実施 □装具・杖・車椅子 等	
	□屋外移動	□自立 □介助 □非実施 □装具・杖・車椅子 等	
	□自動車運転	□自立 □介助 □非実施 □改造（　）	
	□公共交通機関の利用	□自立 □介助 □非実施 □種類（　）	
	□排泄（移乗以外）	□自立 □介助 □下衣操作 □拭き動作 □カテーテル □種類（□洋式 □和式 □その他：　）	
	□食事	□自立 □介助 □非実施 □箸 □フォーク 等 □胃ろう・経管 □食形態（　）	
	□整容	□自立 □介助	
	□更衣	□自立 □介助	
	□入浴	□自立 □介助 □浴槽 □シャワー □洗体介助 □移乗介助	
	□家事	□全て実施 □一部実施（　）□非実施	
	□書字	□自立 □利き手交換後 自立 □その他（　）	
	□PC・スマートフォン・ICT	□自立 □介助	
	□コミュニケーション	□自立 □介助 □他者からの協力 □コミュニケーション機器 □文字盤 □その他（　）	

	対応を要する項目　※該当する項目のみ記載		具体的な対応方針
心理	□精神的支援		
	□障害受容		
	□その他		
環境	□自宅改築等		
	□福祉機器の導入		
	□社会保障サービス	□身障手帳 □障害年金 □難病・小慢受給者 □その他（　）	
	□介護保険サービス	□通所リハ □訪問リハ □通所介護 □訪問看護 □訪問介護 □老健 □特養 □介護医療院 □その他（　）	
	□障害福祉サービス	□放課後デイ □児童発達支援（医療・福祉）□生活介護 □その他（　）	
	□その他		
第三者の不利	□退院後の主介護者		
	□家族構成の変化		
	□家庭内役割の変化		
	□家族の社会活動変化		

（別紙様式23　改変）

図5　運動器リハビリテーション総合実施計画書

期限超のリハ継続理由はレセプト提出時に必要なため,特に広いスペースを確保している.発症日,手術日,急性増悪日,リハ開始日を記入する.

基本動作の3mTUG(簡便性)は丸椅子から立ち上がり,できるだけ速い速度で3m前方まで歩き,方向転換して戻り,椅子に背筋を伸ばした状態で着座できるまでの時間を測定する.2回行い,速いほうの時間を記録する.日常生活活動(動作)の評価は,FIMよりもBIのほうが運動器リハに適している.

運動療法に際し,特に安静度・リスクの項目では,目標心拍数は(200－年齢)×0.6から(200－年齢)×0.8を目安とする.Borg(ボルグ)指数でボルグ11とは,楽である,いつまでも続く・充実感を自覚程度の運動である.ボルグ13とは,ややきつい,どこまで続くか不安と自覚される程度の運動である.

患者の自己決定による希望に沿った計画性のあるリハ医療が重要視されており,患者の意欲を高めるためにも計画書2ページで生活目標をはっきりさせる.医師には言いにくい生活目標でも他の職種には話していることがあるので,他職種からの聴取が大切である.入院患者では,在宅復帰が最大の動機になることがある.目標としては,人生の目標,日常生活機能での目標,自分の自信を取り戻したい,家族に迷惑をかけたくない,住み慣れた自宅にいつまでも住み続けたいなど一人ひとりさまざまな目標がある.本人に行ってもらうことは,訓練は継続が必要ゆえ,「楽しむに如かず(孔子)」となるように楽しみながら動ける内容をアドバイスしたい.家族にお願いしたいことは,入院しているときには頻回の面会,外来リハのときには本人ができることまで手伝わない(ときには訓練の鬼軍曹になることも必要),自宅で何らかの役割を与えることである.疼痛や障害によって本人は自信を失いマイナス思考になっていることが多いために「もし,自由に歩けたら…」「もし,麻痺がなければ…」などと考えている.「たとえ少々の痛みがあっても…」「たとえ下肢の筋力が低下していても…」とプラス思考に考えるように,残存能力の利用だけでなく,他人にない潜在能力や特徴・長所をみつけたりして心身にわたっての生活機能の向上を促進するようにする.

リハといえば,多くの者は安易に「頑張ってね」ということが多いが,元気づけるよりもむしろ「あまり無理をしないでね」など,共感し傾聴するほうが意欲を高めることが多い.身体的にはゴールに達していても,心理的ゴール(障害の受容,自信がつく,価値観の転換など)は遅れて回復するので,障害や疼痛によって傷ついている心理面への温かい支援が長期間にわたって必要なことが多い.

病気との関係で気をつけるためには,もし患者が他の医療機関を退院したばかりである場合には,医療の必要度,入院治療した病名,認知症の程度と投薬内容,経口的摂取が可能かどうか,それまでに行っていたリハの内容とリスクなどの情報提供が望まれる.

この計画書を患者,家族とリハスタッフが協働して作成し,患者・家族の同意を得ることができたら署名してもらい,本格的なリハ処方(リハビリテーション総合計画書作成前のリハ処方は,仮のリハ処方箋)がスタートする.

なお最後に,要支援・要介護認定を受けている患者に対して運動器リハを実施するときの注意点として,標準的算定日数の3分の1を経過した後に引き続きリハを実施する場合には,目標設定等支援・管理シート料を算定することが求められていることである.すなわち,患者・家族・リハスタッフと協働して目標設定等支援・管理シート(図6,医療点数表の様式に掲載されている)の作成を通じて,医療保険でのリハから介護保険でのリハサービス(通所リハか

別紙様式 23 の 5

目標設定等支援・管理シート

作成日　　年　　月　　日
説明・交付日　　年　　月　　日

患者氏名：　　　　生年月日：　　年　　月　　日

1．発症からの経過（リハビリテーション開始日：　　年　　月　　日）

2．ＡＤＬ評価（Barthel Index またはFIMによる評価）（リハビリ開始時及び現時点）

(Barthel Index の場合)

	リハビリテーション開始時点			現時点		
	自立	一部介助	全介助	自立	一部介助	全介助
食事	10	5	0	10	5	0
移乗	15	10 5	0	15	10 5	0
整容	5	0	0	5	0	0
トイレ動作	10	5	0	10	5	0
入浴	5	0	0	5	0	0
平地歩行	15	10 5	0	15	10 5	0
階段	10	5	0	10	5	0
更衣	10	5	0	10	5	0
排便管理	10	5	0	10	5	0
排尿管理	10	5	0	10	5	0
合計 (0-100 点)			点	合計 (0-100 点)		点

FIMによる評価の場合

大項目	中項目	小項目	リハビリテーション開始時点	現時点
			得点	得点
運動	セルフケア	食事		
		整容		
		清拭・入浴		
		更衣（上半身）		
		更衣（下半身）		
		トイレ		
	排泄	排尿コントロール		
		排便コントロール		
	移乗	ベッド、椅子、車椅子		
		トイレ		
		浴槽・シャワー		
	移動	歩行・車椅子		
		階段		
	小計			
認知	コミュニケーション	理解		
		表出		
	社会認識	社会交流		
		問題解決		
		記憶		
	小計			
合計				

3．現在リハビリテーションの目標としているもの、及び現在のリハビリテーションの内容との関連

	目標としているもの	関連する現在の リハビリテーションの内容
心身機能		
活動		
社会参加		

4．今後の心身機能、活動及び社会参加に関する見通し

・医師の説明の内容

・患者の受け止め

5．介護保険のリハビリテーションの利用の見通し（あり・なし）
介護保険のリハビリテーションサービス等の紹介の必要性（あり・なし）
紹介した事業所名

事業所名	連絡方法	備考（事業所の特徴等）

説明医師署名：　　　　患者又は家族等署名：

[記載上の注意]

1．本シートの交付、説明は、リハビリテーション実施計画書又はリハビリテーション総合実施計画書の交付、説明と一体として行って差し支えない。
2．「今後の見通し」について、必要な場合は、「今後のリハビリテーションが順調に進んだ場合」等の前提をおき、場合分けごとに記載してもよい。
3．「現在のリハビリテーションの目標」は、医師及びその他の従事者が記載した後、本シートの説明を通じて患者又は家族等と面談し、患者の価値観等を踏まえてよりよい目標設定ができると考えた場合は、赤字で追加、修正する等してよい。

図 6　目標設定等支援・管理シート

訪問リハ)にスムーズに移行させることを意識した計画づくりが求められている．この目標設定等支援・管理シート料を算定しておかないと，運動器リハビリテーション料が減算されるので忘れないようにしていただきたい．そのほかに，要支援・要介護認定を受けている患者であって，医療保険での運動器リハから介護保険でのリハに移行しようと予定している際に，医療から介護でのリハにスムースに移行可能とするための，共通のリハビリテーション計画書ができた（図7）．このリハビリテーション計画書は介護保険でのリハサービス提供時にも使用できるので，通所リハや訪問リハを利用する患者に対しては使用することをお勧めする．

まとめ

　住み慣れた地域で尊厳あるその人らしい生活を継続するためには，運動器の機能向上が大切である．しかし，運動は継続しなければ大きな効果を期待できない．体を動かすためには心を動かすこと，心を動かすためには仲間がいること，趣味を持つこと，役割を持つこと，生き甲斐を持つことなどが重要となる．

　リハの治療効果を上げるためには，患者からの希望実現を目標とする目標指向型アプローチ，すなわちより個別のニーズに応じた個別のリハサービス提供が重要となる．その際，障害は生活機能や社会参加など生活と人生にも影響を与えているので，さらに効果を上げるためには，医師だけでなく患者や多くの専門スタッフが共通認識と共通目標を持って協働することが必要となる．その上に，Plan → Do → Check → Act（PDCA）を繰り返して，絶えずプログラム，効果，そして目標のチェックを繰り返すマネジメントを取り入れることが重要となる．

(別紙様式21の6)

事業所番号＿＿＿＿＿＿＿＿ リハビリテーション計画書 □入院 □外来 ／ □訪問 □通所 計画作成日：平成　年　月　日

氏名：　　　　様　性別：男・女　生年月日：　年　月　日（　歳）　□要支援 □要介護

リハビリテーション担当医　　　担当　　　(□PT □OT □ST □看護職員 □その他従事者(　　　))

■本人の希望(したい又はできるようになりたい生活の希望等)	■家族の希望(本人にしてほしい生活内容、家族が支援できること等)

■健康状態、経過

原因疾病：	発症日・受傷日：　年　月　日	直近の入院日：　年　月　日	直近の退院日：　年　月　日
治療経過(手術がある場合は手術日・術式等)：			
合併疾患・コントロール状態(高血圧、心疾患、呼吸器疾患、糖尿病等)：			
これまでのリハビリテーションの実施状況(プログラムの実施内容、頻度、量等)：			

目標設定等支援・管理シート：□あり □なし　日常生活自立度：J1、J2、A1、A2、B1、B2、C1、C2　認知症である老人の日常生活自立度判定基準(※●)：Ⅰ、Ⅱa、Ⅱb、Ⅲa、Ⅲb、Ⅳ、M

■心身機能・構造

項目	現在の状況	活動への支障	将来の見込み(※)
筋力低下	□あり □なし	□あり □なし	□改善 □維持 □悪化
麻痺	□あり □なし	□あり □なし	□改善 □維持 □悪化
感覚機能障害	□あり □なし	□あり □なし	□改善 □維持 □悪化
関節可動域制限	□あり □なし	□あり □なし	□改善 □維持 □悪化
摂食嚥下障害	□あり □なし	□あり □なし	□改善 □維持 □悪化
失語症・構音障害	□あり □なし	□あり □なし	□改善 □維持 □悪化
見当識障害	□あり □なし	□あり □なし	□改善 □維持 □悪化
記憶障害	□あり □なし	□あり □なし	□改善 □維持 □悪化
その他の高次脳機能障害(　　)	□あり □なし	□あり □なし	□改善 □維持 □悪化
栄養障害	□あり □なし	□あり □なし	□改善 □維持 □悪化
褥瘡	□あり □なし	□あり □なし	□改善 □維持 □悪化
疼痛	□あり □なし	□あり □なし	□改善 □維持 □悪化
精神行動障害(BPSD)	□あり □なし	□あり □なし	□改善 □維持 □悪化

※「将来の見込み」についてはリハビリテーションを実施した場合の見込みを記載する

■活動(基本動作、移動能力、認知機能等)

		現在の状況	将来の見込み(※)
寝返り		□自立 □一部介助 □全介助	□改善 □維持 □悪化
起き上がり		□自立 □一部介助 □全介助	□改善 □維持 □悪化
座位		□自立 □一部介助 □全介助	□改善 □維持 □悪化
立ち上がり	いすから	□自立 □一部介助 □全介助	□改善 □維持 □悪化
	床から	□自立 □一部介助 □全介助	□改善 □維持 □悪化
立位保持		□自立 □一部介助 □全介助	□改善 □維持 □悪化
□6分間歩行試験 □Timed Up & Go Test			□改善 □維持 □悪化
□MMSE □HDS-R			□改善 □維持 □悪化
服薬管理		□自立 □見守り □一部介助 □全介助	□改善 □維持 □悪化
コミュニケーションの状況			□改善 □維持 □悪化

■活動(ADL)(※「している」状況について記載する)

項目	自立	一部介助	全介助	将来の見込み(※)
食事	10	5	0	□改善 □維持 □悪化
イスとベッド間の移乗	15 座れるが移れない→	10 ← 監視下 5	0	□改善 □維持 □悪化
整容	5	0	0	□改善 □維持 □悪化
トイレ動作	10	5	0	□改善 □維持 □悪化
入浴	5	0	0	□改善 □維持 □悪化
平地歩行	15 車椅子操作が可能→	10 ← 歩行器等 5	0	□改善 □維持 □悪化
階段昇降	10	5	0	□改善 □維持 □悪化
更衣	10	5	0	□改善 □維持 □悪化
排便コントロール	10	5	0	□改善 □維持 □悪化
排尿コントロール	10	5	0	□改善 □維持 □悪化
合計点				

※「将来の見込み」についてはリハビリテーションを実施した場合の見込みを記載する

■環境因子(※課題ありの場合☑ 現状と将来の見込みについて記載する)

	課題	状況	
家族	□	□独居 □同居(　　)	
福祉用具等	□	□杖 □装具 □歩行器 □車いす □手すり □ベッド □ポータブルトイレ	調整 □済 □未調整
住環境	□	□一戸建 □集合住宅：居住階(　階) □階段、□エレベータ □手すり(設置場所：　　) 食卓(□座卓 □テーブル・いす) トイレ(□洋式 □和式 □ポータブルトイレ)	調整 □済 □改修中 □未調整
自宅周辺	□		
社会参加	□		
交通機関の利用	□	□有(　　) □無	
サービスの利用	□		
その他	□		

■社会参加の状況(過去実施していたものと現状について記載する)

家庭内の役割の内容	
余暇活動(内容および頻度)	
社会地域活動(内容および頻度)	
リハビリテーション終了後に行いたい社会参加等の取組	

■リハビリテーションの目標

(長期)

(短期(今後3ヶ月間))

■リハビリテーションの方針(今後3ヶ月間)

■リハビリテーション実施上の留意点

(開始前・訓練中の留意事項、運動強度・負荷量等)

■リハビリテーション終了の目安・時期

利用者・ご家族への説明：　平成＿＿年＿＿月＿＿日

本人のサイン：＿＿＿＿　家族サイン：＿＿＿＿　説明者サイン：＿＿＿＿

特記事項：

図 7　リハビリテーション計画書

●文献●

1) ハインリッヒ HW ほか：ハインリッヒ産業災害防止論，（財）総合安定工学研究所（訳），海文堂，東京，p3，1982
2) 川村治子：Part1 書きたくなるヒヤリ・ハット報告．書きたくなるヒヤリ・ハット報告—体験から学ぶ看護事故防止のツボ，医学書院，東京，p1-29，2000
3) 近藤厚志，板垣善雄：裁判例や紛争例からみたリスクマネジメント．介護事故とリスクマネジメント，高野範城・青木佳史（編），あけび書房，東京，p26-40，2004
4) 鈴木利廣ほか：座談会 リハビリテーションにおけるリスクマネジメント．総合リハビリテーション 33：335-341，2005
5) 鮎沢純子：現場における取り組みの見直しと今後の課題．総合リハビリテーション 33：317-322，2005
6) 伊藤利之ほか：リハビリテーションにおけるインフォームド・コンセント．総合リハビリテーション 29：401-416，2001
7) 近藤克則：リハビリテーションチーム・マネジメント．総合リハビリテーション 30：1125-1129，2002
8) 畑野栄治：運動器リハビリテーションと運動器機能向上の診療体制．リウマチ科 36：186-197，2006
9) 石井義章ほか：理学診療マニュアル．運動器疾患のリハビリテーション，第2版，全日本病院出版会，東京，p10-28，2000
10) 白土 修，宗田 大：整形外科運動療法実践マニュアル，全日本病院出版会，東京，p1-9，2002
11) 才藤栄一：運動療法の計画・実施のための基本的要素—とくに治療的学習について—．総合リハビリテーション 33：603-610，2005
12) Fiatarone MA et al：High-intensity strength training in nonagenarians—effects of skeletal muscle. JAMA **263**：3029-3034, 1990
13) Fiatarone MA et al：Exercise training and nutritional supplementation for physical frailty in very elderly people. N Engl J Med **330**：1769-1775, 1994
14) 田中宏太佳ほか：リハビリテーション総合実施計画書をめぐって—評価とパスを含めて—．リハビリテーション医学 41：587-593，2004

Ⅲ章 運動器疾患対策の社会との関わり

1 介護保険の仕組みと医療と介護との連携

　2025年には団塊世代が75歳以上となるため，厚生労働省は医療や介護の分野で社会保障費の急増に備えて色々な対策をとってきた．少子高齢化社会では，高齢者の介護を家族だけで負担すると，就業人口が減ることで社会的損失が起こり，女性の社会進出にも逆行するため，2000（平成12）年から介護保険制度が導入された．近年の核家族化もあり，老夫婦間や高齢の親子間や兄弟・姉妹間での介護などの老老介護，実親と義親の介護といった多重介護などが社会問題化して，高齢者の介護を社会全体で支えることが求められている．

A 介護保険の仕組み

1）介護保険制度導入の経緯

　人口構成の急激な少子・高齢化に伴い，介護を必要とする高齢者は増加の一途をたどり，逆に支える側の若年層は減少が著しい（図1)[1]．そのため，高齢者にかかる医療費の増大が医療界全体に大きな負担となってきた．

　介護保険制度創設時の目的を以下に示す．

①自立支援：単に介護を要する高齢者の身の回りの世話をするだけでなく，高齢者の自立を支援することを理念とする．

②利用者本位：利用者の選択により，多様な主体から保険医療サービス，福祉サービスを総合的に受けられる制度．

③社会保険方式：給付と負担の関係が明確な社会保険方式を採用．

2）介護保険制度の仕組み

　介護保険制度は施行後に何度か変更がなされており，今後もさまざまな要因により，変更が行われる可能性がある．したがって，介護保険の仕組みならびに種々の数字については執筆時におけるものと留意されたい．

a．介護保険制度の被保険者

　介護保険制度の被保険者は65歳以上の第1号被保険者と40〜64歳までの医療保険加入者である第2号被保険者に分類される．対象者人数，受給要件等については（表1)[2]に示した．

b．介護サービス利用の手続き

　介護サービスを受けるには市町村窓口で申請書類をもらい，認定調査と医師の意見書をもと

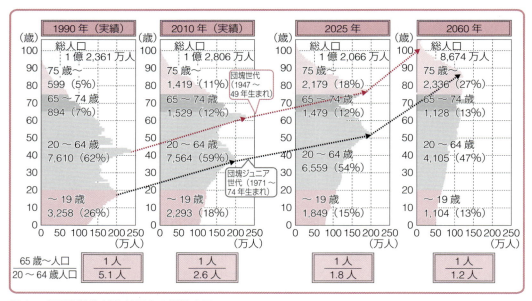

図1　少子高齢化が進む日本の推計人口

日本の人口構造の変化をみると，現在1人の高齢者を2.6人で支えている社会構造になっており，少子高齢化が一層進行する2060年には1人の高齢者を1.2人で支える社会構造になると想定

〔総務省「国勢調査」（年齢不詳の人口を各歳に按分して含めた），国立社会保障・人口問題研究所「日本の将来推計人口（平成24年1月推計）：出生中位・死亡中位推計」（各年10月1日現在人口）より引用〕

表1　介護保険制度の被保険者（加入者）

○介護保険制度の被保険者は，①65歳以上の者（第1号被保険者），②40～64歳の医療保険加入者（第2号被保険者）となっている．
○介護保険サービスは，65歳以上の者は原因を問わず要支援・要介護状態となったときに，40～64歳の者は末期がんや関節リウマチ等の老化による病気が原因で要支援・要介護状態になった場合に，受けることができる．

	第1号被保険者	第2号被保険者
対象者	65歳以上の者	40～64歳までの医療保険加入者
人数	3,525万人 （65～74歳：1,730万人，75歳以上：1,796万人）　※1万人未満の端数は切り捨て	4,192万人
受給要件	・要介護状態（寝たきり，認知症等で介護が必要な状態） ・要支援状態（日常生活に支援が必要な状態）	要介護，要支援状態が，末期がん・関節リウマチ等の加齢に起因する疾病（特定疾病）による場合に限定
要介護（要支援）認定者数と被保険者に占める割合	645万人 〔65～74歳：73万人 75歳以上：572万人〕	13万人 （男性7万人，女性6万人）
保険料負担	市町村が徴収 （原則，年金から天引き）	医療保険者が医療保険の保険料と一括徴収

（注）第1号被保険者及び要介護（要支援）認定者の数は，「平成30年度介護保険事業状況報告年報」によるものであり，平成30年度末現在の数である．
　　　第2号被保険者の数は，社会保険診療報酬支払基金が介護給付費納付金額を確定するための医療保険者からの報告によるものであり，平成30年度末値である．
〔厚生労働省：老健局総務課資料 公的介護保険制度の現状と今後の役割（平成30年度），平成30年度介護保険事業報告書（年報）より引用〕

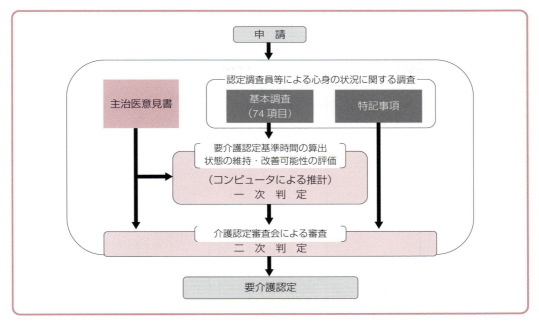

図2 要介護認定の流れ

〔厚生労働省：老健局総務課資料 公的介護保険制度の現状と今後の役割（平成27年度）より引用〕

に市町村が委託した介護認定調査会において要介護認定を行う．要介護度が決定したらケアマネージャーとともに利用計画（ケアプラン）を作成する（図2，3）[3]．

3）介護保険制度の推移

a．介護保険制度の実施状況

2000（平成12）年4月にスタートした時点では，被保険者数は2,165万人であったが，2018（平成30）年には3,525万人と1.63倍となった．それに対し，要介護（要支援）認定者数は218万人から641万人と2.94倍に，また介護サービス利用者総数も149万人から554万人と3.72倍に増加した（図4）[4]．

b．要介護認定者数の推移

要介護認定者数の2000（平成12）年から2019（平成31）年の推移をみると，要支援1・2，要介護1の軽度要介護者の伸びが3.12倍と，要介護2以上に比べ顕著である（図5）[4]．

また，要支援となる原因では関節疾患，骨折・転倒といった運動器に起因する者がもっとも多い（表2）．

B 地域包括ケアシステム

団塊の世代が75歳以上となる2025年をめどに，重度な要介護状態となっても住み慣れた地域で自分らしい暮らしを人生の最後まで続けることができるよう，医療・介護・予防・住まい・生活支援が一体的に提供される「地域包括ケアシステム」の構築が急務となった．このシステムでは保険者である市町村や都道府県が，地域の自主性や主体性に基づき，地域の特性に応じてケアプランを作り上げていくことが必要となる（図6）[5]．従来の一次予防，二次予防事業は

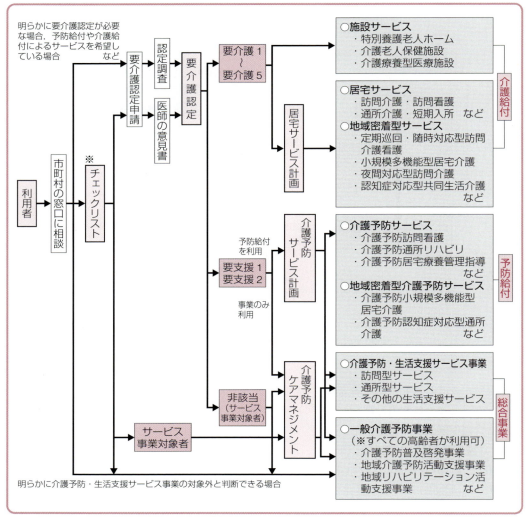

図3 介護サービスの利用の手続き

※基本チェックリスト：25項目の質問からなり，高齢者自身が回答する．回答結果からリスクを判定し，介護サービス利用対象者を選定する．

〔厚生労働省：老健局総務課資料 公的介護保険制度の現状と今後の役割（平成27年度）より引用〕

見直され，地域の実状に応じた事業展開が求められる（図7）[5]．

1）医療と介護の連携

医療と介護の連携は，住み慣れた地域で，必要な医療・介護サービスを継続的・一体的に受けられる「地域包括ケアシステム」の構築のために必要不可欠となる．

a．介護保険でのリハビリテーション

リハビリテーションは医師の指示のもとに実施計画を立て，PT・OTが実施する．また定期的にその評価を行う必要があるため，介護保険における運動器リハビリテーションは通常医師の常勤するデイケア施設（通所リハビリテーション）で行われる．医師やPT・OTの人員配置義務のないデイサービス施設（通所介護）での行為は，厳密にはリハビリテーションとはい

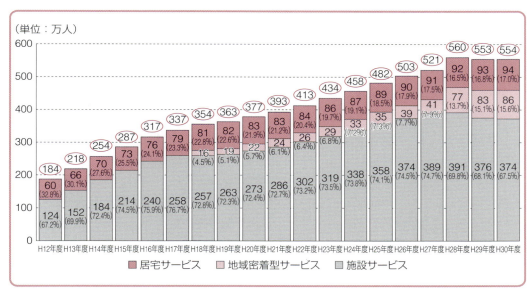

図4　介護サービス受給者数（1ヵ月平均）

2017（平成29）年：553万人 ⇒ 2018（平成30）年：554万人（対前年度＋2万人，＋0.3％増）．
〔厚生労働省：平成30年度 介護保険事業状況報告（年報）のポイント，https://www.mhlw.go.jp/topics/kaigo/osirase/jigyo/18/dl/h30_point.pdf（2022.5.13アクセス）より引用〕

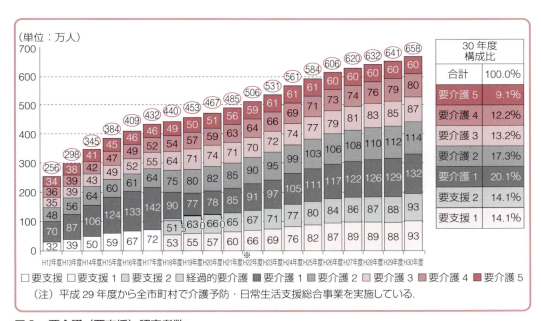

図5　要介護（要支援）認定者数

2018（平成30年3月末）：641万人 ⇒ 2019（平成31年3月末）：658万人（対前年度＋17万人，＋2.6％増）
※東日本大震災の影響により，平成22年度の数値には福島県内5町1村の数値は含まれていない．
〔厚生労働省：平成30年度 介護保険事業状況報告（年報）のポイント，https://www.mhlw.go.jp/topics/kaigo/osirase/jigyo/18/dl/h30_point.pdf（2022.5.13アクセス）より引用〕

表2　現在の要介護度別にみた介護が必要となった主な原因（上位3位）

（単位：％）　　　　　　　　　　　　　　　　　　　　　　　　　　　　　　　　　　　2019（令和元）年

現在の要介護度	第1位		第2位		第3位	
総数	認知症	17.6	脳血管疾患（脳卒中）	16.1	高齢による衰弱	12.8
要支援者	関節疾患	18.9	高齢による衰弱	16.1	骨折・転倒	14.2
要支援1	関節疾患	20.3	高齢による衰弱	17.9	骨折・転倒	13.5
要支援2	関節疾患	17.5	骨折・転倒	14.9	高齢による衰弱	14.4
要介護者	認知症	24.3	脳血管疾患（脳卒中）	19.2	骨折・転倒	12.0
要介護1	認知症	29.8	脳血管疾患（脳卒中）	14.5	高齢による衰弱	13.7
要介護2	認知症	18.7	脳血管疾患（脳卒中）	17.8	骨折・転倒	13.5
要介護3	認知症	27.0	脳血管疾患（脳卒中）	24.1	骨折・転倒	12.1
要介護4	脳血管疾患（脳卒中）	23.6	認知症	20.2	骨折・転倒	15.1
要介護5	脳血管疾患（脳卒中）	24.7	認知症	24.0	高齢による衰弱	8.9

注：「現在の要介護度」とは，2019（令和元）年6月の要介護度をいう．

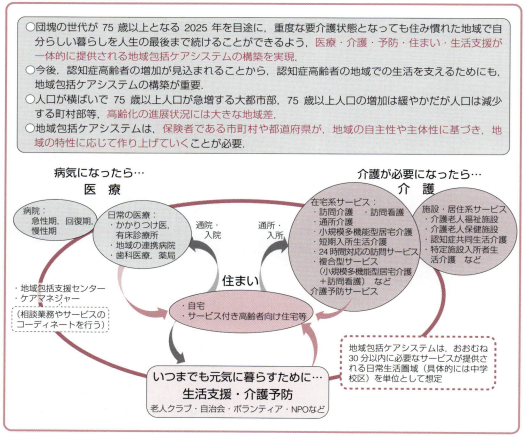

図6　地域包括ケアシステムの構築

〔厚生労働省：老健局振興課資料　介護予防・日常生活総合事業の基本的な考え方，2017より引用〕

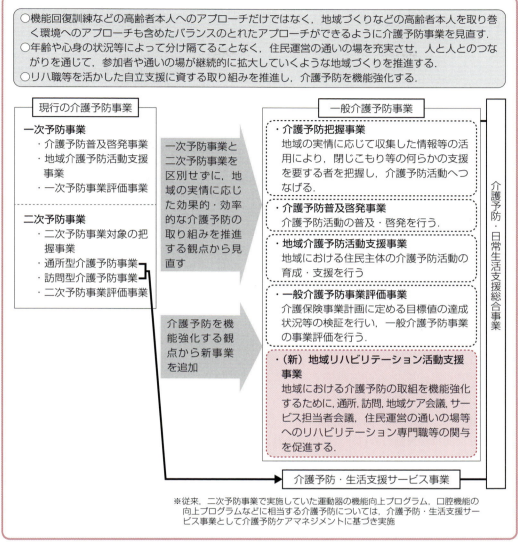

図7 新しい介護予防事業（介護予防事業の見直し）

〔厚生労働省：老健局振興課資料 介護予防・日常生活総合事業の基本的な考え方，2017より引用〕

えない（表3）．

b. 医療リハビリテーションから介護リハビリテーションへの流れ

医療での運動器リハビリテーションは原則150日を限度とする．また65歳以上の高齢者で，要介護・要支援の認定を受けた者については，150日の上限日数を超えてのリハビリテーションが2019年4月からは医療施設ではできなくなったので，介護保険を利用して運動の継続を検討する．そのため医療施設でリハビリテーションを実施している65歳以上の者で150日を超えてもリハビリテーションの継続が必要と考えられる場合には，ケアマネージャーとの連携が必要だが，要支援ではデイケアのリハビリテーションは受けられないためデイサービスでも運動器のトレーニングを重視しているところを探す．要介護では程度によりリハビリテーショ

表3 リハビリテーション施設と介護施設

分類	通所リハビリテーション（デイケア）診療所の場合	通所介護（デイサービス）通常規模の場合
概略	一般的に医療系施設（介護老人保健施設や病院，診療所など）が運営し，理学療法士・作業療法士などのリハ専門スタッフが配置され，リハビリテーションを通じて心身機能の維持回復に重点がおかれる．	施設で居宅からの送迎，入浴・食事その他の日常生活に必要な介助や，看護師・柔道整復師などが機能訓練を行うことにより，利用者の社会的孤立感の解消および心身の機能の維持ならびに利用者の家族の身体的および精神的負担の軽減を図るサービス．
人員基準	医師：常勤1名以上 理学療法士，作業療法士，言語聴覚士，看護職員，介護職員：利用者に対して10：1以上． そのうち理学療法士・作業療法士・言語聴覚士・経験看護師のいずれかが常勤換算0.1以上．	生活指導員・看護職員：各1名以上で，どちらかは常勤． 介護職員：利用者15名までは1名以上．15名超の場合は5名増す毎に1名． 機能回復訓練指導員：1名以上．
設備基準	通所リハ専用スペースの面積が利用定員数×3m²（3平方メートル以上）． 通所リハを行うために必要な機械および器具． 消火設備その他の非常災害に際して必要な設備．	通所食堂と機能訓練室の合計面積が利用定員数×3m²（3平方メートル）以上． 静養室，相談室（密室），事務室． サービス提供に必要な設備備品． 消火設備その他の非常災害に際して必要な設備．

平成26年度の通所リハビリテーション施設数は全国で7,284，通所介護施設は全国41,660．

ンは可能だが，医療のように疾患別ではなく日常生活活動（ADL）の不自由さによって分けられており，簡単な運動のみ行う，転倒を恐れて上半身の運動にとどめ歩行訓練をしないなど施設によってばらつきがあり，自立を目指す運動器リハビリテーションの課題となっている．ケアマネージャーの中にはデイサービス施設とデイケア施設におけるリハビリテーションの違いを理解していない者も多く，施設数の圧倒的に多いデイサービス施設を紹介され，介護保険移行後，医療でのリハビリテーションとのギャップに不満を訴える患者も少なくない．

また，医療と介護の連携については「リハビリテーションにおける介護優先」という原則があり，デイケア施設を利用する場合，同時に医療施設でのリハビリテーションは受けられないことに留意する．ちなみに，運動器リハビリテーション通院中の65歳以上の患者405名に新規に介護保険申請してもらったところ，要支援1が49.4％，要支援2が27.7％，要介護1が11.1％，要介護2が1.7％で要支援1・2が全体の77.1％を占め，非該当者は，わずか10.1％であったという報告がある（図8)[6]．医療施設で運動器リハビリテーションを行っている高齢者のほとんどが，すでに要支援・要介護1の状態にあることがわかる．

c. デイケア施設でのリハビリテーション

①現状

一般にデイケア施設では，リハビリテーションだけでなく入浴，食事，レクリエーションなど生活支援を含め6～8時間の利用が多く，リハビリテーションだけに特化した短時間型の施設は少ない．また，個別リハビリテーションを十分に提供できるだけの数のPT・OTが常勤する施設も少ない．運動器リハビリテーションを行っている高齢者の多くは要支援1・2に認

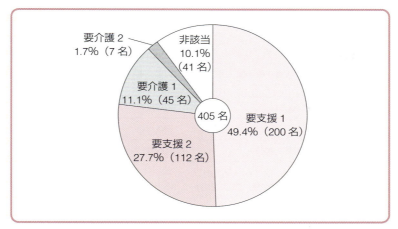

図8　自立して通院している65歳以上の外来通院患者405名の新規介護保険申請結果（2006～2009年）

〔藤野圭司：ロコモティブシンドロームと介護予防．整形外科 64：479-486, 2013 より引用〕

定され，医療リハビリテーションの制限日数を超えた後に介護施設でのリハビリテーションに移行するが，医療施設と同様なリハビリテーションを希望する者がほとんどである．

②要支援1・2に限定した短時間型介護予防デイケア施設

筆者は要支援1・2の者に限定した1時間半～2時間の短時間型デイケア施設で，維持期のリハビリテーションを継続している．リハビリテーション実施計画は医師が作成し，PT・OTが実施する（図9）．また定期的に体力測定を実施し，利用者，家族にその結果を通知することで持続性の維持に努めている（図10）．リハビリテーションを継続することにより多くのケースで要介護度の維持，改善が期待できる．

筆者の介護予防デイケア施設で，5年以上維持期リハビリテーションを継続した者の要介護度の推移を調査した結果，要支援1・2ともに5年経過しても要介護度の維持，改善がみられることがわかった（図11）[6]．リハビリテーションの継続がいかに重要であるかが理解できるであろう．

2 特定健康診査（特定健診）といわゆるフレイル健診

日本人の生活習慣の変化などにより糖尿病や脂質異常症，高血圧症などの生活習慣病の有病者が増加し，それらを原因とする死亡が約23％と，死亡原因第一位の悪性新生物の約27％に迫っている．特定健康診査・特定保健指導制度は1982年に「高齢者の医療確保に関する法律」をもとに実施されており，2007（平成19）年からは団塊世代の生活習慣病予防の観点から内臓脂肪にも着目し，メタボリックシンドロームの指標を踏まえ2008（平成20）年4月からは基本的な項目の身体計測に腹囲測定が加わった．

一方，日本整形外科学会は日本が世界でもっとも高齢化率（65歳以上の人口比率）が高く，超高齢社会においては従来のメタボ対策に加えて運動器疾患対策の重要性が増すことから，2007（平成19）年に「ロコモティブシンドローム」を提唱して活動している．2000（平成12）年には高齢者の自立や，家族の負担を減らす目的で介護保険制度が発足したが，高齢者の要介護認定

44　Ⅲ章　運動器疾患対策の社会との関わり

作成日　平成　●年　●月　●日

氏名	●●●● 様	性別	男・⒲	生年月日	S●年●月●日
評価期間	H●年●月●日～H●年●月●日	要介護度	㊁要支援1㊀・要支援2	年齢	●才

本人の希望	現状維持	現状維持	現状維持
長期目標	現状維持		
短期目標	下肢・体幹筋力維持	下肢・体幹筋力維持	下肢・体幹筋力維持
プログラム	□SSP　☑ホットパック　☑エルゴメーター　□メドマー　☑セラバンド体操　☑立ち座り訓練　□閉眼片脚起立訓練　☑平行棒内歩行訓練　☑マッサージ		
計画作成者	Dr. F.F.　☑PT K.K.　□OT　☑TP　S.S.　□TP □PT　□OT　☑TP　Y.Y.　□TP □PT　　　　　□TP □PT　　　　　介護スタッフ　（　T.T.　）		

運動器機能向上計画の説明を受け，内容に同意しました．　　　　平成　●年　●月　●日

　　　説明者　　　△△△△　　　氏名

評価日	1回目　H●年●月●日	2回目　H●年●月●日	3回目　H●年●月●日
バイタル	月初め　BP106/62P　85KT36.2℃	月初め　BP107/60P　75KT36.3℃	月初め　BP132/82P　82KT35.9℃
	月末　BP113/66P　86KT36.5℃	月末　BP132/80P　75KT36.1℃	月末　BP119/74P　52KT36.5℃

プログラム		1回目	2回目	3回目
	SSP（電気）	個人・集団　月/8回　1回　10分	個人・集団　月/8回　1回　10分	個人・集団　月/8回　1回　10分
	ホットパック	個人・集団　月/8回　1回　10分	個人・集団　月/8回　1回　10分	個人・集団　月/8回　1回　10分
	エルゴメーター	個人・集団　月/8回　1回　10分	個人・集団　月/8回　1回　10分	個人・集団　月/8回　1回　10分
	メドマー	個人・集団　月/　回　1回　　分	個人・集団　月/　回　1回　　分	個人・集団　月/　回　1回　　分
	立ち座り訓練	個人・集団　月/8回　1回　5分	個人・集団　月/8回　1回　5分	個人・集団　月/8回　1回　5分
	閉眼片脚起立訓練	個人・集団　月/　回　1回　　分	個人・集団　月/　回　1回　　分	個人・集団　月/　回　1回　　分
	平行棒内歩行訓練	個人・集団　月/8回　1回　10分	個人・集団　月/8回　1回　10分	個人・集団　月/8回　1回　10分
	セラバンド体操	個人・集団　月/8回　1回　5分	個人・集団　月/8回　1回　5分	個人・集団　月/8回　1回　5分
	マッサージ	個人・集団　月/8回　1回　10分	個人・集団　月/8回　1回　10分	個人・集団　月/8回　1回　10分
評価		右足のタコが痛む	右足のタコが痛む	右足のタコが痛む
評価者名		△△	○○	××

※各月の評価欄は，短期目標に対する評価とする．

図9　運動器機能向上計画書・評価表

介護リハビリ専門ユニット

氏名：　　　生年月日：S●年●月●日　要介護度：1　測定年月：H●年●月●日

測定項目	測定内容	測定側	今回の結果 数値	今回の結果 得点	前回の結果 数値	前回の結果 得点
片脚起立時間（秒）	静的バランス	右脚	5.0	2	2.3	1
		左脚	7.4	2	3.8	1
歩行テスト（秒）	歩行能力		17.3	3	14.7	4
リーチテスト（cm）	動的バランス		13.3	1	14.5	1
長座体前屈（cm）	柔軟性		13.5	1	37.0	6
握力（kg）	手の筋力	右手	21.5	1	19.1	1
		左手	21.6	1	22.6	2
膝関節伸展筋力（%）	膝の筋力	右膝	54.0	9	26.5	5
		左膝	51.2	9	22.2	4
股関節外転筋力（%）	股関節の筋力	右股関節	14.2	5	15.5	5
		左股関節	12.5	5	13.9	5
伸長			143.0		144.0	
体重			46.1		45.5	
体脂肪			25.3		22.0	

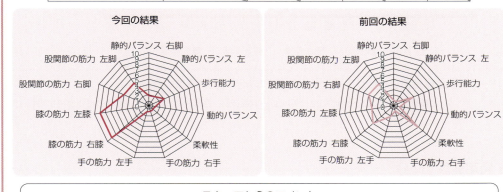

～スタッフからのコメント～
今回，前回に比べ，得点の増加が大きいです．
特に大きいのは，左右の膝を伸ばす筋力の増加が大きいです．
しかし，柔軟性がやや，低下しています．今後も運動を行い，さらなる体力向上を目指してください．

図10　体力測定結果表

が増え続ける現状や社会的孤立，低栄養，貧困などが社会問題化して，2013（平成25）年に日本老年医学会は欧米で提唱されていた「frailty＝虚弱」を「フレイル」と名付けて虚弱高齢者対策の必要性を問い，健診・医療・介護が連携し地域で高齢者を支えるため，2020（令和2）年度から75歳以上の後期高齢者を対象に，フレイル予防・対策としての健診，いわゆるフレイル健診が導入された．

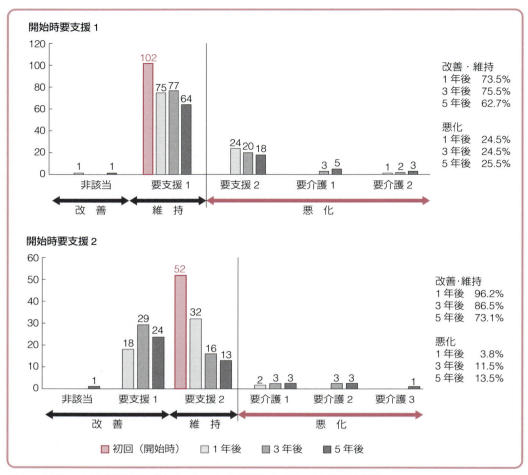

図11　5年以上維持期リハビリテーションを継続した者の要介護度の推移

〔藤野圭司：ロコモティブシンドロームと介護予防．整形外科 64：479-486, 2013 を参考に筆者作成〕

A 特定健診（表4）[7]

　過去には市区町村が住民に対して行ってきたが，2008（平成20）年から医療保険者（国保・社保・共済組合など）が40〜74歳までの健康保険加入者に封書を郵送して健診を促している．しかし，厚生労働省が公表している2017（平成29）年度の特定健診・特定保健指導の実施状況では，特定健診は53.1％，特定保健指導は19.5％で，2023年度の目標値として設定している特定健診70％，特定保健指導45％と比べると「依然かい離があり，さらなる実施率向上に向けた取組みが必要」としている．

　特定健診は，生活習慣病予防のために問診や身体計測，採血，採尿の結果から40〜74歳までの人を対象に，メタボリックシンドロームに着目して行われている．健診結果から生活習慣病の発症リスクが高く，生活習慣の改善によりその予防効果が期待できる人には，特定保健指導（図12）[7]が行われている．

表4　特定健康診査

基本的な項目	○質問票（服薬歴，喫煙歴等）　○身体計測（身長，体重，BMI，腹囲） ○血圧測定　○理学的検査（身体診察）　○検尿（尿糖，尿蛋白） ○血液検査 　・脂質検査（中性脂肪，HDLコレステロール，LDLコレステロール） 　・血糖検査（空腹時血糖またはHbA1c） 　・肝機能検査（AST，ALT，γ-GTP）
詳細な健診の項目	※一定の基準のもと，医師が必要と認めた場合に実施 ○心電図　○眼底検査 ○貧血検査（赤血球，血色素量，ヘマトクリット値）

特定健康診査は，メタボリックシンドローム（内臓脂肪症候群）に着目した健診で，上記の項目を実施する．
〔厚生労働省：平成20年4月から特定健康診査・特定保健指導が始まりました！，https://www.mhlw.go.jp/bunya/shakaihosho/iryouseido01/pdf/info02_66（2022.5.13アクセス）より引用〕

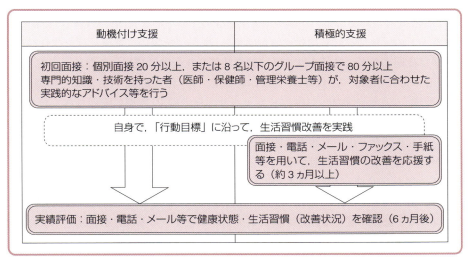

図12　特定保健指導

特定健康診査の結果から，生活習慣病の発症リスクが高く，生活習慣の改善による生活習慣病の予防効果が多く期待できる人に対して，生活習慣を見直すサポートをする．
特定保健指導には，リスクの程度に応じて，動機付け支援と積極的支援がある（よりリスクが高い人が積極的支援）．
〔厚生労働省：平成20年4月から特定健康診査・特定保健指導が始まりました！，https://www.mhlw.go.jp/bunya/shakaihosho/iryouseido01/pdf/info02_66（2022.5.13アクセス）より引用〕

B　フレイル健診

　日本は世界でもっとも高齢化率（65歳以上の人口比率）が高く，2010年には21％を超え，その後2020年には28.7％となり，2025年以降は75歳以上の後期高齢者が急増する．
　「フレイル」は日本老年医学会からのステートメントで，欧米で使用されているfrailtyの日本語訳として使用された言葉である．frailtyは老年医学では周知された概念だが，日本語では「虚弱」「衰弱」などという意味で使用され，ネガティブな印象が強かった．日本老年医学会は，

フレイルを超高齢社会に突入した日本で高齢者の健康長寿を実現するためにも，また健康寿命を延伸するためにも重要な概念ととらえている．フレイルは加齢に伴って現れる身体機能の衰退徴候をとらえる考え方で，Friedら[8]は，①体重減少，②倦怠感，③活動性低下，④筋力低下，⑤歩行速度低下，の5徴候のうち3つ以上が該当する場合を「フレイル」，1〜2つが該当する場合を「プレフレイル」，いずれも該当しない場合を「ロバスト（健常）」と3つのカテゴリーに分類した．日本でのフレイルは「二次予防事業対象者，Cardiovascular Health Study（CHS）基準」で**表5**[9]のように定義されている．

1）フレイル健診導入の経緯

フレイルは，「要介護状態に至る前段階」として位置付けられ，加齢とともに運動機能や認知機能が低下し，病気や障害により日常生活に支障をきたす恐れがある状態とされている．後期高齢者は複数の慢性疾患を抱えていることが多く（**図13**）[10]，総合的な治療やケアが必要だが個人差も大きい．これを鑑み，厚生労働省は「高齢者の特性を踏まえた保健事業ガイドライン」[10]を策定し，2020（令和2）年4月より75歳以上の後期高齢者を対象にフレイルに特化した健診を開始した．フレイル健診においては特定健康診査の「標準的な質問票」に代わるものとして，同ガイドラインの「後期高齢者に対する質問票」（**表6**）[10]を用いて健康状態を総合的に把握する．質問票は後期高齢者の特性を踏まえて健康状態を総合的に把握するため，内容を（1）健康状態，（2）心の健康状態，（3）食習慣，（4）口腔機能，（5）体重変化，（6）運動・転倒，（7）認知機能，（8）喫煙，（9）社会参加，（10）ソーシャルサポートの10類型に整理されており，またこれまでのエビデンスや高齢者の負担を考慮し，15項目の質問で構成されている．診療や通所などにおいても質問票を用いて健康状態を評価することにより，地域住民や保健事業・介護予防担当者が高齢者のフレイルに対する関心を高め，生活改善を促すことが期待される．

ロコモティブシンドローム（ロコモ）や運動器疾患は，介護が必要になった原因の24.6％を占めており最多である（平成28年度国民生活基礎調査）．したがって特定健康調査やフレイル健診でもロコモを念頭に置いて，ロコチェックやロコモ度テストなどを組み込み，移動機能低下の予防・早期発見・早期治療をすることで，医療費・介護費の抑制や健康寿命延伸につながると考えられている．

表5　Cardiovascular Health Study（CHS）基準

項目	評価基準
体重減少	6ヵ月で，2〜3 kg以上の体重減少
筋力低下	握力：男性＜26 kg，女性＜18 kg
疲労感	（ここ2週間）わけもなく疲れたような感じがする
歩行速度	通常歩行速度＜1.0 m/秒
身体活動	①軽い運動・体操をしていますか？ ②定期的な運動・スポーツをしていますか？ 上記の2つのいずれにも「1週間に1度もしていない」と回答

0項目：健常，1〜2項目：プレフレイル，3項目以上：フレイル

〔佐竹昭介：基本チェックリストとフレイル．日老医誌 55：319-328, 2018, https://www.jstage.jst.go.jp/article/geriatrics/55/3/55_55.319/_pdf/-char/ja（2022.5.13アクセス）より引用〕

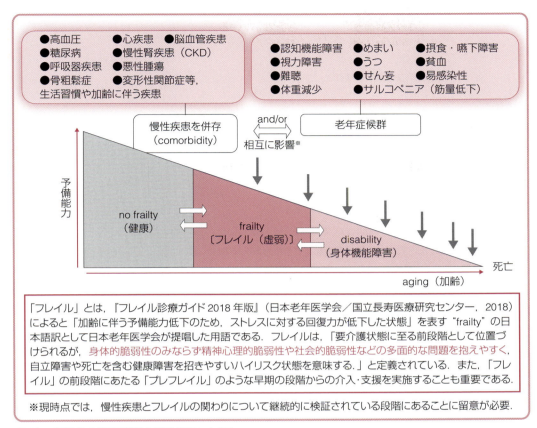

図13 高齢者の健康状態の特性等について
〔厚生労働省保険局高齢者医療課：高齢者の特性を踏まえた保健事業ガイドライン第2版，https://www.mhlw.go.jp/content/12401000/000557575.pdf（2022.5.13アクセス）より引用〕

3 学校健診に加わった運動器検診

　この四半世紀で，子どもたちを取り巻く生活環境は大きく変わった．室内でゲーム機器中心に遊ぶ子どもが増え，安全面への懸念から親も公園などで遊ばせないため，「走る・飛び降りる・投げる」など本来は幼少年期に成長とともに身につけておくべき基礎的動作が身につかず，ちょっとした転倒で怪我や骨折をするようになった．この30年で骨折発生率は3倍になったと報告されている（図14)[11]．子どもの健全な成長に対策を講じる必要性から，2014（平成26）年4月に文部科学省は学校保健安全法の一部改正を行い運動器等に関する検査の必須項目が追加となって2016（平成28）年4月1日より実施されている．今までの脊柱側彎症や胸郭変形の検診項目に加えて，新たに上肢・下肢などの四肢や骨・関節の運動器障害についての検診項目が加わったが，学校医が短時間で内科検診に加えて四肢の異常を確認するのは負担が大きいため，多くの学校で保健調査票（図15）を事前に配布して活用している．

表6　後期高齢者の質問票

	質問文	回答
1	あなたの現在の健康状態はいかがですか	①よい　②まあよい ③ふつう ④あまりよくない ⑤よくない
2	毎日の生活に満足していますか	①満足　②やや満足 ③やや不満　④不満
3	1日3食きちんと食べていますか	①はい　②いいえ
4	半年前に比べて固いもの（*）が食べにくくなりましたか *さきいか，たくあんなど	①はい　②いいえ
5	お茶や汁物等でむせることがありますか	①はい　②いいえ
6	6ヵ月間で2～3kg以上の体重減少がありましたか	①はい　②いいえ
7	以前に比べて歩く速度が遅くなってきたと思いますか	①はい　②いいえ
8	この1年間に転んだことがありますか	①はい　②いいえ
9	ウォーキング等の運動を週に1回以上していますか	①はい　②いいえ
10	周りの人から「いつも同じことを聞く」などの物忘れがあると言われていますか	①はい　②いいえ
11	今日が何月何日かわからない時がありますか	①はい　②いいえ
12	あなたはたばこを吸いますか	①吸っている ②吸っていない ③やめた
13	週に1回以上は外出していますか	①はい　②いいえ
14	ふだんから家族や友人と付き合いがありますか	①はい　②いいえ
15	体調が悪いときに，身近に相談できる人がいますか	①はい　②いいえ

〔厚生労働省保険局高齢者医療課：高齢者の特性を踏まえた保健事業ガイドライン第2版，https://www.mhlw.go.jp/content/12401000/000557575.pdf（2022.5.13アクセス）より引用〕

A 学校における運動器検診の意義

　子どもたちの心身の健全な発育発達のためには，運動器が健康でなければならない．そのためには運動器の異常を予防・早期発見して，健全な成長に結びつけなければならない．しかしながら現状をみると，予防できたであろう運動器の障害などのために整形外科医の診療を求める子どもたちが後を絶たないばかりではなく，取り返しのつかないまでに進行した障害を目にすることも少なくない．

　学校における定期健康診断においても，運動器に関する検診は脊柱側彎症検診を除いてほとんど実施されていなかった．子どもたちの四肢の外傷や障害が後を絶たない中で，学校の内外から定期健康診断に運動器の項目を必須化する機運が次第に高まってきて，定期健康診断の必須項目に「四肢の状態」が加えられるとともに，「四肢の状態を検査する際には四肢の形態および発育並びに運動器の機能の状態に注意すること」が明記された．

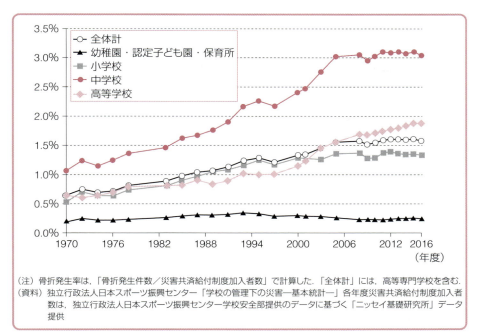

（注）骨折発生率は，「骨折発生件数／災害共済給付制度加入者数」で計算した．「全体計」には，高等専門学校を含む．
（資料）独立行政法人日本スポーツ振興センター「学校の管理下の災害—基本統計—」各年度災害共済給付制度加入者数は，独立行政法人日本スポーツ振興センター学校安全部提供のデータに基づく「ニッセイ基礎研究所」データ提供

図 14 骨折発生率の年次推移

〔村松容子：子どもの骨折増加に 2 つの側面．ニッセイ基礎研レター 2019-11-05，https://www.nli-research.co.jp/report/detail/id=62925?pno=2&site=nli（2022.5.13 アクセス）より許諾を得て転載〕

Ⓑ 学校における運動器検診の方法

運動器検診は，次の手順で行われる．

①保健調査票（図 15）による調査：保護者あてに保健調査票（家庭でのチェック票）を配布し，記入後回収する．
②学校における事前チェック：学校では養護教諭が中心となって，学校に提出される保健調査票の整形外科のチェックがある項目を整理するとともに，学校における日常の健康観察の情報を整理する．
③運動器検診の該当者の選別：側彎症に関する検診は従来どおり，全員が対象である．四肢に関しては学校に提出される保健調査票の整形外科の項目にチェックがある者，学校における健康観察で異常または異常の疑いがある者が対象となる．
④学校医による運動器検診：運動器検診は内科学校医による内科検診の中で行われる．学校医は，養護教諭から提供された情報を参考に検診を行う．
⑤判定：学校医は検診の結果，専門医受診が必要か，学校における指導が必要か，経過観察するかを判断する．
⑥事後措置：学校医は，学業に支障があるような疾病・異常などが疑われる場合には，医療機関で検査を受けるよう勧め，整形外科専門医の判定を待つ．不良姿勢や運動器機能不全を含め，異常の疑いがあるが整形外科専門医を受診させるほどではないと判断した場合には，学校において姿勢指導やストレッチング指導などを行いながら経過観察する．

● 52　Ⅲ章　運動器疾患対策の社会との関わり

公益財団法人　運動器の健康・日本協会　令和2（2020）年1月版

運動器（脊柱・胸郭，四肢，骨・関節）についての保健調査票

学校名	学年　組　出席番号	氏名（フリガナ）	性別	生年月日
学校	年　　組　　番	（　　　　　　　　　　）	□男 □女	平成　　年　　月　　日生

次の質問のあてはまる項目に ☑ 印をつけてください。（↓保護者記入欄）　　記入日　平成　　年　　月　　日

Ⅰ．現在，どんな運動部活動やスポーツ少年団各種教室・クラブなどに入っていますか？ （例：小3よりサッカースクール，小1よりバレエ）	□入っていない □入っている （　　　　　　　　　　　　　　　　　　　　　　　）	
Ⅱ．以前や現在，病院などで治療または経過観察を受けていますか？（例：10歳の時，右膝半月板手術）	□なし □ある（　　　　　　　　　　　　　　　　　　　　　）	

Ⅲ．背骨についてあてはまる □ にチェックしてください．（↓保護者記入欄）		学校医記入欄（事後措置）
1．背骨が曲がっている．	□①肩の高さに左右差がある □②ウエストラインに左右差がある □③肩甲骨の位置に左右差がある □④前屈した背面の高さに左右差があり，肋骨隆起もしくは腰部隆起がみられる （※このチェックが最も重要です） □⑤①〜④はない	（全員に直接検診します） □①異常なし □②経過観察・簡易指導＊ □③整形外科への受診要

Ⅳ．腰と四肢についてあてはまる □ にチェックしてください．（↓保護者記入欄）		（支障があれば，直接検診します）
1．腰を曲げたり反らしたりすると痛みがある．	□①曲げたら痛い　（いつ頃から：　　　　） □②反らしたら痛い（いつ頃から：　　　　） □③曲げても反らしても痛くない	□①経過観察・簡易指導＊ □②整形外科への受診要
2．腕（うで），脚（あし）を動かすと痛みがある． （右の図に，痛い部位に○をつけてください．）	□①痛みがある （いつ頃から：　　　　　） □②痛みがない	□①経過観察・簡易指導＊ □②整形外科への受診要
3．腕，脚の動きに悪いところがある （右の図に，動きが悪い部位に×をつけてください．）	□①動きが悪い （いつ頃から：　　　　　） □②動きは悪くない	
4．片脚立ちが5秒以上できない．	□①5秒以上できない □②できる	□①経過観察・簡易指導＊ □②整形外科への受診要
5．しゃがみこみができない． （足のうらを全部床につけて完全に）	□①しゃがめない □②しゃがめる	□①経過観察・簡易指導＊ □②整形外科への受診要

学校記載欄（養護教諭など） 学校での様子や運動・スポーツ活動での気付いたことなどがあれば記載する	総合判定　　　　　　学校医名 □①経過観察・簡易指導＊（＊親子のための運動器相談サイト参照） □②整形外科への受診要 備考（学校医記載欄）

図15　保健調査票

C 学校における運動器検診の課題と対策

　学校における運動器検診はスタートしたばかりであるため，解決されなければならない課題が少なくない．その中で特に重要な課題は，①見逃しをなくすこと，②検診の結果を活かして，障害の予防と健全な発育発達につなげること，③学校医の負担を減らすとともに，検診の精度を高めるために整形外科医が積極的に関与していくこと，である．

　四肢の異常は，保健調査票にチェックがなければ検診の対象から漏れてしまい見逃されるおそれがある．運動器検診の重要性を保護者に啓発し，保健調査票への正確な記入を促すようにしたい．

　整形外科を専門としていない学校医にとって，検診結果の判定には心労を伴う．姿勢の悪い子ども，運動器機能不全の子どもに対して行う指導に関しても，経験が乏しく大変な困難を伴う．このような課題を解決するためには，整形外科医が積極的に近隣の学校にかかわっていくことが求められる．整形外科医が眼科や耳鼻咽喉科と同様に整形外科学校医として学校に参入し，運動器検診を直接行うにとどまらず，日常の健康相談をはじめ，姿勢や運動・スポーツにかかわる指導・助言など，児童生徒の運動器に関連したさまざまな問題に専門医として対応していくことが理想であるが，当面は内科学校医としての参入，特別非常勤講師，健康相談など求めがあれば整形外科医としてできる限り協力していくことが求められる．

文　献

1) 総務省「国勢調査」（年齢不詳の人口を各歳に按分して含めた），国立社会保障・人口問題研究所「日本の将来推計人口（平成24年1月推計）：出生中位・死亡中位推計」（各年10月1日現在人口）
2) 厚生労働省：老健局総務課資料 公的介護保険制度の現状と今後の役割（平成30年度），平成30年度介護保険事業報告書（年報）
3) 厚生労働省：老健局総務課資料 公的介護保険制度の現状と今後の役割（平成27年度）
4) 厚生労働省：平成30年度 介護保険事業状況報告（年報）のポイント，https://www.mhlw.go.jp/topics/kaigo/osirase/jigyo/18/dl/h30_point.pdf（2022.5.13 アクセス）
5) 厚生労働省：老健局振興課資料 介護予防・日常生活総合事業の基本的な考え方，2017
6) 藤野圭司：ロコモティブシンドロームと介護予防．整形外科 64：479-486, 2013
7) 厚生労働省：平成20年4月から特定健康診査・特定保健指導が始まりました！，https://www.mhlw.go.jp/bunya/shakaihosho/iryouseido01/pdf/info02_66
8) Fried LP et al：Frailty in older adults：evidence for a phenotype. J Gerontol A Biol Sci Med Sci **56**：M146-156, 2001
9) 佐竹昭介：基本チェックリストとフレイル．日老医誌 **55**：319-328, 2018, https://www.jstage.jst.go.jp/article/geriatrics/55/3/55_55.319/_pdf/-char/ja（2022.5.13 アクセス）
10) 厚生労働省保険局高齢者医療課：高齢者の特性を踏まえた保健事業ガイドライン第2版，https://www.mhlw.go.jp/content/12401000/000557575.pdf（2022.5.13 アクセス）
11) 村松容子：子どもの骨折増加に2つの側面．ニッセイ基礎研レター 2019-11-05, https://www.nli-research.co.jp/report/detail/id=62925?pno=2&site=nli（2022.5.13 アクセス）

Topics

●新型コロナウイルス感染対策

2019年12月，中華人民共和国の武漢市で，感染力が強く，重篤な肺炎症状を伴う新型肺炎の集団感染が報告された．その後，全世界で集団感染と高い致死率が報告され，2020年1月30日，WHOは「国際的に懸念される公衆衛生上の緊急事態」を宣言し，各国とも対策に取り組んだ．この新型コロナウイルスはCOVID-19と命名され，2020年にはヨーロッパやアメリカ合衆国の一部は都市封鎖まで行い医療崩壊と戦った．2021年になりワクチン接種も軌道に乗ってきたが，感染力がより強い変異株の出現もあって，現在もパンデミックの状況から脱していない．

今回はいわゆるウィズコロナ（co-exist with the coronavirus）時代の医療機関，中でも運動療法や物理療法などの理学療法を行う整形外科医療機関での感染対策に重点を絞るため，PCR検査や抗原検査の検体採取法，保健所への報告などについては割愛する．

1．基本対策

医療機関の入り口や受付での非接触型体温計による体温測定はすでに定着しているが，発熱患者が直接受診しないよう院内掲示やホームページで周知し，発熱者が受診した際の対応マニュアルを作成してスタッフ全員が共有する．発熱していなくても，体調不良者には旅行歴，家族や職場でのCOVID-19感染者や濃厚接触者との接触や会食歴なども確認し，さらに咳，嗅覚・味覚障害の有無も聴取する．問診用紙は病院ホームページなどから印刷できるようにして来院前に記入してもらい，受付で記入してもらう場合はボールペンなどをその都度消毒する．待合室も三密を避け換気に努める．高齢者では「鼻マスク」となる患者も多く，マスク着用指導や，ウレタンマスクではなく不織布マスクの毎日の交換使用を勧める．整形外科診療所では受付→診察室→X線検査室→診察室→リハビリテーション室と患者の移動が多いため，頻回に手指の消毒をしてもらう．

2．自己管理

当初は混乱した新型コロナ対策だが，PCR検査も普及し，マスクや消毒液の供給も問題なくなった．医療従事者は新型コロナのワクチン接種も済んでいるが，抗体価は経時的に低下するため3回目のワクチン接種，さらに少しでも感染が疑われる場合は積極的にPCR検査や抗原検査を受け，インフルエンザなど伝染性感染症対策に加え下記の管理を推奨する．

a）手指衛生と保護

頻回の手洗いや消毒液の使用は手荒れや赤切れを起こしやすく，皮膚のバリアが奪われる．グローブを外して取っ手などに触れることも多いため，ハンドクリーム使用などで皮膚の保護も行う．

b）検温

体調変化の有無にかかわらず毎朝行う．もし37.5℃以上の発熱または呼吸器症状を伴う場合は部署管理者に報告し対応を仰ぐ．安易な自己判断は感染を広げる可能性がある．本人のみでなく，同居家族などの発熱にも注意が必要である．

c）会食や通勤

マスクを外しての会話は感染リスクが高まるため，友人との外食は控える．また公共交通機関で通勤する場合は，不織布マスクのほか，つり革や手すりに安易に触れないように注意する．

d）職場での休憩時間

仲間同士では気が緩むものだが，職員間の感染予防も重要である．換気を十分行い，アクリル板なども使い対面を避け，休憩・昼食の時間をずらすなども検討する．食事以外に歯磨きなどで

マスクを外す際も注意が必要であり，共有のタオルやコップは特に危険であるため避ける．トイレや洗面所はその都度蛇口やドアノブを消毒し，ペーパータオルを活用する．

3．リハビリテーション室・物理療法室での感染対策

理学療法士やセラピストによる運動器リハビリテーションは，受付スタッフや看護師，医師以上に至近距離で長時間患者と接する．外来で20〜40分，入院だと60分以上患者と接するので，患者に対して本人と家族の体調を毎回確認するなど細かな配慮が必要となる．スタッフはマスク，グローブ，アイガードの着用のほか，治療用ベッドや器具の消毒を患者ごとに行う．また物理療法室は，干渉波療法やSSP (Silver Spike Point) 療法などの経皮的電気刺激装置を皮膚に直接付けるため，狭いスペースをカーテンで仕切っており換気が悪くなる．CO_2モニターなどで換気状態をチェックし，カーテンを開け放したりサーキュレーターを回して換気に努める．医療機器やリハビリ器具など物に付着したウイルス対策では，アルコール（濃度75％以上95％以下のエタノール），次亜塩素酸ナトリウム（塩素系漂白剤），スポンジなどは80℃で10分以上，ほかに表面活性剤入り家庭用洗剤でも効果があるとされている[1]．消毒薬の詳細は，自施設の感染管理者（院長，看護師長など）と話し合っておくことが必要である．一方で物理療法機器によってはアルコールや他の消毒薬の使用が劣化や故障の原因になることがあるため注意が必要である．電気刺激装置や超音波治療器の制御パネルの消毒で，液体がパネルの隙間に入り画面に故障が生じたという報告がある．

2020年4月に公益社団法人 日本整形外科学会から「整形外科診療におけるコロナ対策診療ガイド」[2]が出ているので参考にされたい．また新型コロナ対策と同時に，外出控えの高齢者のロコモ対策[3]にも目を向けることも大切である．

文献

1) 厚生労働省：新型コロナウイルスの消毒・除菌方法について（厚生労働省・経済産業省・消費者庁特設ページ），https://www.mhlw.go.jp/stf/seisakunitsuite/bunya/syoudoku_00001.html（2022.5.13 アクセス）
2) 日本整形外科学会：整形外科診療における新型コロナウイルス対策，https://www.joa.or.jp/topics/2020/topics_200417_2.html（2022.5.13 アクセス）
3) 日本整形外科学会：ロコモONLINE，https://locomo-joa.jp/check/locotre/（2022.5.13 アクセス）

IV章 運動の仕組み

　顔面の表情と発声を除けば，自己を表出するには随意的な「運動」が必須ということができる．つまり，人間の尊厳を保つのに必要である自己表出には「運動」が不可欠なのである．
　本章では運動の仕組みを，解剖，生理，病態に分けて解説する．

1 解　剖

A 神経系統 ── 電気信号の伝達経路

①運動神経：脳 → 脊髄運動神経 → 末梢神経 → 筋
②感覚神経：感覚受容器（皮膚，眼，耳など）→ 末梢神経 → 脊髄 → 脳
　運動は中枢から末梢へ向かう（遠心性）電気信号による．反対に感覚は末梢から中枢に向かう（求心性）電気信号による現象．いずれも意識にのぼる．運動を起こす筋（表1）[1]，および感覚を入力する皮膚（図1）には髄節性があるので，体表からの診察により障害部位を推定できる．
③自律神経：血流量，心拍数，皮膚の発汗量などを調節する．
　精神的影響は受けるが，多くは生体を維持するための無意識下の活動．交感神経と副交感神経とがある．脊柱近傍にあり，末梢神経に枝を出し四肢に至る．

表1　骨格筋の髄節支配

部位		支配筋	支配脊髄と節レベル	部位		支配筋	支配脊髄と節レベル
上肢	肩関節	外転筋および外旋筋	C5	下肢	股関節	屈筋	L2, 3
		内転筋および内旋筋	C6, 7, 8			内転筋	L3, 4
	肘関節	屈筋	C5, 6			外転筋	L4, 5
		伸筋	C7, 8			伸筋	L5, S1
	前腕	回外筋	C6		膝関節	伸筋	L3, 4
		回内筋	C7, 8			屈筋	L5, S1
	手関節	屈筋	C6, 7		足関節	背屈筋	L4, 5
		伸筋	C6, 7			底屈筋	S1, 2
	指	長指屈筋	C7, 8		足	内がえし筋	L4, 5
		長指伸筋	C7, 8			外がえし筋	L5, S1
	手	固有筋	C8, T1				

〔中村耕三（監），整形外科クルズス，第4版，南江堂，東京，p280，2003より引用〕

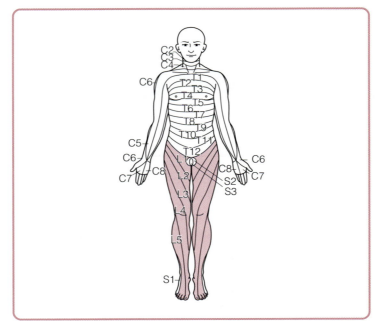

図1　Keeganによる皮膚分節
C：頚髄　T：胸髄　L：腰髄　S：仙髄

Ⓑ 筋・腱──運動を起こす

①筋収縮：神経から伝えられた電気信号が筋線維（図2）を収縮させる．多数の筋線維が同期して収縮することにより大きな力が出る．
②筋線維の種類：ゆっくり収縮する赤筋（Ⅰ型：遅筋）と，速く収縮する白筋（Ⅱ型：速筋）の2種がある．姿勢維持に関与する筋などでは赤筋の比率が高く，瞬発力を発揮する筋では白筋の比率が高い．
③2関節筋：多くの筋は動かす関節が1つの1関節筋であるが，2つの関節にまたがる筋（2関節筋）もある（図3）．2関節筋の代表が大腿四頭筋であり，膝関節の伸展筋であると同時に，股関節の屈曲筋でもある．
④腱の構造：筋の両端は腱構造をとり，骨に強固に付着する．
⑤腱板：肩関節では，4つの筋（棘上筋，棘下筋，小円筋，肩甲下筋）腱が関節包に移行し板状を呈しているので，回旋筋腱板（ローテーターカフ）と呼ばれる．

Ⓒ 関節──運動の中心

①骨：骨の形態により動き方が規制される．肩や股は球状で三次元方向に動けるが（球関節），肘は蝶番状で1方向のみ動ける（蝶番関節）（図4）．
②軟骨：骨の表面を軟骨がおおい，摩擦を少なくしている（図5）．
③関節液：軟骨同士の摩擦を少なくする潤滑油．関節内の滑膜が産生している．

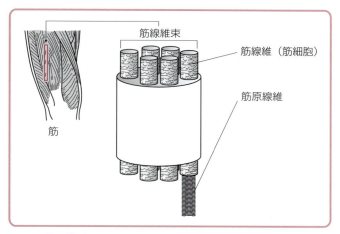

図2 筋の構造

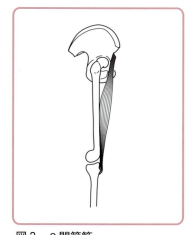

図3 2関節筋

大腿直筋は股関節と膝関節にまたがる．

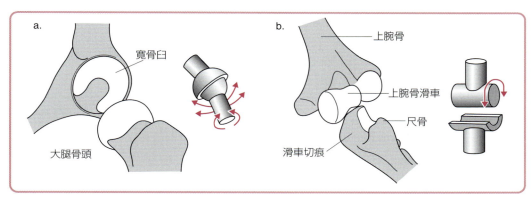

図4　関節の形態
a. 球関節　b. 蝶番関節

④靱帯：関節の運動方向を規制するとともに，脱臼を防いでいる．関節の内部にあるものと，関節包の外側から補強しているものとがある（図6）．

D 骨 —— 運動の軸

①骨の種類：長管骨と扁平骨とがある．上腕骨や大腿骨などは長管骨，頭蓋骨や肩甲骨などは扁平骨と呼ばれる．長管骨は部位によって特有の名称（骨端部，骨幹端部，骨幹部）がある（図7）．
②骨の構造：表面は骨膜におおわれ，その下に皮質骨，内部には海綿骨がある（図8）．

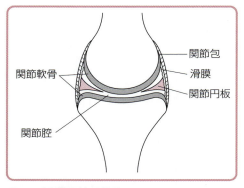

図5 滑膜関節の構造
骨表面を軟骨がおおっている．関節腔には関節液が貯留している．

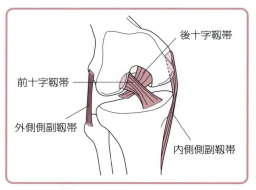

図6 膝関節を補強している靱帯
十字靱帯は関節の前後方向への動揺性を防ぎ，側副靱帯は内反・外反動揺性を防いでいる．

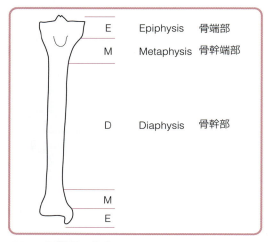

図7 長管骨の部位

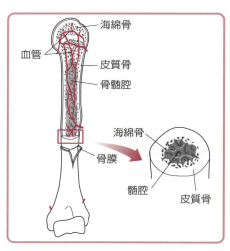

図8 骨の構造

2 生　理

A 筋　力

①筋収縮の種類：以下の2種類がある（図9）．
　ⓐ等張性収縮：筋の張力が変化しない，つまり定常負荷で関節が動くときの筋収縮．荷重の角度が変わるので厳密には定常負荷ではないが，立ち上がるときの下肢筋の運動などが該当する．
　ⓑ等尺性収縮：筋の長さが変わらない，つまり関節が動かない状況での筋収縮．ギプス内での筋力増強運動はこれに該当する．
②筋断面積当たりの筋力：性，年齢を問わずほぼ一定で，6〜7 kg/cm^2．
③筋力増強訓練：訓練で増加するのは筋線維の断面積であり，筋線維の数は増えないといわれている．

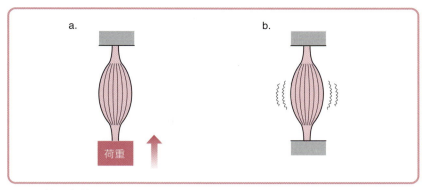

図9　筋の収縮
a. 等張性収縮：筋の収縮力は一定で関節は動く.
b. 等尺性収縮：筋の長さは一定で関節は動かない.

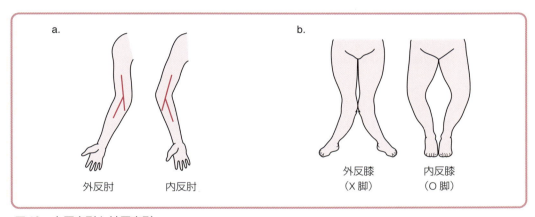

図10　内反変形と外反変形
a. 肘　b. 膝

B 関節の動き

①運動の表現法：膝関節を除き，身体の腹側（前方）への肢の動きを**屈曲**，背側（後方）へのものを**伸展**と呼ぶ．体軸から外側に離れる肢の動きを**外転**，近づく動きを**内転**と表現する．肩関節，前腕，手関節，指などは特殊な呼び方の運動をする（72～74頁参照）．
②変形の表現：肘・膝関節において，その末梢部が体軸から外側に離れる変形を**外反**，その反対を**内反**と表現する（図10）．
③**関節可動域**：部位および運動方向により，おおまかな基準値が示されている（229頁，付録①）．

C 立位バランス

①バランス変化の情報を脳に提供する経路（系）には以下の3つがある．
　ⓐ**前庭系**：内耳にある前庭と三半規管
　ⓑ**視運動系**：視覚

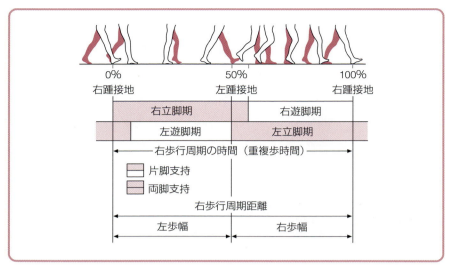

図11 歩行周期
正常歩行の80%は片脚支持である.
〔Murray MP：Gait as a total pattern of movement. Am J Phys Med **46**：290-333, 1967 より引用〕

　ⓒ**深部感覚運動系**：四肢・体幹の筋・腱・関節にある深部感覚受容体
②バランスをとる仕組み：上記3系が相互に関係を保ちながら反射経路を形成して，ほとんど意識されることなく四肢・体幹筋に情報を伝えてバランスを保っている．
③バランスの評価法：種々の方法があり，また年齢による標準値も判明している（71頁，Ⅴ章参照）．

Ⓓ 歩　行

①正常**歩行周期**（**図11**）[2]：**立脚期**（stance phase），**遊脚期**（swing phase）に分けられる．立脚期は**踵接地**（heel strike）から爪先離地（toe off）までの期間である．両脚が接地している時期を両脚支持期，片脚で支持している時期を片脚支持期という．
②両脚支持，片脚支持：通常の速度での歩行では，片脚支持の期間が1歩行周期の80%を占める．

Ⓔ 運動の強度・負荷量

①**目標心拍数**：通常，運動負荷により心拍数が増加し，その程度が運動強度の1つの指標となる．過度の心拍数増加は危険なことがあるため，以下の目安に従って目標心拍数を設定するのが安全である．年齢により最大心拍数が低下し，通常は220から年齢を引いたものに相当する．

　　　目標心拍数＝（220 －年齢）× 0.6 ～ 0.7
　　　　［例］70歳　（220－70）× 0.6 ～ 0.7 ＝ 90 ～ 105

②運動を中止する場合（240頁，付録4表1参照）：**徐脈**が生じる場合は危険信号であり，運動

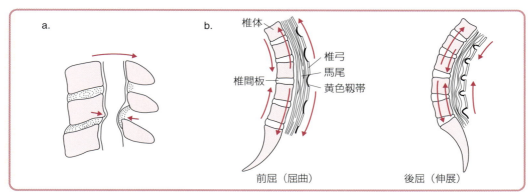

図 12　脊椎の後屈による狭窄の増強
a. 頚椎でのピンサー（挟み込み）メカニズム
b. 腰部脊柱管狭窄では後屈（歩行・立位）で圧迫が増強する．前屈（腰かけなど）すると圧迫が減少し，また歩けるようになる（間欠跛行）．

は中止する．等尺性収縮は，特に血圧の上昇をきたしやすいので注意を要する．
　突然の気分不快の場合は肺梗塞にも留意すべきで，意識障害を伴うようであれば緊急対応が必要である．
③運動強度等に関しては 107 頁，Ⅷ章を参照．

F 脊椎のバイオメカニクス

　脊椎の後屈は概して脊柱管の狭窄を増強する．頚椎ではピンサー（挟み込み）メカニズムにより，腰椎では黄色靱帯のまくれ込みなどにより神経圧迫を生じる（図 12）．一方，椎間板内圧は姿勢により大きく変化することが知られている（図 13）[3]．
　これらの知識は，患者への日常動作指導に必須のものである．

3 病　態

A 骨　折

骨癒合の過程

①傷害初期：骨折部にできた血腫に骨を造成する細胞が集まる．血腫は肉芽組織に変化する（図 14 a）．
②膜性骨化：骨膜などにある細胞により骨基質が作られる（図 14 b）．
③軟骨形成：肉芽組織内で軟骨が形成される（図 14 c）．
④内軟骨性骨化：形成された軟骨が骨に置き換わっていく（図 14 d）．

治療の原則

①整復：ずれた骨片を解剖学的位置に戻すこと．徒手整復，牽引，手術による整復がある．

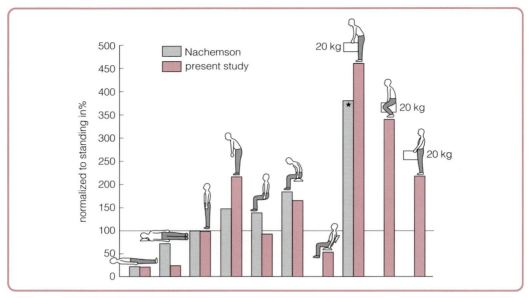

図13　いろいろな姿勢での椎間板内圧

70 kg の成人男性での計測結果で，直立立位での内圧を 100% として表示．中腰姿勢は直立姿勢の約 2 倍で，20 kg 負荷直立姿勢に相当する．20 kg 負荷中腰姿勢では直立姿勢の 5 倍近くとなる，ナケムソンの計測結果より信頼性が高い．なおナケムソンの計測中，中腰での負荷（図中★）は 10 kg．
〔Wilke HJ et al：New in vivo measurements of pressures in the intervertebral disc in daily life. Spine 24：755-762, 1999 より引用〕

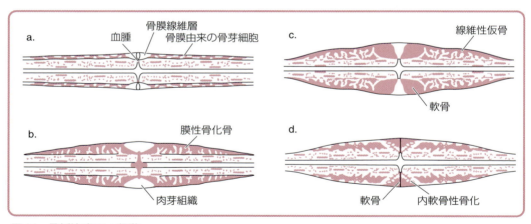

図14　骨折治癒の 4 段階
a．傷害初期（血腫・肉芽）　b．膜性骨化　c．軟骨形成　d．内軟骨性骨化

②**固定**：関節運動に耐えられる強度に回復するまで骨折部を動かさないこと．
　外固定には，ギプス，副子（シーネ），創外固定器（図15）などを用いる．内固定は手術（髄内釘，プレート）による（図16）．
③**機能訓練**：骨折治療における機能訓練は，局所の炎症や固定強度などの状況にもよるが，できるだけ早期に開始すべきである．局所の関節拘縮・筋力低下を予防し，かつ全身合併症（血栓症，認知症など）にも気を配る．骨が癒合するまで待っていては，遅いのである．

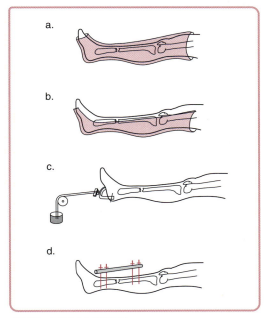

図15 骨折の外固定法
a. ギプス　b. 副子（シーネ）
c. 牽引　d. 創外固定

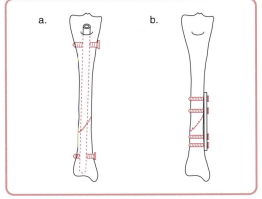

図16 長管骨骨折の内固定手術
a. 髄内釘　b. プレート

骨癒合までの期間

　外固定を除去する時期は部位・年齢にもよるが，通常はX線像で仮骨形成を確認してからであり，1〜2ヵ月である．ただし，骨強度が正常に復するには2〜3ヵ月以上かかるので，スポーツ等への復帰は慎重にすべきである．

偽関節

　感染，固定性不良，大きな骨欠損などにより，骨癒合がうまくいかないことがある．通常，3ヵ月かかっても安定した固定性が得られない場合，偽関節という．低エネルギー超音波（LIPUS：low intensity pulsed ultra-sound）や電気による骨癒合促進治療，さらには偽関節手術が行われる．

骨折の合併症

①肺塞栓（脂肪，血栓）：外傷・手術およびその後の安静臥床などに起因する凝固・線溶系の異常による合併症であり，肺動脈に血栓などが詰まると突然死を起こすことが知られている．胸部の痛みや苦悶感，血痰などが重要なサインである．

②末梢神経麻痺：外傷の瞬間に起きるもの，その後の腫脹などにより生じるもの，さらにはギプス障害によるものなどがある．

　出血や腫脹により筋内圧が高まり生じる筋区画症候群（筋壊死・末梢神経障害）は，重大な障害を残す合併症であるが，強い痛みやしびれなどを目安に早期に発見すれば対処できる．

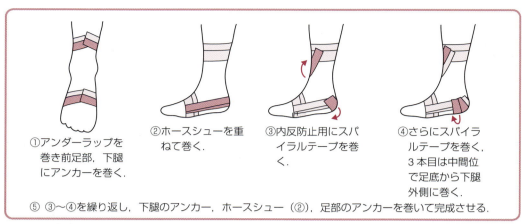

①アンダーラップを巻き前足部,下腿にアンカーを巻く.
②ホースシューを重ねて巻く.
③内反防止用にスパイラルテープを巻く.
④さらにスパイラルテープを巻く,3本目は中間位で足底から下腿外側に巻く.
⑤ ③〜④を繰り返し,下腿のアンカー,ホースシュー(②),足部のアンカーを巻いて完成させる.

図17 足関節内反捻挫のテーピング
内反を防ぐためにスパイラルテープで足部の外側を吊り上げるように巻く.

B 捻挫,靱帯損傷

定義

関節周囲の靱帯や関節包の損傷を捻挫と呼ぶ.断裂した靱帯の名称(膝内側側副靱帯損傷など)による診断名のほうが明快であるため,特に膝関節では捻挫という診断名は用いられなくなってきている.

慣用的によく用いられている診断名は,足関節捻挫や,厳密には捻挫とはいえないが頚椎捻挫(外傷性頚部症候群)などである.

靱帯断裂による関節不安定性の程度による分類が,各部位において提唱されている.不安定性が大きい場合には手術を選択することが多い.

治療の原則

損傷した靱帯に伸張する外力が加わらないようにするのが原則である.

関節不安定性の程度によって,弾性包帯固定,テーピング(図17),ギプス,手術などが選択される.頚椎捻挫では,頚部の固定は治療期間を遷延させるとのエビデンスが示されているので,頚椎固定装具は長期にわたっては用いないようになってきている.

治癒期間

軟部組織の修復には4〜6週が必要である.下肢の荷重関節の靱帯損傷では,スポーツ復帰可能な強度に回復するには3ヵ月以上を要する.頚椎捻挫の大多数のものは2週間でほぼ治癒する.

合併症

関節不安定性を残せば,変形性関節症(膝十字靱帯損傷後などに多い)が発症したり,支持性の低下による捻挫の反復(足関節捻挫後)などの合併症が生じるので,捻挫といって甘くみないよう注意を促す必要がある.

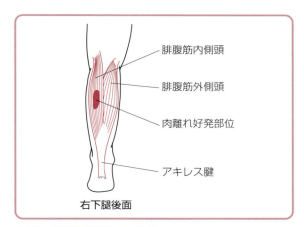

図 18 下腿三頭筋の肉離れ
内側部に好発する．

C 筋・腱損傷

定義

筋の大部分が横切された場合を**筋断裂**，部分的に断裂した場合を筋損傷（**肉離れ**）と呼ぶことが一般的である．筋の腱性部位での断裂は**腱断裂**という．

好発部位

外傷を除けば筋断裂はまれである．肉離れはスポーツなどにおける自家筋力によるものであり，下腿三頭筋内側部（図18）および大腿部の筋に多い．腱断裂としては**アキレス腱断裂**が最多であり，他に上腕二頭筋腱断裂および関節リウマチにおける指伸筋腱断裂がしばしばみられる．

治療原則と治癒期間

肉離れは1ヵ月程度の安静により自然治癒する．アキレス腱断裂は保存的治療により3ヵ月程度で治癒するが，アスリートでは手術をすることもある．手術後スポーツ復帰には3ヵ月以上を要する．
関節リウマチにおける指伸筋腱断裂は，困らなければ放置するが，手術を行った場合は1〜2ヵ月の固定を要する．

D 筋力低下

原因

不動や加齢などによる筋量減少，神経障害，筋疾患などにより筋力は低下する．

不動による筋力低下

高齢者では，1週間の床上臥床により下肢筋量は10%減少するといわれている．

筋力増強訓練

107頁，Ⅷ章参照．

E 関節拘縮

関節可動域が低下している状態を拘縮，可動域が完全に失われている状態を強直と呼ぶ．

原因

関節拘縮の主因は，関節周囲の軟部組織（筋，腱，関節包など）の短縮や線維性癒着にある．長期間の固定，感染などによる局所の炎症，疼痛・神経麻痺による不動などが原因である．

予防

骨折部の不安定性，関節の感染などを除けば，できるだけ早期からの関節可動域訓練が肝要である．不動による筋力低下を予防することと同時に，関節拘縮の予防という観点から，「絶対安静」という処置は運動器には有害である．

関節可動域訓練（107頁，Ⅷ章参照）

関節可動域を拡大するには，粘弾性という特徴を持つ軟部組織を伸張する必要がある．

粘弾性を持つ組織では，伸張する速度は遅いほうが効果的である．痛みを感じない程度の外力を，少なくとも数十秒以上は持続して負荷することが，安全で効率的な関節可動域訓練のポイントである．

固定肢位

ある程度の拘縮が避けられない場合，固定肢位は，機能からみて膝は伸展を，肘は屈曲肢位がよい．固定除去後の可動域拡大の観点からは，指では中手指節（MP）関節は屈曲位固定が優れている（図19）．

F 関節の痛み

原因

関節炎［関節リウマチ（図20），痛風，化膿性関節炎など］，変形性関節症（膝，股，肘，指など，加齢と関係），軟骨損傷（半月板損傷，軟骨損傷），関節周囲の炎症（五十肩，テニス肘など），などがある．

変形性関節症は加齢やオーバーユース（使いすぎ）などによる軟骨の磨耗が主因とされているが，微細な外傷の蓄積も関与していると考えられている．

好発部位

関節リウマチでは指，手関節，肘，肩，膝に，変形性関節症では膝（65歳以上の女性に多い），股（先天性股関節脱臼既往のあるものが多い），肘（重労働者，スポーツ選手）などに生じることが多い．指の変形性関節症も多く，遠位指節間関節［Heberden（ヘバーデン）結節］およ

3. 病態

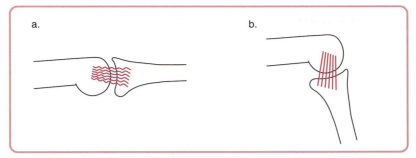

図19 中手指節（MP）関節の側副靱帯

a の伸展位では，側副靱帯は弛緩し，b の屈曲位では緊張する．手周囲の外傷後などでの MP 関節固定は，b の屈曲位とすべき．a の伸展位で固定すると側副靱帯は短縮し，固定除去後に屈曲できなくなる．

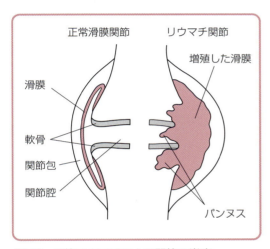

図20 関節リウマチによる関節の炎症

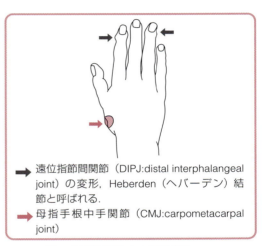

図21 指の変形性関節症の好発部位

び母指手根中手（CM）関節にみられる（図21）．

関節水腫

俗に「水が溜まる」と呼ばれる現象は，関節液の貯留である．関節リウマチでは関節液を産生する滑膜細胞の増殖が主因であるが，変形性関節症やオーバーユースでは，反復する力学的負荷が滑膜細胞の活動を刺激するためと考えられている．

・文　献・

1) 中村耕三（監），整形外科クルズス，第4版，南江堂，東京，p280，2003
2) Murray MP：Gait as a total pattern of movement. Am J Phys Med **46**：290-333, 1967
3) Wilke HJ et al：New in vivo measurements of pressures in the intervertebral disc in daily life. Spine **24**：755-762, 1999

V章 運動機能と生活の評価

1 神経機能の評価

A 神経障害（末梢・脊髄）

　関節運動の指令系統は末梢および脊髄中枢神経である．神経障害があると，関節あるいは筋肉自体に障害がなくても四肢の運動機能障害が出現してくる．
①末梢神経障害：高齢者に比較的多くみられるものには，腰部脊柱管狭窄症がある．下肢の筋力および感覚が障害され，腰部脊柱管狭窄症では歩行とともに症状が悪化する間欠性跛行が認められる．足底部の感覚障害は歩行に大きな障害を与える．腱反射は末梢神経障害では低下する．
②脊髄障害：外傷の後遺症だけでなく，変形性脊椎症や後縦靱帯骨化症などにより脊柱管狭窄が生じると，脊髄麻痺に至ることがある．感覚障害と痙性麻痺（腱反射の亢進）を呈する．筋力低下は当初は明確ではないが，進行すると筋萎縮を伴った麻痺手などを生ずる．

B 感覚障害の評価

①痛覚：針の先で軽く皮膚を刺激し，痛いか確認する．
②温・冷覚：アルコール綿で皮膚をこすり，冷たく感じるか判定する．
③振動覚：音叉（さ）を用いて，踝などの，骨を直接触れることのできる部位を刺激する．
④触覚：軟らかい筆の先で皮膚を刺激する．

C 腱反射

　アキレス腱，膝蓋骨腱や上腕二頭筋腱の腱を叩打し筋の収縮をみる．末梢神経障害では腱反射は低下し，脊髄障害では亢進する．

D 特殊な神経異常

　病的反射は乳児期に生理的に観察されるが，脊髄（中枢神経）障害が生じると成人でも出現してくる．

図1　VAS

　このほか，パーキンソン病にみられる鉛管症状，小脳疾患にみられる筋弛緩および運動失調などの神経症状は，しばしば運動器リハビリテーションの患者にも観察されるが，病変は大脳および脳幹部であり，該当分野は脳血管疾患等リハビリテーションである．

2 痛みの測定

　痛みは「実際の組織損傷もしくは組織損傷が起こりうる状態に付随する，あるいはそれに似た，感覚かつ情動の不快な体験」と定義されている（日本疼痛学会）．

　痛みには骨折，脱臼，炎症などのように，はっきりとした原因が認められる場合と，原因となる組織の異常が認められない心理的・情動的な痛みとがある．

　痛みの強さを測定する方法には，①痛みの程度を10cmの直線上に表してもらう **VAS**（visual analogue scale；視覚的アナログ尺度），②痛みなしを0点，今までに経験した最高の痛みを10点として現在の痛みを表現してもらうNRS（numerical rating scale）や③笑顔から泣き顔までの顔つきの中から選んでもらうフェイススケール（facing rating scale）などがある（図1）．

3 筋・骨格系機能の評価

A 関節可動域 （229頁，付録①参照）

　関節が動く範囲を関節可動域という．体の動きは複雑であるが，いくつかの動きに大別される．
①屈曲・伸展：屈曲とは，体を丸め抱え込んだ姿勢をイメージするとわかりやすい（図2a）．伸展とは，体幹からつま先までピンと伸ばした姿勢をイメージするとわかりやすい（図2b）．
②内転・外転：内転とは，脇と脚を閉じて"気を付け"をした姿勢をイメージするとわかりやすい（図3a）．外転とは，指先までパーに拡げた大の字の姿勢をイメージするとわかりやすい（図3b）．
③内旋・外旋：内旋と外旋は体の軸に対して回転する動きであるが，膝関節は後方に曲がるため，内旋と外旋を混同しやすいので注意を要する．

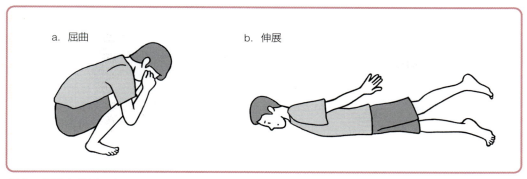

図2 屈曲と伸展
a. 体幹，指，肘，股および膝関節は屈曲位にある．
b. 体幹，指，肘，股および膝関節は伸展位にある．

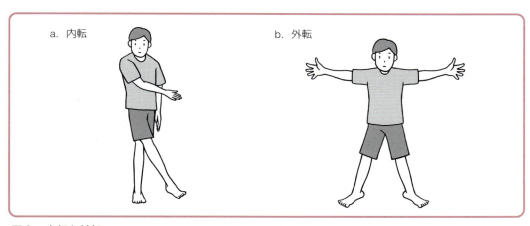

図3 内転と外転
a. 指，肩および股関節は内転位にある．
b. 指，肩および股関節は外転位にある．

　　ⓐ上肢の内旋・外旋（図4a，b）
　　ⓑ下肢の内旋・外旋（図4c，d）
④回内・回外：前腕の動きに用いられる．
　　ⓐ掌を上に向けるのが回外（図5a）
　　ⓑ掌を下に向けるのが回内（図5b）
⑤掌屈・背屈，底屈・背屈：手の甲と足の甲を反らすことを背屈という（図6b，d）．掌と足の裏を曲げることをそれぞれ，掌屈と底屈という（図6a，c）．
⑥可動域の測定：可動域は自動的可動域と他動的可動域に分けられる．自動的可動域とは自分の力で動かせる関節可動域で，他動的可動域とは測定者が力を加え，最大限に動かした関節可動域をいう．

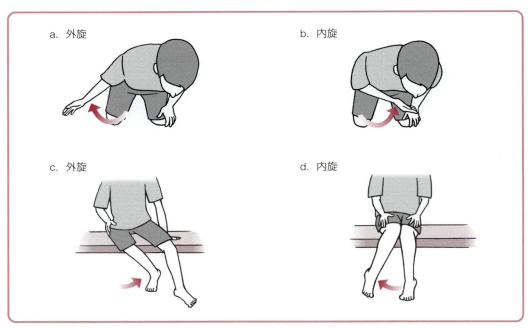

図4　内旋と外旋

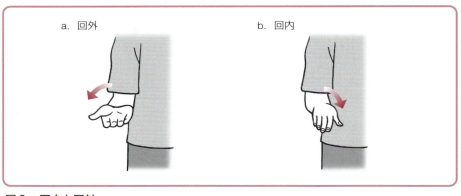

図5　回内と回外

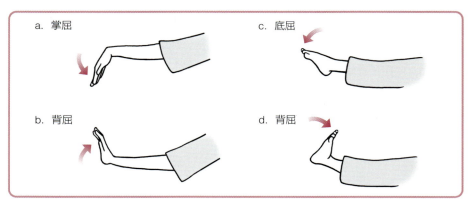

図6　掌屈・背屈と底屈・背屈

Ⓑ 徒手筋力検査（manual muscle testing：MMT）

個別の筋力を徒手的に評価するものである（235 頁，付録2表 1 参照）．

測定者の主観が入り，判定がむずかしいことがある．外傷や圧迫による末梢神経損傷では，急性期の筋力の回復が予後の判定に重要で，筋力低下を慎重に把握する必要がある．

4 運動動作の測定

Ⓐ タンデム歩行・タンデム肢位[1]

タンデム歩行とは互いの足のつま先と踵を合わせるようにまっすぐに（直線上を）歩くことをいう．高齢者では歩ける歩数を数えることが多い．日本人の標準的な指標が示されていないが，テストをすると歩行障害を把握しやすい．タンデム肢位は立位バランスの評価に用いられる．図 7 に基本的起立肢位を示す．

起立は介助なしで行う．以下，難易度の低いものから列挙する．
①両脚起立（図 7 a）
②セミタンデム肢位（図 7 b）：片足を 1 足分前に出した肢位で起立する．
③タンデム肢位（図 7 c）：片足の踵を他方の足のつま先につくようにそろえて起立する．
④片脚起立（図 7 d）

Ⓑ 開眼片脚起立時間[2]

年齢とともに開眼片脚起立時間は著明に低下するので，高齢者の機能低下を早期にとらえやすい指標といえる．また，日常生活の自立度が大きく低下するとされる 75 〜 85 歳で，開眼片脚起立時間はおおむね 15 秒未満に低下してくるが[1,2]，これはバランス能力の低下を意味し，転倒リスクの増大をもたらし，積極的な運動療法の介入が求められる．

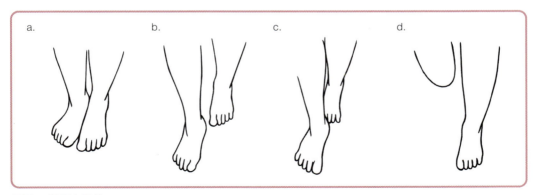

図 7　各起立肢位
a．両脚起立　b．セミタンデム肢位　c．タンデム肢位　d．片脚起立

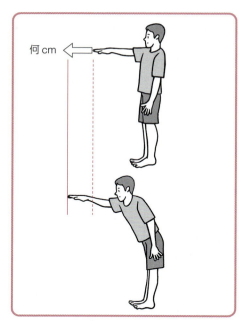

図8　ファンクショナルリーチテスト

C 立って歩けテスト

　移動能力の代表的指標が立って歩けテスト（タイムド アップアンドゴー テスト，TUG：timed up & go test）で，11秒以上に延長してくると運動器不安定症と診断される．

　Shumway-Cook は転倒経験者と非経験者を対比し転倒リスクの cut off 値を 13.5 秒とした．2005（平成 17）年にわが国で行われた介護予防事業では，要支援の高齢者の平均値が 12.2 秒であった．また，Bischoff は障害のない地域在住高齢者は 10 秒未満としている[3]．

D ファンクショナルリーチテスト

　ファンクショナルリーチテスト（functional reach test）は動的バランス能力の指標として用いられる．円背や身長の影響を受けやすい欠点があり，在宅では適当な測定場所がなく日本人の基準値が確立していないなどの不便さがある．

　起立位で片手を肩関節の高さまで前方に挙上し，さらに指先が何 cm 前方へ移動可能か測定する（図8）．

E 10 m 最大歩行速度

　一定の距離（10 m が一般的）を普通の速さ（好みまたは自由速度），またはできる限り速く（最大速度）歩いたときの所要時間を測定し，速度を計算する．日常生活の活動性と歩行速度との間には関連性が認められている．健常成人の好みの歩行速度は 70〜80 m/分とされ，一般に横断歩道横断時の歩行速度は 1 秒間に 1 m（60 m/分）とされている．

5 認知症の評価[3]

HDS-R（改訂長谷川式簡易知能評価スケール，256頁，付録[10]）が認知症の程度を表わす尺度として用いられている．重症度指標として，悪化や改善の指標としては不適である．

年齢，時間の見当識，単語の記銘など9つの項目からなる検査である．30点満点で，カットオフポイントは20点/21点でこれ以下は認知症が疑われる．

6 生活活動の評価[4]

A 基本的日常生活活動（basic ADL）

1）Barthel index（バーセルインデックス）（表1）[5]

ふつうの成人であれば，だれもが日常生活で行っている食事，移乗，整容，トイレ，入浴，平地歩行，階段昇降，更衣，尿便禁制（尿，大便の失禁がないこと）の10項目の動作を介助なしに1人でできるか，介助が必要かを基準にして，生活活動の自立度を測定する尺度である．

2）機能的自立度評価法（FIM：functional independence measure）

介護負担度の評価が可能であり，リハビリテーションの分野などで幅広く活用されている．食事や移動などの「運動ADL」13項目と「認知ADL」5項目から構成され，1点が介護時間1.6分と設定され110点で介護時間0分となる．再発などにより機能が悪化し，1週間以内にFIM得点が10以上低下するような状態を急性増悪といい，再び急性期リハビリテーションの適応となる．

治療前，途中経過，治療終了後に繰り返し測定することで，活動性の回復経過を知ることができる．

B 手段的日常生活活動（instrumental ADL）

1）老研式活動能力指標

外出，日常品の買い物，食事の支度，金銭管理などの13項目の行為を「できるか」または「しているか」をたずねるもの．すべての行為をしているときには13点となる．

基本的ADLが自立している人の活動性を評価する尺度である．高齢者の活動性評価に用いられる．

C 要介護度判定基準

1）障害高齢者の日常生活自立度判定基準，認知症高齢者の日常生活自立度判定基準

障害高齢者の日常生活における支援，介護の必要性を判定する要介護度認定において，寝たきり度と認知症度が用いられている．

医療においても，身体障害や認知症がある高齢者の活動性を評価する尺度として使われる（表2[6]，3[7]）．

表1　バーセルインデックス

	介助	自立
注意：患者が基準を満たせない場合，得点は0とする．		
1. 食事をすること（食物を刻んであげるとき＝介助）	5	10
2. 車椅子・ベッド間の移乗を行うこと（ベッド上の起き上がりを含む）	5〜10	15
3. 洗面・整容を行うこと（洗顔，髪の櫛入れ，髭剃り，歯磨き）	0	5
4. トイレへ出入りすること（衣服の着脱，拭く，水を流す）	5	10
5. 自分で入浴すること	0	5
6. 平坦地を歩くこと（あるいは歩行不能であれば，車椅子を駆動する）	10	15
＊歩行不能の場合にはこちらの得点	0＊	5＊
7. 階段を昇降すること	5	10
8. 更衣（靴紐の結び，ファスナー操作を含む）	5	10
9. 便禁制	5	10
10. 尿禁制	5	10

Barthel index：評点上の教示
1. 食事をすること
    10＝自立．患者は，手の届くところに誰かが食物を置いてくれれば，トレイやテーブルから食物をとって食べる．患者は必要であれば自助具を付けて，食物を切り，塩や胡椒を用い，パンにバターを付けるなどを行わなければならない．これを応分の時間内に終えなければならない．
    5＝何らかの介助が必要である（上記の食物を切るなど）．
2. 車椅子・ベッド間の移乗を行うこと
    15＝この活動のすべての相が自立．患者は車椅子に乗って安全にベッドに近づき，ブレーキを掛け，フットレストを上げ，安全にベッドに移り，横になる．ベッドの端で座位となり，安全に車椅子へ戻るのに必要ならば，車椅子の位置を変え，車椅子へ戻る．
    10＝この活動のいずれかの段階で，わずかの介助を要する．あるいは安全のために患者に気づかせてあげるか，監視を必要とする．
    5＝患者は介助なしに座位になれるが，ベッドから持ち上げてもらう，あるいは移乗にはかなりの介助を要する．
3. 洗面・整容（トイレット）を行うこと
    5＝患者は手と顔を洗い，髪をとかし，歯を磨き，髭を剃ることができる．どのようなカミソリを使用してもよいが，引出しや戸棚から取り出し，刃を交換したり，ソケットに接続することは介助なしにできなければならない．女性は，化粧を行っていたのであれば，化粧ができなければならないが，頭髪を編んだり，髪型をつくらなくてもよい．
4. トイレへ出入りすること
    10＝患者はトイレの出入り，衣服の着脱ができ，衣類を汚さず，介助なしにトイレットペーパーを使うことができる．必要なら手すりなどの安定した支えを利用してもよい．トイレの代わりに便器を使用することが必要であれば，患者は便器を椅子の上に置き，空にし，きれいにすることができなければならない．
    5＝患者はバランスが悪いため，あるいは衣類の処理やトイレットペーパーの扱いに介助を要する．
5. 入浴すること
    5＝患者は，浴槽あるいはシャワー，スポンジ（簡単な沐浴，スポンジで洗い流す）のいずれかを使用できる．どの方法であっても，他人がいない条件で必要なすべての段階を自分で行わなければならない．
6. 平坦地を歩くこと
    15＝患者は，少なくとも50ヤード（約45.7 m）を介助あるいは監視なしで歩くことができる．患者は装具あるいは義足をつけ，クラッチ，杖あるいは固定型歩行器を使用してもよいが，車輪型歩行器の使用は認めない．装具を使用するときは自分で締めたり，緩めたりできなければならない．立位をとることや座ることもでき，機械的器具を使う所に置き，座るときには片づけることができなければならない（装具の着脱は更衣の項目にする）．
    10＝患者は，上記事項のいずれかに介助あるいは監視を必要とするが，わずかの介助で少なくとも50ヤードは歩くことができる．
6a. 車椅子を駆動すること
    5＝患者が歩くことはできないが，車椅子を1人で駆動することができる．角を曲がる，向きを変える，テーブルやベッド，トイレなどへと車椅子を操作できなければならない．少なくとも50ヤードは移動できなければならない．歩くことに得点を与えたなら，この項目の得点は与えない．
7. 階段を昇降すること
    10＝患者は介助あるいは監視なしに，安全に階段（次の階まで）の昇降ができる．必要であれば，手すりや杖，クラッチを使用すべきである．階段昇降に際して，杖やクラッチを持っていられなければならない．
    5＝患者は，上記項目のいずれかに介助あるいは監視を必要とする．
8. 衣服を着脱すること
    10＝患者はすべての衣服を着脱し，ボタンなどを掛け，靴紐を結ぶことができる（このための改造を行ってないのであれば），この活動はコルセットや装具が処方されていれば，それらを着脱することを含む．必要であれば，ズボン吊りやローファー（靴），前開き衣類を使用してもよい．
    5＝患者は衣服を着脱し，ボタンを掛けるなどに介助を要する．少なくとも半分は自分で行う．応分の時間内に終わらなければならない．女性は，処方された場合を除き，ブラジャーあるいはガードルの使用に関して得点をしなくてよい．
9. 便禁制
    10＝患者は排便のコントロールができて，失敗することはない．必要なときは，座薬や浣腸を使用できる（排便訓練を受けた脊髄損傷患者に関して）．
    5＝患者は，座薬や浣腸に介助を要する，あるいは時に失敗をする．
10. 尿禁制
    10＝患者は日夜，排便のコントロールができる．集尿器と装着式集尿袋を使用している脊髄損傷患者は，それらを1人で身に付け，きれいにし，集尿袋を空にし，日夜とも陰股部が乾いていなければならない．
    5＝患者は，時に失敗をする．あるいは便器の使用が間に合わない，トイレに時間内に着けない，集尿器などに介助を要する．

〔Mahoney FI, Barthel DW：Functional evaluation：The Barthel Index. Md State Med J **14**：61-65, 1965 より引用〕

表2　障害高齢者の日常生活自立度（寝たきり度）判定基準

生活自立	ランクJ	何らかの障害を有するが，日常生活は自立しており独力で外出する 　1. 交通機関等を利用して外出する 　2. 隣近所へなら外出する
準寝たきり	ランクA	屋内での生活はおおむね自立しているが、介助なしには外出できない 　1. 介助により外出し，日中はほとんどベッドから離れて生活する 　2. 外出の頻度は少なく，日中も寝たり起きたりの生活をしている
寝たきり	ランクB	屋内での生活は何らかの介助を要し，日中もベッド上での生活が主体であるが座位を保つ 　1. 車いすに移乗し，食事，排泄はベッドから離れて行う 　2. 介助により車いすに移乗する
	ランクC	1日中ベッド上で過ごし，排泄，食事，着替えにおいて介助を要する 　1. 自力で寝返りをうつ 　2. 自力では寝返りもうたない

〔厚生省大臣官房老人保健福祉部長通知　老健第102-2号　平成3年11月18日より引用〕

表3　認知症高齢者の日常生活自立度（認知症度）判定基準

I	何らかの認知症を有するが，日常生活は家庭内および社会的にほぼ自立している
II	日常生活に支障をきたすような症状・行動や意志疎通の困難さが多少みられても誰かが注意していれば自立できる
IIa	家庭外でも上記IIの状態がみられる
IIb	家庭内でも上記IIの症状がみられる
III	日常生活に支障をきたすような症状・行動や意志疎通の困難さがみられ介護を必要とする
IIIa	日中を中心として上記IIIの状態がみられる
IIIb	夜間を中心として上記IIIの症状がみられる
IV	日常生活に支障をきたすような症状・行動や意志疎通の困難さが頻繁にみられ常に介護を必要とする
M	著しい精神症状や問題行動あるいは重篤な身体疾患がみられ，専門医療を要する

〔厚生省老人保健福祉局長通知　老健第135号　平成5年10月26日より引用〕

7 生活の質の測定

　近年，満足感，幸福感といった主観的な評価を含めた「生活の質」の高さが「よい医療」を判定する条件の1つとなった．

　「生活の質（QOL：quality of life）」は，「患者の立場」から「身体的状態」「精神的（情緒的，知的）状態」「社会的役割の遂行」「社会的人間関係」「経済的状態」「自覚的健康状態」「満足感」などを評価するものである．これらに「痛み」「活力」「睡眠」「性生活」「食事」などが加わることがある．一般的なQOLには，宗教，経済的状態，信条，所属する社会など，健康とは関連が薄い領域も含まれるため，医療に関連して影響を受ける領域を「健康関連QOL（HRQOL：

health-related QOL）」として分け，臨床医学で応用されている．

QOL は質問表により測定される．QOL 測定により，患者が主観的に感じている身体的・心理的・社会的活動状態，健康観などを知ることができる．診療場面で QOL を測定し，結果を患者と共有することは，コミュニケーションを深め，信頼感が強まるであろう．

QOL を測定する尺度は，どの疾患患者にも使うことができる「包括的尺度」と，ある疾患患者を対象とした「疾患特異的尺度」とがある．一般的な HRQOL 尺度の代表は SF-36 である．

1) SF-36

SF-36 は，①身体機能，②日常役割機能（身体），③日常役割機能（精神），④全体的健康感，⑤社会生活機能，⑥身体の痛み，⑦活力，⑧心の健康の 8 つの領域に関する 36 の設問から構成されている．

日本語版 SF-36 は福原らにより標準化が行われ，日本人の国民標準値が求められている．骨関節疾患，循環器疾患，精神疾患，呼吸器疾患などを中心に広い範囲の臨床試験で利用されている．使用には申請が必要（特定非営利法人健康医療評価研究機構）である．また質問項目が 8 つの SF-8 も開発されている．

2) AIMS 2

AIMS2 日本語版（arthritis impact measuring scale）は，関節リウマチ疾患の疾患特異的 QOL 尺度で，移動能力，歩行能力，手指機能，上肢機能，身の回り，家事，社交，支援，痛み，仕事，精神的緊張，気分，健康満足度，疾患関連度，自覚的健康度，病気（リウマチ）による障害度の 12 領域にわたる 66 項目の設問と病状，学歴，収入などに関する 13 問からなる．

3) WOMAC, JKOM

WOMAC（Western Ontario and McMaster Universities osteoarthritis index），JKOM（Japanese knee osteoarthritis measure：日本版変形性膝関節症患者機能評価尺度）は，変形性関節症患者の QOL を測定する尺度である．WOMAC は，変形性股関節症，変形性膝関節症に特異的な自己記入式 QOL 評価尺度である．日本語版では過去 48 時間以内に経験した膝の痛み（5問），こわばり（2問），日常行動の困難度（17問）の 3 領域 24 項目の設問が用意されている．変形性股関節症，変形性膝関節症の治療成績評価に繁用されている．利用には開発者の許可が必要である．

JKOM は，わが国の生活環境において変形性膝関節症患者が経験している痛みやこわばり，日常生活の状態，ふだんの活動，健康状態を 5 段階でたずねる 25 の設問と，痛みの程度をたずねる VAS により構成される自己記入式の疾患特異的 QOL 尺度である（248 頁，付録5）．

4) ロコモ 25（250 頁，付録6）

運動器症候群（ロコモティブシンドローム）の評価に用いられるもので 25 項目からなり，要介護度を反映した指標である[8]．詳細は 127 頁，Ⅸ章 3 を参照のこと．

文 献

1) Rossiter-Fornff et al：A cross-sectional validation study of the FICSIT common data base static balance measures. J Gerontol A Biolsci Med Sci **50A**：M291-291, 1995
2) 北　潔ほか：開眼片脚起立時間からみた運動器不安定症．臨床整形外科 **41**：757-763, 2006
3) Shumway-Cook A et al：Predicting the probability for falls in community dwelling older adults using the timed up & go test. Phys Ther **80**：896-903, 2000
4) 障害と活動の測定・評価ハンドブック―機能から QOL まで，第 2 版，岩谷　力，飛松好子（編），南江堂，東京，2015
5) Mahoney Fl, Barthel DW：Functional evaluation：The Barthel Index. Md State Med J **14**：61-65, 1965
6) 厚生省大臣官房老人保健福祉部長通知　老健第 102-2 号　平成 3 年 11 月 18 日
7) 厚生省老人保健福祉局長通知　老健第 135 号　平成 5 年 10 月 26 日
8) Seichi A et al：Development of a screening tool for risk of locomotive syndrome in the elderly：the 25-question Geriatric Locomotive Function Scale. J Orthop Sci **17**：163-172, 2012

章 認知症と運動器リハビリテーション

1 認知症とは何か

　認知症とは，いったん正常に発達した知的機能が，器質的な脳の障害によって持続的進行性に障害された状態であり，記憶障害を含むさまざまな知的機能の低下によって，それまで可能だった職業や社会生活の遂行が障害された状態と定義される．認知症と診断するためには「もの忘れ」の存在は必須であるが，「もの忘れ」があるから認知症であるとは限らない．だれでも歳をとると「もの忘れ」を経験する．しかしその多くは良性の老人性健忘である．たとえばテレビのCMに出ている女優さん，顔はわかるが名前が出てこない．10年前に連続テレビ小説の主人公としてデビューして，あの俳優と結婚して，最近はあのテレビドラマにお母さん役で出ている．でも名前が出てこない…．しばらく気になっていたが，後でふっとしたはずみに思い出す．後で思い出すのは良性の老人性健忘の特徴である．認知症の患者は，その女優が最近のテレビドラマに出ていることを思い出さないし，名前を思い出せなかったことすら忘れてしまうので，後で思い出すことはない．もの忘れの中身も重要で，良性の老人性健忘では朝食の献立を思い出せないことはあっても，朝食を食べたことは思い出せる．認知症では献立どころか，朝食を食べたこと自体を忘れてしまう．認知症では場所や時間などの見当識が障害されるのに対して，良性の老人性健忘では見当識は保たれる．すなわち，良性の老人性健忘では判断力は保たれ，日常生活に支障をきたすことはない．また，認知症は徐々に進行するのに対して，良性の老人性健忘は進行しない．

2 認知症の原因疾患と頻度

　わが国における認知症患者は，2025（令和7）年には約600万人になると推計されている．認知症患者は高齢になるほど増え，60歳代後半では人口の1.5％であるのが，70歳代前半では3.6％，70歳代後半では10.4％，80歳代前半では22.4％，80歳代後半では44.3％，90歳を超えると64.2％に達する．日本人の平均寿命は1965（昭和40）年には男性67.7歳，女性72.9歳だったのが，2020（令和2）年には男性81.6歳，女性は87.7歳まで伸びている．高齢者の急激な増加に伴って，わが国における認知症患者は増え続けている．

　認知症を起こす原因疾患の半分以上はアルツハイマー病で，レビー小体型認知症，血管性認知症が続く．レビー小体型はアルツハイマー病との合併も多い．脳血管性認知症には脳の特定の部位の障害に基づくものと，多発性のラクナ梗塞による情報伝達障害に基づくものとがある．

後者は動作緩慢や歩行障害などの運動機能障害を伴うことが多い．このほか 2 ～ 3％以下と推定される前頭側頭型認知症，さらに頻度の少ない内分泌異常やビタミン B_{12} あるいは葉酸欠乏に伴う認知症，感染症や免疫疾患に伴う認知症，慢性硬膜下血腫や正常圧水頭症など外科手術で治療可能な認知症がある．

A アルツハイマー病

　アルツハイマー病の原因は解明されていないが，神経細胞内に溜まる β アミロイドとの関係が推察されている．アミロイド前駆たんぱくが β セクレターゼおよび γ セクレターゼによって分解されて β アミロイドが作られる．これが凝集して老人斑となる一方で，タウの異常リン酸化が促進されて神経原線維変化が進み，神経細胞死が起こる．初期にはコリン作動性神経細胞が障害されるが，最終的にはすべての神経細胞に影響がおよぶ．

　β アミロイドの細胞内蓄積はアルツハイマー病を発症する 20 年以上前から始まるので，β アミロイドの蓄積を防ぐ治療は発症前に開始する必要がある．そこで米国立老化研究所とアルツハイマー病協会の作業グループは，発症前段階の軽度認知機能障害（mild cognitive impairment：MCI）の臨床診断基準を提唱した[1]．①本人，情報提供者あるいは熟練した臨床医のいずれかが認知機能の低下を指摘し，②記憶，遂行機能，言語，視空間認知のうち 1 つ以上の障害があり，③昔より遅くなったり，効率がわるかったり，間違いが多いことはあっても日常生活は自立しており，したがって④認知症ではない，というものである．

　記憶は新しいことを覚える「記銘」，記憶を貯蔵する「保持」，記憶を呼び覚ます「想起」に分けられる．アルツハイマー病ではこのうち記銘力が特異的に障害される．その結果，ちょっと前の電話を忘れていたり，同じ事を何度も繰り返し聞いたりする．質問式の記憶検査法である mini-mental state examination（MMSE）や改訂長谷川式簡易知能評価スケール（HDS-R）には 3 つの物品名を記憶させて，しばらくしてからその物品名を答えさせる遅延再生課題が含まれているが，アルツハイマー病では最初にこの課題ができなくなる．その一方で，昔覚えた童謡の歌詞などはよく覚えている．もの忘れをある程度自覚しているので，紛失を恐れて大切な物をしまい込む傾向がある．その挙句，どこにしまったのか思い出せない（しまい忘れ）．しまった物が見つからないとだれかに盗られたと邪推して，もの盗られ妄想に発展することもある．紛失するのを恐れて衣服を脱ぐのを嫌がり，明るいうちからカーテンや雨戸を閉めたがる．もの忘れを悟られまいと，他人とのトラブルを避けて辻褄合わせをし，協調的に振る舞うことが多い．また，思い出せないと介護者を振り返り助けを求める「振り向き徴候」を認める．

B レビー小体型認知症

　レビー小体はパーキンソン病において，中脳黒質のドパミン細胞に出現する細胞内封入体として発見された．レビー小体型認知症ではこれが大脳皮質に広範に出現する．パーキンソン病も，進行してレビー小体が広がると認知症を伴うことがある．

　レビー小体型認知症の臨床診断基準[2]における必須項目は，正常な社会・職業機能を妨げる進行性の認知機能障害の存在で，病初期には記憶障害は目立たず，注意力や遂行機能の障害が目立つことが多い．中核症状は①認知機能の変動，②繰り返し出現する具体的な幻視，③誘因

のないパーキンソニズム，④レム期睡眠行動異常症（REM sleep behavior disorder：RBD）である．

認知機能の変動は注意力や覚醒レベルの変動が特徴で，シャキッとして普通の会話が成り立つときがあるかと思うと，ボーッとして脳が眠っているときもある．昼間深い眠りに陥り，意識障害と誤認されることもある．幻視は，実在しない人物などが見える本当の幻視から，壁に掛けた衣服が人に見えたり，ゴミが虫に見える錯視，ここは自宅だとわかるがもう一軒自宅があるように感じる重複記憶錯誤までさまざまである．亡くなった両親や遠くに嫁いだ娘など身近な人物が見えることもあるが，見知らぬ男女が家に住み込んでいる「幻の同居人」もしばしば経験される．心が平穏なときは平和の象徴である子どもが見え，不穏だと不審者が見える，などの例ある．

RBDは睡眠中に大声でストーリーのある寝言を言ったり，身体を動かしたりする．レム（rapid eye movement：REM）睡眠は眠りの浅い時間帯で，大脳皮質が活発に活動していて，この時間帯に夢を見る．健常人は通常レム睡眠中は筋のトーヌスが低下して動けないが，レビー小体型認知症では筋のトーヌスが低下せず動けるので，夢に基づく行動をする．RBD中に起こされるとすぐ目覚めて夢の内容を鮮明に思い出すことができる[3]．

C 血管性認知症

前頭葉や側頭葉あるいは視床の非特殊核など，脳内の特定部位の血管障害によって，それぞれに特徴的な認知機能障害を呈することがあるが，その頻度は少ない．多くは多発性のラクナ梗塞や脳出血が原因となる．この場合，血管性パーキンソニズムなどの運動症状を伴うことが多い．血管性パーキンソニズムは上肢よりも下肢の障害が強いのが特徴である．パーキンソン病患者は前傾姿勢で，前後左右とも狭い小刻み歩行を呈するのに対して，血管性パーキンソニズムの患者は直立姿勢でつま先を開いて立ち，前後に小歩，左右の歩隔は広いペンギン様の歩行を呈する．また振戦は少なく，認めたとしてもパーキンソン病の静止時振戦とは異なって姿勢時振戦のことが多い[4]．

血管障害の部位に応じて認知機能がまだらに障害されるのが特徴である．記憶力は案外よくて，介護者が忘れて欲しいことだけ覚えていたりする．非協調的で容易に怒る点もアルツハイマー病とは異なる．生活がだらしなくなり物を片づけないので，アルツハイマー病と異なり，しまい忘れは少ない．多発性のラクナ梗塞は皮質下性認知症の特徴を示す．思考過程が緩慢になり，想起に時間がかかる．過去に獲得した知識を利用するのが不得意となって遂行機能の障害が目立つ．概念化や分類は不得意で1つの考えに固執する．

D 前頭側頭型認知症

前頭葉と側頭葉の神経細胞の変性・脱落に起因する認知症の総称で，アルツハイマー病やレビー小体型認知症のように神経細胞内に溜まる物質による分類ではない．ピックの報告が最初であるためピック病が有名だが，彼は脳の病理組織を観察していない．ピック病の特徴であるピック嗜銀球やピック細胞を見つけたのは，アルツハイマー病の発見者であるアルツハイマー博士であった．今日ではピック嗜銀球やピック細胞を認めるのは前頭側頭型認知症のごく一部

に限られ，前頭側頭型認知症にはさまざまな病理組織所見を呈する疾患が含まれることが明らかとなった．近年では封入体を構成するたんぱく質やその遺伝子による分類が試みられている[5]．

　前頭側頭型認知症では人格障害や情緒障害が初発症状のことが多く，記銘力障害は目立たない．病識がなく非協力的で，診察の途中で勝手に出て行く立ち去り行動を認めることがある．主治医の質問を無視したり不真面目に応答したりする．保続が目立ち，同じ言葉を繰り返す滞続言語，同じコースを散歩する常同的周遊，特定の食品ばかり食べる常同的食行動を伴うこともある．生活はパターン化して時刻表的な生活を送るようになる．自制心は低下し，粗暴で短絡的となり他人の話を聞かないため，もっとも介護がむずかしい認知症である．前頭葉や側頭葉内での障害部位や左右の違いによって症状が異なるのも特徴である．

3 認知症の診断と評価

　認知症は慢性に進行するため発症時期を明確にするのがむずかしい．診断の方法には観察式と質問式とがある．

　観察式は患者とのさりげない日常会話の中から，認知症でしばしば認める異常を見つける方法である．表1はオランダで開発された**初期認知症徴候観察リスト**（Observation List for early signs of Dementia：**OLD**）[6]で，かかりつけ医が患者を観察することで認知症の初期徴候に気づくことを目的に開発された．文献からアルツハイマー病の初期徴候を187抽出し，専門医がこれを85に絞り，さらに一般医が31に絞った．その後，実際の患者面接を行って最終的に12項目が抽出された．12項目中何項目該当すれば認知症とするのではなく，診察時の着目点を示したものである．

　これに対して質問式はMMSE（255頁，付録⑨参照）やHDS-R（256頁，付録⑩参照）などを用いるテストである＊．検査に非協力的な患者では実施できず，失語症，視覚障害，運動障害を伴う患者では一部制限がある．30点満点のテストであるが，原因疾患の鑑別には総得点よりもできなかった項目が重要である．たとえば3つの物品名の遅延再生課題が満点であれば，アルツハイマー病の可能性は低くなる．

　画像検査は認知症の原因疾患の鑑別に有用である．血管性認知症，慢性硬膜下血腫，正常圧水頭症はCTやMRIで形態学的に診断可能である．アルツハイマー病も海馬の萎縮によって形態学的に診断できるが，初期には海馬の萎縮が目立たないこともある．レビー小体型認知症は形態学的な異常を認めない．なお，脳血流シンチグラフィやPETなどの機能画像を用いれば，形態学的異常がなくても診断可能なことがある[7]．

　認知症患者の症状は多岐にわたる．中核症状である記銘力障害や失行，失語，失認などの認知機能障害，実行機能障害に加えて，**行動・心理症状**（behavioral and psychological symptoms of dementia：**BPSD**）などさまざまな周辺症状が出現する．具体的には不穏，暴言・暴力，徘徊，幻覚・妄想，不眠，昼夜逆転，抑うつ，異食，介護への抵抗などで，介護の上では中核症状以上に対応がむずかしい．中核症状は神経細胞の脱落に伴う能力の喪失が原因で，

＊ MMSE：満点は30点であり，認知症をスクリーニングするときの推奨カットオフポイントは23点/24点である．正常＝27〜30，軽度認知症障害＝21〜26，中等度認知症障害11〜20，重度認知症障害0〜10という分類も提起されている．
HDS-R：満点は30点であり，認知症の疑いのカットオフポイントは20点/21点とされる．スクリーニングのための尺度であり，重症度指標として悪化や改善の指標としては不適である．

表1　初期認知症徴候観察リスト（OLD）

記憶障害，忘れっぽさ	① いつも日にちを忘れている ② 少し前のことをしばしば忘れる ③ 最近聞いた話を繰り返すことができない
語彙，会話内容の繰り返し	④ （診察中に）同じことを何度も言う ⑤ 毎回同じ話を繰り返す（昔話や自慢話など）
会話の組み立て能力，文脈理解	⑥ （使い慣れた）単語や言葉が出てこない ⑦ すぐに話の脈絡を失う ⑧ こちらの質問を理解していないことがわかる ⑨ 患者の会話を理解するのが困難
見当識障害，作話，依存	⑩ 時間の観念がない ⑪ 話のつじつまを合わせようとする ⑫ 家族に依存する様子がある（振り向き徴候）
結果：12項目中4項目以上が該当した場合，認知症の疑いあり	

〔Hopman-Rock M et al：Development and validation of the Observation List for early signs of Dementia（OLD）．Int J Geriatr Psychiatry 16：406-414, 2001 より引用〕

病状の進行とともに悪化するのに対して，BPSDは環境とのミスマッチによって残存する神経細胞が引き起こす症状であり，すべての患者に認められるわけではなく，病状の進行と関係なく出現する．このため認知症患者の状態を把握するには，多彩な症状をさまざまな視点から評価する必要がある．アルツハイマー病では進行度を評価する方法として，FAST（functional assessment staging）が用いられることが多い（表2）．治療介入を行う場合には，治療効果を鋭敏に反映する評価尺度が求められる．認知症治療薬の臨床開発のためにはCGI（Clinical Global Impression）やCIBIC（Clinician's Interview-Based Impression of Change）が考案され，用いられている[8]．

4 認知症に運動器リハビリテーションは有効か

アルツハイマー病のモデルマウスをトレッドミルで運動させたところ，水迷路での学習が改善し，海馬におけるβアミロイドの蓄積が減り，神経細胞死が抑制されたと報告されている[9]．人間を対象としたランダム化比較試験では，認知症のない高齢者にエアロビクスを行わせたところ，認知機能の低下が予防できたという報告[10]や，MCIの高齢者に身体運動と認知課題を組み合わせたコグニサイズ介入を行ったところ，MMSEが改善し，海馬萎縮の進行が抑制されたという報告[11]がある．しかしMCIあるいはMMSEが24〜28点の65歳以上の高齢者に対する14のランダム化研究の1,695人を対照としたメタアナリシスでは，運動介入によって言語流暢性の有意な改善が認められたが，遂行機能，記憶，情報処理においては有意な改善は認められなかった[12]．現在のところ，認知症の症状改善に対する運動療法の効果についてのエビデンスは不十分といわざるをえない．このため認知症疾患治療ガイドライン2017[13]でも，クリニカルクエスチョンは「運動は認知症治療に有効か」でなく，「運動は認知症予防に有効か」になっている．

それでは，認知症患者に対する運動器リハビリテーションは意味がないのかというと，そうではない．認知症患者は脳機能が正常な高齢者と比較して，いわゆるサルコペニアやフレイル

表2 FAST

FAST stage	臨床診断	FASTにおける特徴	臨床的特徴
1. 認知機能障害なし	正常	主観的および客観的機能低下は認められない	5～10年前と比較して職業あるいは社会生活上，主観的および客観的にも変化はまったく認められず支障をきたすこともない
2. 非常に軽度の認知機能の低下	年齢相応	ものの置き忘れを訴える．喚語困難	名前やものの場所，約束を忘れたりすることがあるが年齢相応の変化であり，親しい友人や同僚にも通常は気がつかれない．複雑な仕事を遂行したり，込み入った社会生活に適応していく上で支障はない．多くの場合，正常な老化以外の状態は認められない
3. 軽度の認知機能低下	境界状態	熟練を要する仕事の場面では機能低下が同僚から指摘される．新しい場所に旅行することは困難	重要な約束を忘れてしまうことがある．はじめての土地への旅行のような複雑な作業を遂行する場合には機能低下が明らかになる．買い物や家計の管理あるいはよく知っている場所への旅行など日常行っている作業をする上では支障はない．熟練を要する職業や社会的活動から退職してしまうこともあるが，その後の日常生活のなかでは障害は明らかとはならず，臨床的に軽微である
4. 中程度の認知機能低下	軽度のアルツハイマー型	夕食に客を招く段取りをつけたり，家計を管理したり，買い物をしたりする程度の仕事でも支障をきたす	買い物で必要なものを必要な量だけ買うことができない．だれかがついていないと買い物の勘定を正しく払うことができない．自分で洋服を選んで着たり，入浴したり，行き慣れているところへ行ったりすることには支障はないために日常生活では介助を要しないが，社会生活では支障をきたすことがある．単身でアパート生活している老人の場合，家賃の額で大家とトラブルを起こすようなことがある
5. やや高度の認知機能低下	中等度のアルツハイマー型	介助なしでは適切な洋服を選んで着ることができない．入浴させるときにもなんとかなだめすかして説得することが必要なこともある	家庭での日常生活でも自立できない．買い物を独りですることはできない．季節にあった洋服を選んだりすることができないために介助が必要となる．明らかに釣り合いがとれていない組合せで服を着たりし，適切に洋服を選べない．毎日の入浴を忘れることもある．なだめすかして入浴させなければならないにしても，自分で体をきちんと洗うことはできるし，お湯の調節もできる．自動車を適切かつ安全に運転できなくなり，不適切にスピードを上げたり下げたり，また信号を無視したりする．無事故だった人がはじめて事故を起こすこともある．きちんと服が揃えてあれば適切に着ることはできる．大声をあげたりするような感情障害や多動，睡眠障害によって家庭で不適応を起こし医師による治療的かかわりがしばしば必要になる
6. 高度の認知機能低下	やや高度のアルツハイマー型	a. 不適切な着衣	寝巻の上に普段着を重ねて着てしまう．靴紐が結べなかったり，ボタンを掛けられなかったり，ネクタイをきちんと結べなかったり，左右間違えずに靴をはけなかったりする．着衣も介助が必要になる
		b. 入浴に介助を要する．介助を嫌がる	お湯の温度や量を調節できなくなり，体もうまく洗えなくなる．浴槽に入ったり出たりすることもできにくくなり，風呂から出た後もきちんと体を拭くことができない．このような障害に先行して風呂に入りたがらない，嫌がるという行動がみられることもある

表2 つづき

FAST stage	臨床診断	FASTにおける特徴	臨床的特徴
		c. トイレの水を流せなくなる	用を済ませた後水を流すのを忘れたり，きちんと拭くのを忘れる．あるいは済ませたあと，服をきちんと直せなかったりする
		d. 尿失禁	時にcの段階と同時に起こるが，これらの段階の間には数ヵ月間の間隔があることが多い．この時期に起こる尿失禁は尿路感染やほかの生殖泌尿器系の障害を伴う．この時期の尿失禁は適切な排泄行動を行う上での認知機能の低下によって起こる
		e. 便失禁	この時期の障害は(c)や(d)の段階でみられることもあるが，通常は一時的にしろ別々にみられることが多い．焦燥や明らかな精神病様症状のために医療施設を受診することも多い．攻撃的行為や失禁のために施設入所が考慮されることが多い
7. 非常に高度の認知機能低下	高度のアルツハイマー型	a. 最大限6語に限定された言語機能の低下	語彙と言語能力の貧困化はアルツハイマー型認知症の特徴であるが，発語量の減少と話し言葉のとぎれがしばしば認められる．さらに進行すると完全な文章を話す能力は次第に失われる．失禁がみられるようになると，話し言葉はいくつかの単語あるいは短い文節に限られ，語彙は2，3の単語のみに限られてしまう
		b. 理解しうる語彙はただひとつの単語となる	最後に残される単語には個人差があり，ある患者では"はい"という言葉が肯定と否定の両方の意志を示すときもあり，逆に"いいえ"という返事が両方の意味を持つこともある．病期が進行するに従ってこのようなただひとつの言葉も失われてしまう．一見，言葉が完全に失われてしまったと思われてから数ヵ月後に突然最後に残されていた単語を一時的に発語することがあるが，理解しうる話し言葉が失われたあとは叫び声や意味不明のぶつぶつ言う声のみとなる
		c. 歩行能力の喪失	歩行障害が出現する．ゆっくりとした小刻みの歩行となり階段の上り下りに介助を要するようになる．歩行できなくなる時期は個人差はあるが，次第に歩行がゆっくりとなり，歩幅が小さくなっていく場合もあり，歩くときに前方あるいは後方や側方に傾いたりする．寝たきりとなって数ヵ月すると拘縮が出現する
		d. 着座能力の喪失	寝たきり状態であってもはじめのうち介助なしで椅子に座っていることは可能である．しかし，次第に介助なしで椅子に座っていることもできなくなる．この時期ではまだ笑ったり，嚙んだり，握ることはできる
		e. 笑う能力の喪失	この時期では刺激に対して眼球をゆっくり動かすことは可能である．多くの患者では把握反射は嚥下運動とともに保たれる
		f. 昏迷および昏睡	アルツハイマー型認知症の末期ともいえるこの時期は本疾患に付随する代謝機能の低下と関連する

を合併しやすいことが知られている．認知症患者のサルコペニアやフレイルに対する介入研究では，エアロビクス，筋力トレーニング，バランス運動が，認知症患者の身体機能の維持・改善に有効と報告されている[14]．したがって，認知症患者ではできるだけ早期から運動器リハビリテーションを開始し，廃用症候群を予防することが大切である．

5 認知症の運動処方の注意点

　認知症短期集中リハビリテーションが介護報酬の算定対象となり，さまざまな取り組みが行われるようになった．その中には運動器リハビリテーションも取り入れられているが，どの方法もその効果には限界があり，統一された方法は確立されていない．一口に認知症といっても，その原因疾患はさまざまで，重症度も一定ではない．リハビリテーションのメニューは病状や残存能力を評価しながら症例ごとに考慮する必要がある．そのためには，理学療法士や作業療法士が単独でリハビリテーションのメニューを考えるのではなく，担当医や介護スタッフ，ケアマネージャー，家族・介護者も含めて議論し，患者の状況を十分に把握してから協力してメニューを考える必要がある．

　認知症患者に対する運動器リハビリテーションの基本は，患者が楽しんで参加することである．したがって，実施するに当たっては常に笑顔で患者に対応するようにする．認知症では記憶は失われても，感受性は最後まで保たれる傾向がある．患者は指示の内容はすぐに忘れるかもしれないが，自分に指示を与えた相手が自分にとって好ましい人物であるかどうかは覚えている．患者がやりたがらない運動を無理にやらせようとすると，患者は指示した人物を自分にとって好ましくない人物であると認識して，その後の対応が困難になる．嫌がる患者に無理やり運動をさせても，リハビリテーションの効果が上がらないばかりか，被害妄想や暴言・暴力などのいわゆるBPSDを誘発して，介護がより困難になる．

　リハビリテーションは受動的に行うよりも能動的に行うほうがはるかに有効である．したがって，運動器リハビリテーションの中身も，認知症患者が能動的に楽しみながら持続的に取り組める運動にすることが望ましい．認知症では記憶力が障害されているので，運動の中身が単純で，患者にとって理解しやすい内容であることも重要である．症例ごとに認知症の重症度を評価して，記銘力障害や見当識障害の状態を把握した上で運動の内容を調整する必要がある．認知症になっても自尊心や羞恥心はある程度保たれる．人前で失敗して笑われることを恐れるため，グループの中に入って運動をはじめるのを嫌がることが多い．運動器リハビリテーションをスムーズに導入するには，失敗しても笑われない人間関係の構築や馴染みの仲間を作ることも大切である．患者が以前体験したことのある運動があれば，なるべくそれを取り入れて得意な運動から開始するとよい．ただし以前は得意な運動であっても，老化や体力の衰えとともに思い通りに身体が動かなくなってできなくなることがある．以前は得意だった運動に失敗すると，自信を失って次からリハビリテーションへの参加を躊躇するようになる．自分には絶対できるはずのものができなかったときの精神的衝撃は思いのほか大きいものである．認知症のリハビリテーションのコツは絶対に失敗させないこと，そして患者に参加して楽しいと感じさせることである．患者が与えられた運動ができずに苦しんでいるときには，無理をせず楽しんでできる別の運動に変更することを考慮しよう．

　リハビリテーションを実施する際には，運動器リハビリテーションにこだわらず，会話によ

るコミュニケーション，音楽に合わせた運動，手先を使った創作活動なども積極的に取り入れて，残存する脳機能をできる限り引き出すようにするとよい．リハビリテーションを実施する時間も大切である．たとえばレビー小体型認知症の患者は意識レベルの変動が著しいため，覚醒レベルの高い時間帯を見計らってリハビリテーションを実施する必要がある．覚醒レベルが低下してボーっとしている状態で運動器リハビリテーションを実施しても，効果が上がらないばかりか転倒のリスクが増える．実施時間は個々の患者の状態に合わせることが重要であり，決して指導者の都合に合わせて時間を調整してはならない．認知症の患者は，自らの状態を適切に訴えられないことも多い．運動器リハビリテーションを行うことで痛みを感じても，具体的な痛みとして訴えることができず，不穏になったり周囲の人間に対して攻撃的になったりすることもある．運動が患者に不快感を与えていないことを常に確認しながら実施する必要がある．

文献

1) Albert MS et al：The diagnosis of mild cognitive impairment due to Alzheimer's disease：recommendations from the National Institute on Aging-Alzheimer's Association workgroups on diagnostic guidelines for Alzheimer's disease. Alzheimers Dement **7**：270-279, 2011
2) McKeith IG et al：Diagnosis and management of dementia with Lewy bodies：forth consensus report of the DLB Consortium. Neurology **89**：88-100, 2017
3) 藤本健一：レム期睡眠行動異常症と夜間幻覚の鑑別点を教えて下さい．認知症診断 Q&A，中島健二，和田健二（編），中外医学社，東京，p76-77, 2012
4) Fujimoto K：Vascular parkinsonism. J Neurol **253**：S16-S21, 2006
5) 中野今治：前頭側頭葉変性症（FTLD）の概念と分類 update. 臨床神経 **51**：844-847, 2011
6) Hopman-Rock M et al：Development and validation of the Observation List for early signs of Dementia (OLD). Int J Geriatr Psychiatry **16**：406-414, 2001
7) 藤本健一：症候学と画像診断による認知症の鑑別診断．Cognition and Dementia **12**：7-12, 2013
8) 藤本健一：Clinical Global Impression（CGI），Clinician's Interview-Based Inpression of Change（CIBIC）．日本臨床 **69**（増刊号8 認知症学 上）：443-449, 2011
9) Um HS et al：Treadmill exercise represses neuronal cell death in an aged transgenic mouse model of Alzheimer's disease. Neurosci Res **69**：161-173, 2011
10) Flodin P et al：Does aerobic exercise influence intrinsic brain activity? an aerobic exercise intervention among healthy old adults. Front Aging Neurosci **9**：267, 2017
11) Suzuki T et al：A randomized controlled trial of multicomponent exercise in older adults with mild cognitive impairment. PLoS One **8**：e61483, 2013
12) Gates N et al：The effect of exercise training on cognitive function in older adults with mild cognitive impairment：a meta-analysis of randomized controlled trials. Am J Geriatr Psychiatry **21**：1086-1097, 2013
13) 日本神経学会（監），認知症疾患治療ガイドライン 2017，医学書院，東京，2017
14) Steinberg M et al：Evaluation of a home-based exercise program in the treatment of Alzheimer's disease：the Maximizing Independence in Dementia (MIND) study. Int J Geriatr Psychiatry **24**：680-685, 2009

章 物理療法の実施法および適応と禁忌

　物理療法は，炎症や循環機能障害の改善，創の治癒の促進，痛みの緩和，筋力増強，筋痙攣や痙縮減少，関節可動域の拡大，筋再教育などに用いられ，機能障害や能力低下の改善を目的としている．代表的な物理療法について効果，適応と禁忌，実際的事項について述べる．

1 温熱療法

　温熱療法は，身体に熱が伝達することにより血液循環，神経筋活動，組織の代謝などに生じる影響を治療に反映させるものである．

温熱療法の効果
①血管平滑筋が弛緩し，血管拡張して血流の増加が生じるなどの血行動態への効果
②酵素活動の速度を上げて組織治癒を促進させる効果
③組織の温度が上がるとゲートコントロール機構によって疼痛の閾値が上がる効果
④温めることにより塑性変形が得られ，ストレッチングにより軟部組織が伸張しやすくなる効果

温熱療法の適応
①変形性脊椎症や変形性関節症の痛みをコントロールする
②筋萎縮，血腫，腱鞘炎などにおける治癒を促進させる
③拘縮した関節やその他の組織を伸展させる

温熱療法の禁忌
① 48〜72時間以内の急性炎症，化膿性疾患，浮腫，急性損傷，出血や出血傾向，感覚障害，精神障害（熱傷の可能性があるため）
②血栓性静脈炎（血栓，血餅の遊離による病状悪化の可能性があるため）
③悪性腫瘍（腫瘍の増殖や転移を早める可能性があるため）
④阻血や潰瘍を伴った血液循環不良な状態
⑤瘢痕，アトピー皮膚炎など皮膚の状態が不良なもの
⑥体内に金属がある場合，心臓ペースメーカーを装着している人は極超短波（マイクロウェーブ）療法は禁忌

温熱療法の実際

1）表面熱

①**ホットパック**：加温器（ハイドロコレーター）で80℃に温めた熱容量の大きな物質（シリコンゲルなど）の入った袋（パック）で患部を温める表面熱療法である．通常，ホットパックは湿式ホットパックを指すが，ほかに電熱ホットパック，磁気ホットパックがある．

皮膚，皮下組織の組織温上昇，血流増加のほか，細い末梢神経の活動を低下させる．鎮痛，筋スパズム低下，痙性低下の目的で用いられる．

湿式ホットパック（図1）[1]は使用が簡単で，安全に行える．しかし，重い，患部によっては適合性がわるい，治療領域の観察にはホットパックをはずさなければならないなどの問題点もある．また熱傷を負わせないように配慮せねばならず，特に電気保温パッドを用いる場合は使用中に冷めることがないので，長時間にわたる治療は低温熱傷を起こす危険性がある．

②**パラフィン**：自動調温式容器の中で45〜50℃に温められたパラフィンに患部を繰り返し出し入れしながらパラフィンの層を作り，余熱で加温する方法である（図2）[1]．

輪郭が複雑な領域にうまく適合するので，手や足の拘縮の治療には特に有効である．使用がやや面倒で時間がかかる．また，傷があれば感染症を起こす危険があり使用できない．

③**赤外線**：赤外線は波長が770 nm〜1 mmで，赤外線源には日光，赤外線ランプなどがある．赤外線の吸収は照射線が垂直になると最大となり，線源からの距離の2乗に反比例するので，赤外線ランプの位置と向きを調節して心地よい温度が得られるように調節する．患部を露出

図1　ホットパック
〔赤居正美：身体障害のリハビリテーション．生体物理刺激と生体反応，大森豊明（監），フジ・テクノシステム，p586-595，2004より許諾を得て転載〕

図2　パラフィン
〔赤居正美：身体障害のリハビリテーション．生体物理刺激と生体反応，大森豊明（監），フジ・テクノシステム，p586-595，2004より許諾を得て転載〕

して15分程度照射を行うが，目への照射を避けねばならない．また黒い色のものは吸収性が高く熱を帯びるので注意する．

2）深達熱

筋，関節，筋膜などの深部組織の温熱療法には，超音波療法，極超短波療法などが用いられる．詳細は超音波療法（次頁），電磁波療法（98頁）の項に記載する．

2 寒冷療法

氷，ドライアイス，冷却ガスなどの冷媒を用い，生体温度を低下させる治療法．外傷後の浮腫，炎症を抑制し，細い末梢神経線維の神経伝導を抑制する．
スポーツ外傷後の浮腫，出血，疼痛抑制や痙性の抑制に用いられる．

寒冷療法の効果

冷却により初期には血管収縮による血流減少が起こり，後には血流増加がみられる．これは組織温度が10℃以下になったり，15分以上冷却が続くと血管拡張が起こり皮膚温の上昇が起こるためで，周期的に上がったり下がったりを繰り返す．また寒冷は痛覚を伝える神経の伝導速度を低下させたり，痛覚閾値を上昇させたりして疼痛刺激の伝達を抑制する．急性炎症には代謝を低下させて，炎症を抑制する働きがある．

寒冷療法の適応

①炎症のコントロール：急性外傷から48〜72時間，関節リウマチなどの炎症性疾患で局所の温度が上昇している場合などに行う．運動後の筋肉痛を軽減することができる．
②浮腫のコントロール：急性外傷後の浮腫の抑制に用いられる．安静（rest），冷却（ice），圧迫（compression），挙上（elevation）を組み合せて行う治療を，それぞれの頭文字を取ってRICE療法と呼ぶ．不動や循環障害による浮腫には用いない．
③疼痛のコントロール：外傷や急性炎症に伴う疼痛や，痛みを伴う運動療法を行う前に痛覚を鈍麻させる目的で行われる．15分間の冷罨法で1時間以上の効果を得ることができる．

寒冷療法の禁忌

①寒冷過敏症，寒冷不耐性，クリオグロブリン血症，Raynaud（レイノー）病など
②局所の皮膚が蒼白で冷たいなどの循環障害の徴候がある場合

寒冷療法の実際

コールドパック，アイスパックを当てて冷却する（図3）[1]．10〜15分ごとに除去して，組織壊死，神経障害，凍傷などの副作用の徴候がないかを観察する．引き続き行う場合でも45分を超えて行うべきでなく，局所の組織温度を15℃以上に保つことに注意する．
冷却スプレーは急速に皮膚を冷却し，除痛効果が得られるが持続時間が短いので効果は一時的である．そのほかには氷水，交代浴などの方法がある．

図3　コールドパック
〔赤居正美：身体障害のリハビリテーション．生体物理刺激と生体反応，大森豊明（監），フジ・テクノシステム，p586-595，2004 より許諾を得て転載〕

3 超音波療法

　超音波（通常 800 kHz ～ 1 MHz）を照射する治療法である．もっとも深達性のある温熱療法で深部組織の温度上昇，膜透過性の亢進作用を持つ．
　鎮痛，抗炎症，軟部組織の伸展性増大などの目的で用いられる．

超音波療法の効果

①温熱効果：通常の温熱療法と同様の効果であり，代謝の促進，疼痛と筋のスパズムの軽減，神経伝導速度の増大，血液循環の増加，軟部組織の伸張性の増大などの効果が得られる．腱，靱帯，関節包，筋膜を中心に深部組織に温熱効果を発揮する．
②非温熱効果：運転サイクル（総治療時間に対する超音波が作動している時間の割合）が 20% 以下のパルス照射では，温度上昇を伴わない非温熱効果が認められる．非温熱効果には，細胞内カルシウムの増加，細胞膜の透過性の増加，肥満細胞の脱顆粒の増加，走化性因子とヒスタミン遊離の増加，マクロファージ反応性の増加，線維芽細胞によるたんぱく合成率の増加などがあげられている．

超音波療法の適応

　温熱効果により軟部組織が短縮し，伸展性の低下した関節包，腱，靱帯に対するストレッチ効果を高めることや，疼痛コントロールを目的として用いられる．非温熱効果としては創傷治癒の促進，腱鞘炎治療，骨折治癒促進などに用いられている．

超音波療法の禁忌

①悪性腫瘍：腫瘍の成長，転移を促進する．
②妊娠：胎児の発育障害の可能性がある．
③中枢神経組織：骨組織が欠損している場合では特に注意する．
④骨セメント，合成樹脂：過剰に加熱されるため．
⑤ペースメーカーの周辺での使用：過剰な加熱，電気回路を妨害する可能性がある．

図4　超音波治療器
〔赤居正美：身体障害のリハビリテーション．生体物理刺激と生体反応，大森豊明（監），フジ・テクノシステム，p586-595，2004より許諾を得て転載〕

（帝人ファーマ株式会社より提供）

図5　超音波骨折治療器

⑥血栓性静脈炎領域：血栓が移動する可能性がある．
⑦生殖器領域：卵子と精子の発達障害の可能性がある．

超音波療法の実際

　治療する組織の深さに応じて周波数を選択し，深さ5cmの組織には1MHz，1〜2cm程度であれば3MHzを用いる．運転サイクルは温熱効果を求める際は連続運転とし，照射強度は1MHzの超音波を使用するときは一般的に1.5〜2.0 W/cm^{2}であり，3MHzの周波数を用いるときは約0.5 W/cm^{2}の強度を目安とする．3分以内に温かく感じなければ強度を上げるが，少しでも不快を訴えたらただちに強度を下げる．トランスデューサーの有効照射面積の2倍の範囲の領域を治療する場合で5〜10分，4倍の領域であれば10〜20分行う．高強度で同じ箇所を長く照射すると熱傷を起こす危険があり，超音波のヘッドをゆっくりと動かしながら使用し，感覚障害がある領域では使用は避けるほうがよい（図4）[1]．

　非温熱効果を求める場合は，20％以下の運転サイクルで低強度超音波のパルス照射とする．骨折治癒促進の場合では超音波周波数1.5 MHz（パルス周波数1 kHz）を用いて，30 mW/cm^{2}の照射強度で20％パルス照射が行われている（図5）．

4 低出力レーザー療法

　低出力レーザーは，赤外線，可視光線，紫外線の範囲の電磁放射線を発生し，その波長は100 nm～1 mmである．効果についてはいまだ不明確な部分があるが，神経伝導を促進，神経組織の活性化，血管拡張効果などの報告があるほか，細胞効果レベルではATP合成の増加，マクロファージや線維芽細胞の活性化についての報告がある．

低出力レーザー療法の適応
①創傷と骨折の治癒
②筋骨格系障害
③疼痛管理

低出力レーザー療法の禁忌
①眼への直接照射は障害を招くおそれがあり，ゴーグルを装着すべきである．
②放射線治療後6ヵ月以内は悪性腫瘍や熱傷に対する組織の感受性を高める危険があり，使用を控えるべきである．
③出血部位や内分泌腺周辺での使用も禁忌である．

臨床応用
　疼痛管理では，外上顆炎，腰痛，肩こりなどに**トリガーポイント**として用いられる（図6）[1]．レーザー光線を眼に受けないように注意する．また妊娠中や閉鎖前の骨端線上への照射は控えるべきであり，感覚障害のあるもの，失見当識のあるもの，感染している組織，心臓病患者の心領域での使用も有害作用が考えられ，注意すべきである．

5 電磁波療法

　極超短波（マイクロウェーブ）の電磁エネルギーを用いて行う治療である．
　2,450 MHz（波長12.2 cm）の極超短波または50 MHz（波長6 m）の**超短波**を生体に向けて照射する治療法．皮下組織，脂肪と筋の移行部までの組織に温熱効果がある．

電磁波療法の効果
　温熱効果は通常の温熱療法と同様であり，代謝の促進，疼痛と筋のスパズムの軽減，神経伝導速度の増大，血液循環の増大，軟部組織の伸張性の増大などの効果が得られる．
　表在性の温熱治療に比べて，筋肉などの深部組織に温熱効果を発揮し，超音波に比べてより広い領域を温めることができる．組織温度の上昇が起こらない程度の強度と低い運転サイクルで行う場合には，非温熱効果として微小血管血流の増大，線維芽細胞，神経細胞やマクロファージの活性化などの効果が起こるとされている．

電磁波療法の適応
　他の温熱療法と同じであるが，主に深部の軟部組織を対象とし，短縮により伸展性の低下し

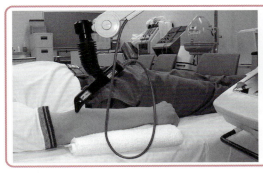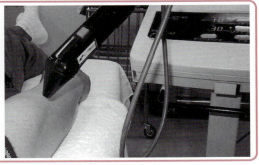

図6　低出力レーザー治療器
〔赤居正美：身体障害のリハビリテーション．生体物理刺激と生体反応，大森豊明（監），フジ・テクノシステム，p586-595，2004より許諾を得て転載〕

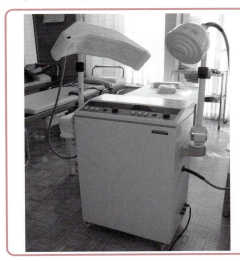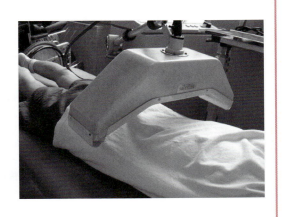

図7　極超短波（マイクロウェーブ）治療器
〔赤居正美：身体障害のリハビリテーション．生体物理刺激と生体反応，大森豊明（監），フジ・テクノシステム，p586-595，2004より許諾を得て転載〕

た関節包，腱，靱帯のストレッチ効果を高めることや，疼痛コントロールを目的として用いられる．非温熱効果は創傷治癒の促進，疼痛と浮腫の抑制，骨折治癒促進などである．

電磁波療法の禁忌

金属は電気伝導率が高く，極超短波の照射により高温となる．体表に装着した金属は取り外し，体内に存在する場合は禁忌となる．ペースメーカーは金属部分が過熱することに加え，電磁波療法によって生じる磁場が誤作動を起こす危険があり，禁忌である．

妊婦，悪性腫瘍，精巣，卵巣，閉鎖前の骨端線および眼への照射は禁忌である．

電磁波療法の実際

ボタン，ジッパーなどの金属部分の付いた衣類を除去し，心地よい温かさを感じる程度の強度で20分程度行う（図7）[1]．

汗は温められて熱傷の原因となるので，タオルを巻いて汗を吸収させるようにする．また脂肪は過熱されやすいので，肥満患者には注意して使用する必要がある．コンピューターやコン

ピューター内蔵の医療機器は干渉されるおそれがあり，近くで使用することは避けるべきである．

6 電気療法

　金属板電極，ゴム電極，吸引電極，鍼電極，棘状電極などの電極を用い，生体内に電流を直接流す治療法．電流刺激は末梢神経の興奮，刺激伝導，筋収縮などを生じさせることを利用して鎮痛，筋萎縮防止，運動再建などの目的で処方される．

電気療法の効果
①筋収縮：電気刺激により筋収縮が生じ，筋力増強効果を得る．
②疼痛の軽減：ゲートコントロールセオリーとしての痛覚伝達の抑制，エンケファリンなどのオピオイドの産生，セロトニンなどの非オピオイド系下降性抑制性経路の働きなどによると考えられている．
③組織修復：好中球，リンパ球，線維芽細胞などを活性化し，外傷や炎症に伴う浮腫を軽減させ，血液循環を促進させる．
④経皮的薬剤の吸収促進（イオン導入療法）：角質層の透過性亢進によりデキサメタゾン，リドカインなどの薬剤の経皮的吸収を促進する．

電気療法の適応
　疼痛の軽減を目的として，頚部痛や肩こり，腰痛，変形性膝関節症およびその他の疼痛疾患を適応とし，筋力増強効果は低下した筋力の増強，筋の再教育，筋収縮能の維持，浮腫軽減などに行われる．また創傷治癒促進，イオン導入療法などにも行われることがある．

電気療法の禁忌
①デマンド型心臓ペースメーカー
②妊婦の腹部，腰背部，股部
③開放創
④頚動脈洞の上
⑤静脈血栓症，血栓性静脈炎

電気療法の実際
電気療法には以下のようなものが含まれる．
①疼痛のコントロール
　ⓐSSP：「刺さない鍼治療」という発想から開発されたツボ表面刺激療法である（図8）[1]．SSPとはsilver spike pointの略で，ツボ刺激用に銀メッキされた円錐形の特殊な電極のことを示している．周波数は100〜150 Hzとし，電流パルス持続時間は50〜80 μsが適当で，20〜30分行う．
　ⓑ経皮的電気神経刺激（TENS：transcutaneous electrical nerve stimulation）：疼痛緩和を目的とした治療で，治療器具はコンパクトで家庭でも使用できる（図9）[1]．刺激条件

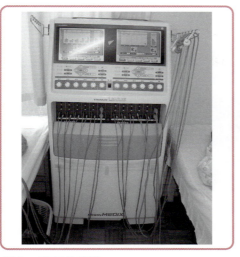

図8 SSP治療器
〔赤居正美：身体障害のリハビリテーション．生体物理刺激と生体反応．大森豊明（監），フジ・テクノシステム，p586-595，2004より許諾を得て転載〕

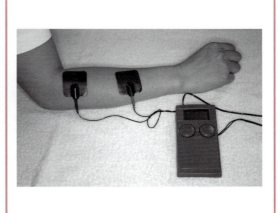

図9 経皮的電気神経刺激（TENS）装置
〔赤居正美：身体障害のリハビリテーション．生体物理刺激と生体反応．大森豊明（監），フジ・テクノシステム，p586-595，2004より許諾を得て転載〕

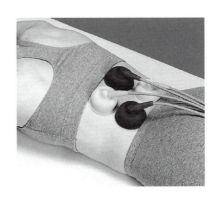

図10 干渉低周波治療器
〔赤居正美：身体障害のリハビリテーション．生体物理刺激と生体反応．大森豊明（監），フジ・テクノシステム，p586-595，2004より許諾を得て転載〕

の設定はSSPと同様で行う方法もあるが，従来型として10 Hz以下の周波数で長時間持続的に刺激する方法もある．

ⓒ干渉波：2対の電極を使用し，2種類の異なる周波数1,000 Hz以上の中周波電流を体内に流し，その周波数の差による干渉低周波が深部の筋に作用し，疼痛緩和やマッサージ効果をもたらす（図10）[1]．

②筋力強化

特に筋組織への電気刺激は，筋収縮による筋力増強効果があるため，幅広く応用されている．EMS（electrical muscle stimulation）は，腹筋等に直接電気刺激を与え，筋収縮を起こさせ，筋力増加と筋肥大をもたらす方法である（図11）[1]．周波数は35～50 Hzとし，電流パルス持

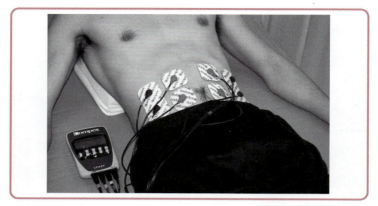

図11　EMS機器
〔赤居正美：身体障害のリハビリテーション．生体物理刺激と生体反応，大森豊明（監），フジ・テクノシステム，p586-595，2004より許諾を得て転載〕

続時間は小さい筋では150〜200μs，大きい筋では200〜350μsが適当である．治療中に筋を収縮と弛緩をさせるためにオン：オフ時間を設定する．オフ時間を長く取れば筋疲労を最小にできる．一般にオン：オフ比は1：3〜5で，オン時間を10秒とすればオフ時間を30〜50秒とするのがよく，治療時間は10〜20分程度とする．

③創傷治癒促進

創傷治癒促進には高圧パルス電流でパルス持続時間40〜100μs，パルス周波数は100〜125Hzが適切で週に5日，1回の治療に45〜60分とする．

7 牽引療法

牽引は関節や脊椎に引き離す力を加えることにより，周囲の軟部組織に伸張力を加え，効果を得ようとするものである．

脊椎の牽引療法の効果
①**椎間関節の離開**：関節面への圧迫を軽減し，椎間孔を拡大する．
②**椎間板膨隆の整復**：椎間板腔が開大されて，内圧が低下することにより後方に膨隆した椎間板を整復する方向の力が働く．
③**軟部組織の伸張**：脊柱周辺の筋，腱および靱帯が伸長されることにより，拘縮した関節の可動域が改善する．

牽引療法の適応
慢性腰痛，椎間板ヘルニア，変形脊椎，腰背部痛

牽引療法の禁忌
感染症，炎症性疾患，転移性脊椎腫瘍，骨粗鬆症，関節リウマチ，大動脈瘤

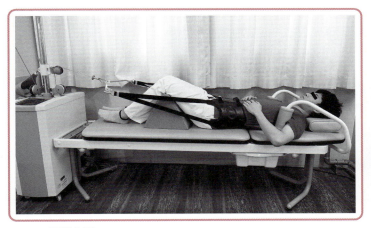

図12　腰椎牽引

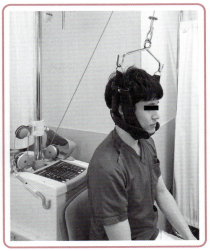

図13　頚椎牽引

牽引療法の実際

①腰椎牽引：体重の1/3～1/2程度の牽引力で，20分程度間欠的に牽引を行う（図12）．15秒間の牽引と15秒間の休止を行う．膝を軽度屈曲位にして腰椎の前弯を軽減させて行う．
②頚椎牽引：外来診療で行う場合には，体重の1/7～1/5程度の牽引力で行う（図13）．20分程度間欠的に牽引を行う．一般的には牽引方向を軽度前上方とし，頚椎は中間位か軽度前屈位がよい．

8 水治療法

　全身または四肢の部分を水中に入れる治療法の総称である．ハバード浴（上下肢の外転運動が十分できるスペースがある，ひょうたん型または鍵穴型の浴槽を利用する），渦流浴（渦流発生器により環流を発生させる機器，浴槽を利用する），気泡浴（気泡を水中に発生させる機器，浴槽を利用する），圧注浴（水，湯，蒸気などを皮膚表面に圧注する機器，装置を利用する），灌注浴（温水または冷水を注ぎかける機器，装置を利用する）などがある．
　水治療には温熱または寒冷作用，浮力，静水圧，動水圧による作用がある．

水治療法の効果

①創部の洗浄効果
②体重負荷の減少
③心血管への効果：水圧により四肢から体幹に静脈還流の増大，心拍出量の増加が生じる．
④呼吸への効果：水圧による呼吸への抵抗の増加，呼吸の仕事量の増大により呼吸のトレーニング効果が得られる．

水治療法の適応

①表在性の温熱，冷却
②創傷ケア
③水中運動

図14　渦流浴装置
〔赤居正美：身体障害のリハビリテーション．生体物理刺激と生体反応，大森豊明（監），フジ・テクノシステム，p586-595，2004 より許諾を得て転載〕

④疼痛コントロール
⑤浮腫の抑制

水治療法の禁忌
①創傷周囲の浸軟があるとき
②出血があるとき

水治療法の実際

　渦流浴は一般に開放創の治療，運動，疼痛のコントロールに用いられる（図14）[1]．患部を温めながら運動することができる点で優れているが，大きな浴槽と大量の水が必要であり，感染の予防に注意を払わねばならない．運動用プールでは全身を水中に入れて運動する．水温は26〜36℃とし，立位運動，水中歩行，水泳などを行う．筋力が低下していても浮力に助けられて転倒の危険が少なく，歩行や運動を楽に行うことができるが，治療中は患者の側にいて体調を観察したり，溺れることのないように常に注意を払わねばならない．

　本章掲載写真の一部は，2006（平成18）年7月運動器リハビリテーションセラピスト研修会講師用資料，および『生体物理刺激と生体反応』[1]より許諾を得て転載しました．

参考文献

1）伊藤俊一ほか：腰痛症治療における理学療法のシステマティックレビュー．理学療法 **23**：888-902，2006
2）腰痛診療ガイドライン，第2版，日本整形外科学会，日本腰痛学会（監），南江堂，東京，p.45-52，2019，https://minds.jcqhc.or.jp/n/med/4/med0021/G0001110（2022.5.13 アクセス）
3）岩谷　力：物理療法の理論と実際．理療 **27**：19-24，1997
4）Michelle HC：EBM 物理療法，第2版，渡部一郎（監訳），医歯薬出版，東京，2006
5）白井康正ほか：「EBM と理学療法，物理療法」EBM に基づいた腰痛診療ガイドライン．運動療法と物理療法 **14**：102-111，2003

文　献

1）赤居正美：身体障害のリハビリテーション．生体物理刺激と生体反応，大森豊明（監），フジ・テクノシステム，p586-595，2004

Topics

● 骨格筋電気刺激法 ── ベルト電極式骨格筋電気刺激法（B-SES）

　医療のリハビリテーションに用いる骨格筋電気刺激法（electrical muscle stimulation：EMS）の研究は，疼痛緩和，麻痺筋の機能維持，筋肥大や筋力増強を得る目的で1980年代より行われてきた．電気刺激法には次の3つの方法が考えられてきた．
① TENS（transcutaneous electrical nerve stimulation）：経皮的電気神経刺激
② FES（functional electrical stimulation）：機能的電気刺激
③ TES（therapeutic electrical stimulation）：治療的電気刺激

　ベルト電極式骨格筋電気刺激法（belt electrode skeletal muscle electrical stimulation：B-SES）は，筋萎縮予防，筋力増強や代謝改善などの目的で開発されたTESの1つである．ベルト状の表面電極により他動的な筋収縮を誘発するものである．随意運動と比較して呼吸循環系に対する負担がかかりにくく，拮抗筋を同時に収縮させることにより関節の負担が軽減できるという特徴がある（図）．また，速筋優位の収縮が得られるため，理想的な筋肥大効果が得られる．

　今までの電気刺激法はパッチ型電極で部位ごと（筋ごと）の刺激が主流であり，下肢全体へのアプローチが困難であった．また，電極の皮膚接地面積が小さいので疼痛やぴりぴりする感じが強く，強度を上げることがむずかしかった．2011年森谷氏とホーマーイオン研究所の共同研究で電極をベルト状にすることにより，出力電流を上げられるようになっただけでなく，電極の接地面積が多いため痛みを感じなくなった[1]．

　B-SESの研究は内科分野[2]と整形外科分野で行われていて，最近ではRCT論文も多数報告されている．内科分野では血中乳酸値と呼吸数の増加がみられ，2型糖尿病患者の食後高血糖緩和での治療的効果が報告されている．整形外科領域では変形性膝関節症による臨床効果[3]，最近ではCOVID-19で入院中の重症患者に対する筋萎縮予防効果が報告されている[4]．

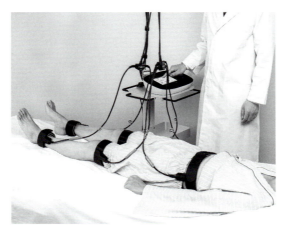

図　ベルト電極式骨格筋刺激法

文 献

1) 森谷敏夫:経費的電気刺激—ベルト式骨格筋刺激法. 整形外科 65:972-976, 2014
2) 黒澤 一:新しい手技を用いたリハビリテーション. LUNG 25:35-39, 2017
3) 田辺秀樹:変形性膝関節症におけるベルト電極式骨格筋電気刺激法の効用. 運動器リハ 27:312-318, 2016
4) Nakamura K, Nakano H, Naraba H, et al. Early rehabilitation with dedicated use of belt-type electrical muscle stimulation for severe COVID-19 patients. Crit Care 24:342, 2020

Ⅷ章 肢体不自由（運動器疾患と神経疾患）の運動療法

1 運動処方の原則

　運動をすれば，心肺機能，運動器に負荷がかかる．心肺機能への過負荷は死亡につながるので，厳重な安全管理が必要である．そのため，運動を処方するときにはその運動強度，かける負荷の量についての配慮が必要である．

　運動処方は，障害の元になった運動器疾患の治療と，治療過程で生じた廃用に対する運動療法の組み合わせで行われ，かつ，コンディショニング，運動学習，促通の組み合わせで進められる．

A 運動強度

　運動強度は，安静時に比べどのくらいのエネルギーを消費したかで測られる．
① メッツ MET(s)：METs は代謝当量（metabolic equivalent）のことで，安静時を 1 とし，それとの比で表す．1 MET は 3.5 mL/分/kg である．すなわち，1 分間に体重 1 kg に対し消費する酸素量が 3.5 mL の運動強度である．激しい運動ほど METs は大きい．生活活動および運動と METs との関係は**表 1，2**[1)]に示す通りである．
② Borg（ボルグ）指数：運動中の自覚的運動強度の指標として，Borg 指数が用いられる．原法では 15 段階が，修正法では 10 段階が用いられる（**表 3**）[2,3)]．Borg 指数は自覚的，主観的強度であるが，他の客観的指標との相関も強いといわれている（**表 4**）[4)]．
③ エクササイズ：厚生労働省は生活習慣病予防のために「健康づくりのための身体活動基準 2006」を策定し，身体活動の強度を示す指標として METs を，身体活動の量を示す指標として「メッツ・時」という単位を導入した[5)]．「メッツ・時」は身体活動の強度（METs）に身体活動の実施時間（時）をかけたものである．「メッツ・時」を親しみやすいようにとエクササイズと命名した．ただし，2013 年改訂版では「メッツ・時」を使用している．

表1 生活活動のメッツ表

メッツ	3メッツ以上の生活活動の例
3.0	普通歩行（平地，67 m/分，犬を連れて），電動アシスト付き自転車に乗る，家財道具の片づけ，子どもの世話（立位），台所の手伝い，大工仕事，梱包，ギター演奏（立位）
3.3	カーペット掃き，フロア掃き，掃除機，電気関係の仕事：配線工事，身体の動きを伴うスポーツ観戦
3.5	歩行（平地，75～85 m/分，ほどほどの速さ，散歩など），楽に自転車に乗る（8.9 km/時），階段を下りる，軽い荷物運び，車の荷物の積み下ろし，荷づくり，モップがけ，床磨き，風呂掃除，庭の草むしり，子どもと遊ぶ（歩く/走る，中強度），車椅子を押す，釣り（全般），スクーター（原付）・オートバイの運転
4.0	自転車に乗る（≒16 km/時未満，通勤），階段を上る（ゆっくり），動物と遊ぶ（歩く/走る，中強度），高齢者や障がい者の介護（身支度，風呂，ベッドの乗り降り），屋根の雪下ろし
4.3	やや速歩（平地，やや速めに＝93 m/分），苗木の植栽，農作業（家畜に餌を与える）
4.5	耕作，家の修繕
5.0	かなり速歩（平地，速く＝107 m/分），動物と遊ぶ（歩く/走る，活発に）
5.5	シャベルで土や泥をすくう
5.8	子どもと遊ぶ（歩く/走る，活発に），家具・家財道具の移動・運搬
6.0	スコップで雪かきをする
7.8	農作業（干し草をまとめる，納屋の掃除）
8.0	運搬（重い荷物）
8.3	荷物を上の階へ運ぶ
8.8	階段を上る（速く）

メッツ	3メッツ未満の生活活動の例
1.8	立位（会話，電話，読書），皿洗い
2.0	ゆっくりした歩行（平地，非常に遅い＝53 m/分未満，散歩または家の中），料理や食材の準備（立位，座位），洗濯，子どもを抱えながら立つ，洗車・ワックスがけ
2.2	子どもと遊ぶ（坐位，軽度）
2.3	ガーデニング（コンテナを使用する），動物の世話，ピアノの演奏
2.5	植物への水やり，子どもの世話，仕立て作業
2.8	ゆっくりした歩行（平地，遅い＝53 m/分），子ども・動物と遊ぶ（立位，軽度）

〔厚生労働科学研究費補助金（循環器疾患・糖尿病等生活習慣病対策総合研究事業）「健康づくりのための運動基準2006改定のためのシステマティックレビュー」（研究代表者：宮地元彦）より引用〕

表2 運動のメッツ表

*は試合の場合

メッツ	3メッツ以上の運動の例
3.0	ボウリング，バレーボール，社交ダンス（ワルツ，サンバ，タンゴ），ピラティス，太極拳
3.5	自転車エルゴメーター（30～50ワット），自体重を使った軽い筋力トレーニング（軽・中等度），体操（家で，軽・中等度），ゴルフ（手引きカートを使って），カヌー
3.8	全身を使ったテレビゲーム（スポーツ・ダンス）
4.0	卓球，パワーヨガ，ラジオ体操第1
4.3	やや速歩（平地，やや速めに＝93 m/分），ゴルフ（クラブを担いで運ぶ）
4.5	テニス（ダブルス）*，水中歩行（中等度），ラジオ体操第2
4.8	水泳（ゆっくりとした背泳）
5.0	かなり速歩（平地，速く＝107 m/分），野球，ソフトボール，サーフィン，バレエ（モダン・ジャズ）
5.3	水泳（ゆっくりとした平泳ぎ），スキー，アクアビクス
5.5	バドミントン
6.0	ゆっくりとしたジョギング，ウェイトトレーニング（高強度，パワーリフティング，ボディビル），バスケットボール，水泳（のんびり泳ぐ）
6.5	山を登る（0～4.1 kgの荷物を持って）
6.8	自転車エルゴメーター（90～100ワット）
7.0	ジョギング，サッカー，スキー，スケート，ハンドボール*
7.3	エアロビクス，テニス（シングルス）*，山を登る（約4.5～9.0 kgの荷物を持って）
8.0	サイクリング（約20 km/時）
8.3	ランニング（134 m/分），水泳（クロール，ふつうの速さ，46 m/分未満），ラグビー*
9.0	ランニング（139 m/分）
9.8	ランニング（161 m/分）
10.0	水泳（クロール，速い，69 m/分）
10.3	武道・武術（柔道，柔術，空手，キックボクシング，テコンドー）
11.0	ランニング（188 m/分），自転車エルゴメーター（161～200ワット）

メッツ	3メッツ未満の運動の例
2.3	ストレッチング，全身を使ったテレビゲーム（バランス運動，ヨガ）
2.5	ヨガ，ビリヤード
2.8	座って行うラジオ体操

〔厚生労働科学研究費補助金（循環器疾患・糖尿病等生活習慣病対策総合研究事業）「健康づくりのための運動基準2006改定のためのシステマティックレビュー」（研究代表者：宮地元彦）より引用〕

表3 Borg指数

修正法（10段階法）		原法（15段階法）	
0	なんともない	6	
0.5	非常に楽である	7	非常に楽である
1	かなり楽である	8	
2	楽である	9	かなり楽である
3	いくぶん楽である	10	
4	ややきつい	11	楽である
5	きつい	12	
6		13	ややきつい
7	かなりきつい	14	
8		15	きつい
9		16	
10	非常にきつい	17	かなりきつい
		18	
		19	非常にきつい
		20	

〔Borg GA：Perceived exertion—a note of "history" and methods. Med Sci Sports Exerc 5：90-93 1973, Borg GA：Psychological bases of perceived exertion. Med Sci Sports Exerc 14：377-387, 1982を参考に筆者作成〕

表4 30〜60分間の持続的運動負荷における運動強度

最大心拍数 (%)	最大酸素摂取量もしくは予備心拍数 (%)	Borg指数（原法）	自覚的強度
35	30	10	とても楽
35〜59	30〜49	10〜11	楽である
60〜79	50〜74	12〜13	ややきつい
80〜89	75〜84	14〜16	きつい
90	85	17	かなりきつい

〔Brannon FJ, Foley MN, Starr JA et al：Chapter 11, The Exercise Prescreption Cardioplumonary Rehabilitation：basic theory and application, 3rd Ed, FAavis, 1998 より引用〕

B 運動負荷量

　運動負荷量は，その運動に対する呼吸循環系の応答を指標とする．正確には$\dot{V}O_2$（分時酸素摂取量）で調べるが，簡易には心拍数によって調べる．有酸素運動の最大限界は$\dot{V}O_2max$（最大酸素摂取量）で表されるが，おおむね心拍数と相関し，臨床的には年齢における最大心拍数（HRmax = 220 − 年齢）の60〜80％を負荷する．目標とする負荷量が安全かどうかは運動負荷試験を行って確かめる．自転車エルゴメーター等を使って運動を負荷し，心拍数・血圧と心電図をモニターして，目標心拍数に至るまで運動を負荷したときに心電図に異常をきたさず，

特に訴えもなければ，それだけの運動負荷をかけた運動が可能だということになり，エクササイズを安全に行えることとなる．付録4表3（241頁）に示すような症状が出た場合には，運動負荷試験は中止する．

C 運動療法の実際

心肺系に負荷のかかる運動が含まれるようなプログラムの場合には，まず，安全域を知るために先に述べた運動負荷試験を行い，運動負荷範囲を決める．

運動療法は，基本的にコンディショニング，運動学習，促通からなる．

①コンディショニング：廃用による機能障害を元に戻そうとするものであり，疾患非特異的である．ROMエクササイズ，筋力強化，姿勢保持などが含まれる．これらは疾患特異的な理学療法と重なる場合がある．膝の術後のROMエクササイズや，股関節疾患に対する筋力強化などが疾患特異的な理学療法に当たる．

②運動学習：歩行練習や，動作の練習，残存機能による新たな動作の獲得のための練習がそれに当たる．

③促通：運動器疾患に対してはあまり行われないが，PNF（proprioceptive neuromusclar facilitation）利用の筋力強化などがそれに当たる．

D 水中運動

水の浮力，抵抗，水温を利用して水中で運動を行う治療法である．水深と免荷率との関係では，腰までつかった場合にはおよそ50％，胸までつかった場合にはおよそ70％，首までの場合にはおよそ90％免荷されるといわれている[6]．

治療目的としては，免荷歩行，全身性筋力強化，フィットネスの向上，リラクゼーションなどである．疲労消耗，心理的圧迫感（恐怖感），溺水に注意する．

2 関節可動域訓練（ROMエクササイズ）

関節に拘縮があるときや，拘縮を予防するためにROM（range of motion）エクササイズが行われる．

拘縮をきたす可能性には，臥床安静を強いられる状態，ギプス固定などによって局所関節を動かせない状態（図1），麻痺があり関節が動かない場合などがある．このような場合には，他動的に関節を動かしたり（他動運動），本人が動かすよう（自動運動）励ましたりして関節の動きを保つ（図2）．

また，関節の組織そのものに問題があり拘縮をきたしている場合には，ROMエクササイズが有効かどうかをみきわめる必要がある．外傷により骨や軟骨に原因がある強直や，可動域制限にはROMエクササイズは無効である．

図1　ギプス固定

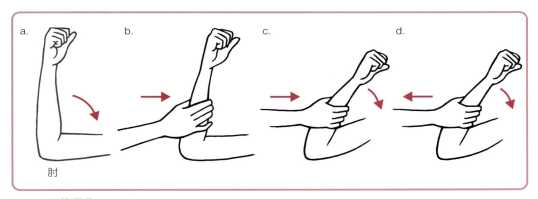

図2　関節運動
a. 自動運動　b. 他動運動　c. 自動介助運動　d. 抵抗運動

Ⓐ 安静臥床時における拘縮

　安静を妨げないようにしながら，関節を可動域いっぱいに動かす．また，その際に2関節筋も最大限引き延ばされるようにする（図3）．
　たとえば，足関節を最大限背屈するときは，2関節筋である腓腹筋が最大限引き延ばされるように膝関節を伸ばし，踵骨を遠位に引き下げるようにして足関節を背屈させる．拘縮がはじまりつつあるときは，強い疼痛を生じることのない範囲で可能な範囲の最大限を動かす．意識障害のある場合には痛みの訴えが乏しいので，特に注意深く行う．患者自身も動かすことのできる手足や体幹を自分で動かす．また看護師は，体位交換時には手足の位置を変えるなど拘縮予防に努める．

Ⓑ 外傷や術後の局所的不動化による拘縮

　関節周囲の軟部組織が柔軟性を失ったり滑動性が落ちたために，関節可動域制限を生じる．
　局所の急性炎症が鎮静していれば，温熱療法と組み合せてROMエクササイズを行う．強い疼痛を生じる手前まで可動域いっぱいにゆっくりと動かす．また，関節の遊びも十分に利用し，捻じる，各方向に曲げる（内外反），長軸方向に引っ張るなどをして，関節周辺の軟部組織の伸張を

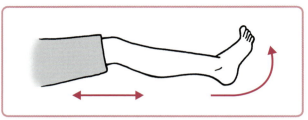

図3 2関節筋である腓腹筋は膝伸展・足関節背屈により伸張する

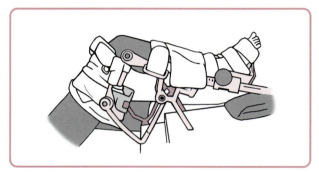

図4 CPM

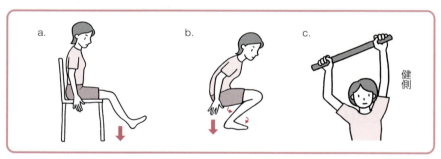

図5 自重や健側の力を利用した ROM エクササイズ
　a. 重力の利用　b. 体重の利用　c. 健側の利用

図る．術後には CPM（continuous passive motion：持続的他動的運動装置）を用いて拘縮の予防に努めることもある（図4）．

　自主的なトレーニングとしては，自分の体重を利用して行うものや，健側による他動運動，重力を利用するものなどがある（図5）．

　これらの運動は，患者自身が自分の意志で行うために，疼痛に対してフィードバックがかかり，安全である．しかし患者にモチベーションがなかったり，ひどく慎重な性格であったりするとなかなか改善しないというデメリットや，反対にやりすぎてしまう危険性もある．

C 麻痺による拘縮

　痙性麻痺では，痙縮による筋の短縮が拘縮を形成する．痙縮によりみかけ上の拘縮があるよ

うにみえる場合がある．しかし，放置すれば関節の軟部組織の変化を伴う拘縮に進展するので，痙縮を低下させるために筋の伸張（ストレッチング）を行う．

ストレッチングは，筋が最大限引き延ばされるよう，2関節筋であれば上下の関節をその筋の作用と反対方向に動かす．ゆっくり行い，疼痛や素早い動きで痙性を誘発することがないように行う．

弛緩性麻痺では，逆に関節周辺の軟部組織を過剰に引き延ばさないようにする．

麻痺性疾患では感覚も障害されていることが多く，患者からの痛みというフィードバックがかからないので過重とならないように注意する．

D 禁忌と注意

患者の全身状態のわるいとき，局所関節に急性炎症のあるときは行わない．強い痛みを与えてはいけない．骨性の拘縮や，瘢痕等により関節可動域が制限されてしまったときには，ROMエクササイズは効果がなく，そのような場合には手術等の別の方法をとる必要がある．関節リウマチのような進行性疾患の場合には，ROMエクササイズを行うよりもむしろ良肢位で固定するほうがよい場合もある．

麻痺性疾患では，暴力的なROMエクササイズを行うと関節周囲に炎症を引き起こし，骨化性筋炎を発症し，かえって関節の強直を引き起こしてしまう可能性がある．愛護的に行わねばならない．麻痺が永続的であり，残存機能による機能獲得を目指すような場合には，"好ましい拘縮"というものがある．たとえば関節拘縮の進行する関節リウマチの手関節に対して，ROMエクササイズを行うよりも良肢位での関節強直のほうが生活上有用だというような場合や，頚髄損傷においては中手指節間関節の伸展可動域は動的腱固定効果を損なうことにつながるような場合などがあげられる．

関節疾患においても，人工関節置換術後には，脱臼（脱転）を防止するため，股関節の内転内旋，屈曲といった脱臼肢位を取らせないことが必要になる．

3 筋力増強訓練

筋力増強は，筋に負荷をかけるとそれに応じて筋力が増すという性質を利用して行われる．筋力増強訓練の適応は，廃用により筋力の落ちたとき，あるいは維持をせねばならないとき，不全麻痺，麻痺の回復過程，骨関節疾患により関節周囲筋の筋力低下がありその強化が必要なときなどである．

A 筋収縮様式と筋力増強

筋収縮様式には，等尺性，等張性，等運動性収縮がある．等張性収縮は遠心性と求心性とに分けられる．

①等尺性収縮：関節運動を伴わない筋収縮である．重たい荷物を握って吊り下げているときの腕の筋肉の収縮がそれに当たる．ギプス等で関節が固定されているときの筋力増強訓練に利用される．また，関節を動かすことが好ましくないような場合や，動かすと疼痛があるような場

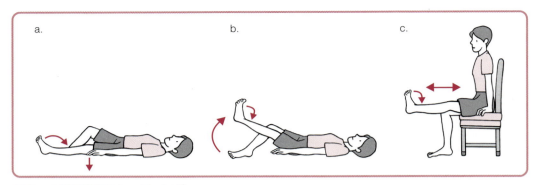

図6 大腿四頭筋のセッティング

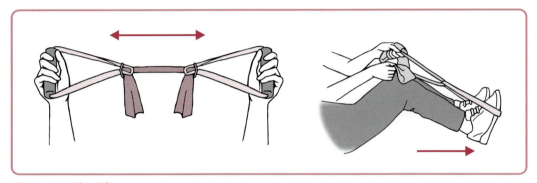

図7 セラバンド®

合に利用される.

　大腿四頭筋のセッティングは，疼痛を伴う変形性膝関節症の患者によく行われる（図6）．床に寝て，膝を伸ばすように指示する（図6a）．「膝の裏を床に押しつけるように」というとわかりやすい．片方の下肢の膝を立て，鍛えたい側の下肢を伸ばしたままおよそ30度持ち上げ，その姿勢を保持するよう指示する（図6b）．椅子に座って行ってもよい（図6c）．このとき，下腿の前面におもりを乗せればそれだけ負荷が強まる．大腿四頭筋の収縮または膝関節の伸展に際して，足関節の背屈運動を同時に行う．足関節の伸展筋かつ2関節筋でもある腓腹筋が伸長されると，膝関節はそれを緩めようとする屈曲傾向が現れ，大腿四頭筋収縮による膝伸展エクササイズにとってより効率が良くなると考えられる．

②**等張性収縮**：関節の角度が変わっていくものである．発揮される筋力は変わらない．たとえば，饅頭をテーブルの上からつかんで口に持っていくときの肘関節屈曲筋の収縮様式である．肘関節の屈筋である上腕二頭筋は収縮して短くなる．これを求心性筋収縮という．その拮抗筋で肘関節伸筋である上腕三頭筋はだんだん引き延ばされながらも収縮し，これを遠心性筋収縮という．

③**等運動性収縮**：筋収縮によって起こる関節の回転運動の速さが一定な場合を，等運動性収縮という．機器を必要とし，エクササイズとしては一般的ではない．

　ゴムバンド（セラバンド®）を用いた筋力強化はバンドの張力を負荷として利用する（図7）．セラバンド®はバンドの緊張を変えることによって負荷を変えることができる．**重錘バンド**は

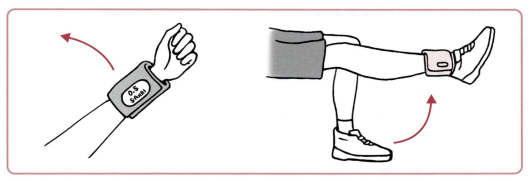

図8　重錘バンド

各種重さがあり，等張性，等尺性筋収縮のどちらにも負荷を加えることができる（図8）．

B 運動方法と筋力増強

　筋力に応じて負荷の量を変える．自力で動かす運動を自動運動，他動的に動かしてもらう運動を他動運動，介助を加えて動かす運動を自動介助運動，抵抗を加え，それに抗して動かす運動を抵抗運動という（図2）．

　自動運動は自力で関節を動かせる筋力のときの強化に用いる．他動運動では負荷はかからないので筋力強化を図ることができない．自動介助運動は，筋力が弱く自力では動かせないか負荷が強すぎてしまう場合に行う．本人も力を入れ，介助者が支持して関節運動を行わせる．抵抗運動は，介助者が抵抗を加え，それに抗って運動する場合で，筋力がある程度あるときに行う．

C 筋力増強訓練の方法

　最大筋力を強化するためには，強い収縮を起こすことが必要である．DeLorme（デローム）法は等張性筋収縮を漸増させることによって筋力増強を図る．
① 10回繰り返すことができる負荷量を決める．これを10 RM（repetitive maximum）という．たとえば，10 kgのおもりを持ち上げることを10回まで繰り返すことができる人の10 RMは10 kgとされる．
② 10 RMの半分の負荷量（10 RMが10 kgの人では5 kg）で10回反復を3セット行う．
③次に10 RMの75％の負荷量（同：7.5 kg）で10回反復を3セット行う．
④最後に10 RM（同：10 kg）で10回反復を3セット行う．
⑤ 5日続けた後に新たに10 RMを決定して，負荷を増やして継続する．
　これに対し，筋持久力の強化には，負荷量を減らし（最大収縮力の20〜30％程度）筋力疲労するまで繰り返す方法がとられる．

D 禁忌と注意

　麻痺筋は，筋力強化をしても麻痺のレベル以上には筋力は強化されない．麻痺性疾患における筋力強化は残存非麻痺筋に対して主に行う．弛緩性不全麻痺においては，不全麻痺筋に過剰に負荷を加えるとかえって筋力は落ち，回復に時間がかかる．これを過用（使いすぎ）症候群という．

4 バランス訓練

　姿勢を保持したり，運動をスムースに行えるのは，ヒトにバランス機能が備わっているからである．
　末梢からの感覚入力に対し，中枢からはバランスの崩れや，四肢や体幹の位置に対する修正の指令が出され，バランスは保たれる．末梢からの感覚入力系，中枢での調節機構，出力器官である運動器に障害があるとバランスがわるくなる．

A 高齢者に対するバランス訓練

　高齢者はバランスがわるい．それは，運動器の加齢による非特異的な弱化，視覚や皮膚感覚等の末梢からの感覚入力の感度の低下によるものである．また，麻痺性疾患患者もバランスがわるい．これは運動器が中枢の指令通りに動かないからである．
　バランス訓練としては，刺激を入れることによってそれに対する応答を繰り返し，全身性の筋力を鍛えつつバランス感覚を鍛えることを行う．
　ボールを使って行う療法をバルーンセラピー，ボールエクササイズという（図9）．ボールの弾み，転がりを利用し，不安定なボールに座ったり，四つ這いの格好をとったりしてバランスを保つ練習をする．バルーンセラピーはバランス訓練のみならず，ストレッチ，モビライゼーション，筋力増強などにも利用される．
　セラピストと対面しボールを投げ合うことは，体重心の移動に対しバランスを保ち，ボールを扱うために上肢の協調運動や筋力を必要とする（図10）．ボールを投げるほどには力とバランスが良好でない場合には，風船打ちや，輪投げなども利用される．その他，タンデム歩行や，柔らかい不安定なマット上での立位歩行，バランスボード上の立位なども行われる（図11）．

B 小脳性失調に対する運動療法

　小脳性失調症では筋の協調運動障害が生じる．
Frankel（フレンケル）体操（図12）は筋協調運動を反復練習する運動学習である．単関節運動からはじめ，複合運動へと進む．このようにして運動プログラムを再構築する．おもり負荷や，弾性包帯による筋緊迫により固有受容器を刺激する．
　先に述べたバルーンセラピーでは，刺激の入力と効果器である運動器の対応を繰り返し行うことによって運動器の機能を高めたが，小脳性の場合には，入力に対するプログラムの再構築が目的であり，行う運動は正確さが求められるという違いがある．

4. バランス訓練　117

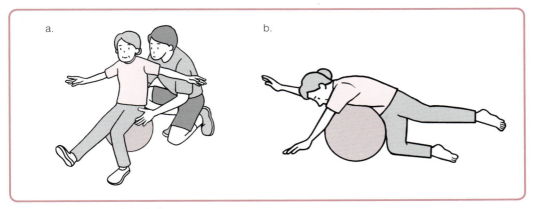

図9　バルーンセラピー（1）

図10　バルーンセラピー（2）

図11　バランスボード

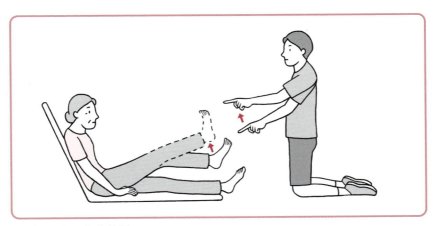

図12　フレンケル体操
セラピストの指示するところに四肢を動かし，視覚の代償を使いながら四肢の動かし方を学習する．

C 禁忌と注意

バランスの不良の原因がどこにあるかを明らかにした上で，どのようなセラピーを行うかを選択する．また，転倒を予防する上でも機能に見合った負荷を選択する．

5 歩行訓練

歩行に必要な機能として，①下肢が体重を支えられること（抗重力機構），②バランス能力，③体重の左右へのシフト，④下肢の振り出しと体重移動等が必要である．これらの機能に障害を生じたときに，必要に応じて装具や歩行補助具を使用し，歩行練習を行うことになる．歩行障害の原因には下肢関節疾患，麻痺性疾患，安静臥床による廃用などが考えられる．

A 下肢関節疾患，術後

疼痛のためや術後の治療過程として，免荷を要する場合には，水中歩行や歩行補助具を使った歩行の練習を行う．

水中で，浮き輪を使って浮き，下肢を動かせば，完全免荷の状態での歩行が実現できる．

通常は，免荷には主に松葉杖が用いられる．完全免荷のためには，患肢を接地せず，健側，両松葉杖を繰り返し前に出す（225頁，第XIV章図27参照）．部分免荷の際には患側と松葉杖とを同時に着き，次に健側を出す（226頁，第XIV章図28参照）．こうすると患側の荷重分を杖側に移すことができる．どの程度移すかは，2個の体重計を使い，平行棒の中で立って，健側と患側への荷重量を決め，そのときの感覚を患者に覚えてもらう．

痛みの軽減や，関節の保護のためにはT字杖が使われる．T字杖は原則的に健側手で用いる．大腿骨頚部骨折の術後や，人工関節術後，変形性関節症で荷重時に痛みを訴えるときに杖歩行を教える．健側に杖を持ち，杖と患肢を同時に出し，次に健側を出す方法（図13a）と，杖，患肢，健側の順に出す方法とがある（図13b）．

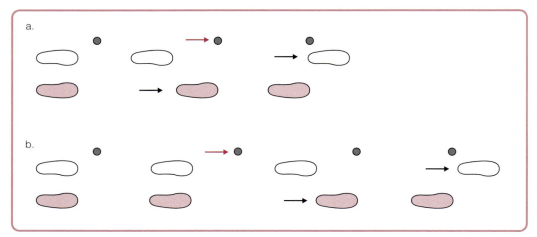

図13 T字杖歩行
白い足あとが健側肢．

Ⓑ 片麻痺

Brunnstrom（ブルンストローム）回復ステージ（表5）[7]に応じた歩行練習を行う．回復ステージⅢになると装具とT字杖での歩行練習が可能となる．患側に体重を負荷するように徹底的に練習する．平行棒，ステップなどを利用する（図14）．はじめは杖，患側，健側の順に出すよう練習する．次に健側をなるべく前に出すように教える．または，健側，杖，患側の順に出すように教え，最後には杖と患側が同時に出るように教える．患側に体重をかけるよう立位訓練を繰り返し行う．

Ⓒ 脳性麻痺

痙直型両麻痺で，四つ這いが可能なレベルでは歩行練習が可能となる．両下肢に十分体重がかけられるような立位訓練を行う．子どもの場合には大人のように訓練の目的が理解できない

表5 回復段階と運動機能，訓練メニュー

Brunnstrom stage	運動機能	起居動作訓練
Ⅰ．弛緩性麻痺	坐位バランスなし	坐位，寝返り，起き上がり
Ⅱ．痙性の出現	坐位バランス不良	坐位，寝返り，起き上がり
共同運動の出現	抗重力機能なし	立位，立ち上がり，トランスファー
Ⅲ．共同運動の随意制御	抗重力機能不良	立位，立ち上がり，歩行（平行棒内外，杖）
Ⅳ．分離運動の出現		立位，応用歩行，応用動作
Ⅴ．分離運動可能		立位，応用歩行，応用動作
Ⅵ．正常		

〔Sawner K, Lavigne J：Brunnstrom's Movement Therapy in Hemiplegia, 2nd Ed, Lippincott, 1992 より引用〕

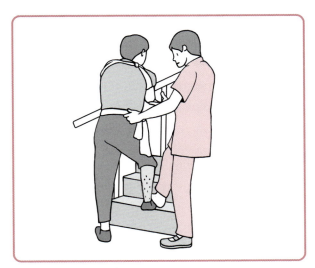

図14　片麻痺歩行練習
セラピストは踵を階段に載せ，前足部で軽く患者の足部を押さえて安定させる．

ので，テーブルの上で，おもちゃで遊ばせるなどの飽きさせない工夫が必要である．歩行練習にはLofstrand（ロフストランド）杖や歩行器が使われる．

Ⓓ 失調，不随意運動

　バランスの補助のために杖が使われることもあるが，杖を使うとむしろうまく歩行できない場合もある．その場合には独歩の練習をしたほうがよい．独歩の練習は，平行棒内からはじめ，安全を確保して行う．また，格好にとらわれず，本人のバランスの取りやすい方法で行う．スピードではなく，一歩一歩体重を移せることと，止まれることが重要である．まずは，安定して歩けることを目標とする．次に長い距離を歩けるように練習する．

Ⓔ 安静臥床による廃用

　高齢者の場合，肺炎などでしばらく寝ついた後，歩けなくなることがある．適切な歩行練習で回復が可能となることも多い．この場合，杖等の歩行補助具は使わず，本人が今まで歩いていた姿勢（前屈みなどの老人姿勢）でそのまま歩くようにする．介助者は補助的にそばに寄り添い，転倒しないように手助けをする．はじめは体力と筋力がないので少しずつ行うようにし，消耗させたり，自信を失わせないようにする．補助的に歩行器を使うこともある．歩行器歩行では歩行のバランスは鍛えられないが，下肢筋力強化，交互の振り出しなどが得られることや，生活の場が拡がり（トイレに行くなど）本人の自立心が刺激されるので，可能であれば病棟で使用し生活させるとよい．

Ⓕ 禁忌と注意

　転倒に注意する．術後の経過時間等で決められた体重負荷量を超えないようにする．

6 運動器疾患の運動療法

　片麻痺等の中枢神経疾患に運動器障害を伴う高齢者もめずらしくない．ここでは，神経疾患の運動療法ではなく，合併する運動器障害の運動療法について記載する．

Ⓐ 片麻痺を伴う患者の運動療法

　よくみられるのは変形性膝関節症である．疼痛を訴え，水腫を伴うことが多い．麻痺側，非麻痺側ともにみられる．
①筋力強化：片麻痺発症後の運動量低下により廃用性の筋力低下をきたし，歩行練習時の膝痛を訴えることが多い．筋力強化を行う．
②疼痛対策：内服薬服用，外用薬貼付等，一般の変形性膝関節症に準じた薬物療法を行う．
③装具療法：簡易膝装具を装着し，膝関節の安定を図る．足先から履くものは，片麻痺のために自己装着困難なことが多く，前開きのものがよい．

④歩行練習：麻痺側の場合は，立脚相で膝関節反張がみられ，その際に疼痛を訴えることが多い．短下肢装具，歩行練習により膝関節反張を抑える．

歩行練習が進むにつれて訴えは減少する．歩行量が少ないため，変形性膝関節症の進行により歩行不能となる片麻痺はあまりみられない．

Ⓑ 神経筋疾患を伴う患者の運動療法

転倒によって大腿骨頚部骨折をきたすことがある．廃用の予防から，基本的には手術療法を行い早期離床を目指す．

術後の歩行練習では，部分免荷は困難で最初から全荷重とする．

Ⓒ 認知症を伴う患者の運動療法

記憶，理解，認知に問題があるが運動学習は可能である．新しいことを習慣づけることはむずかしいので，車いす乗車の際の諸注意等の新しい習慣はつかないと考え，安全管理に配慮する．杖等の歩行補助具についても同様である．部分荷重はむずかしい．

疼痛など不快なことがあると拒否するので，苦痛を与えないようにする．転倒等危険が予想されるならば，車いす生活もやむをえない．

・文　献・

1）厚生労働科学研究費補助金（循環器疾患・糖尿病等生活習慣病対策総合研究事業）「健康づくりのための運動基準 2006 改定のためのシステマティックレビュー」（研究代表者：宮地元彦）
2）Borg GA：Perceived exertion — a note of "history" and methods. Med Sci Sports Exerc 5：90-93 1973
3）Borg GA：Psychological bases of perceived exertion. Med Sci Sports Exerc 14：377-387, 1982
4）Brannon FJ et al：Chapter 11, The Exercise Prescription Cardioplumonary Rehabilitation：basic theory and application, 3rd Ed, FAavis, 1998
5）厚生労働省：健康づくりのための身体活動基準 2006，2006
6）中田晶敏，宮川博文：水中運動療法．アドバンス版図解理学療法技術ガイド，細田多穂，中山彰一（監），文光堂，東京，2005
7）Sawner K, Lavigne J：Brunnstrom's Movement Therapy in Hemiplegia, 2nd Ed, Lippincott, 1992

章 ロコモティブシンドロームと運動器不安定症

1 ロコモティブシンドロームの概念が提唱された背景

わが国の高齢者数は，2020（令和2）年に3,600万人を超え[1]，要支援・要介護認定者は680万人を超えた[2]．要介護の要因は老衰を除くと，脳卒中，認知症，そして運動器障害が三大要因であり，転倒・骨折，関節疾患，脊髄損傷などの運動器障害による要介護者は，全要支援・要介護者の4分の1に達する[3]．このことから，運動機能を維持し，運動器疾患を予防・改善することは，介護予防，すなわち高齢者の自立に必要不可欠であるといえる．

ロコモティブシンドローム（以下ロコモ）は，加齢に伴う運動器の障害，すなわち運動機能の低下や運動器疾患により，歩行や立ち座りなどの移動機能が低下した状態と定義されるが[4]，超高齢社会においてその予防・改善の重要性がますます高まっている．

2020（令和2）年の簡易生命表によると，日本人の平均寿命は，男性81.64歳，女性は87.74歳で，女性は世界1位，男性は世界2位である．また，65歳の平均余命から計算すると，この年齢の「推定寿命」（実年齢＋平均余命）は，男性で85.05歳，女性89.91歳，70歳時の「推定寿命」は男性で86.18歳，女性90.49歳となっており（表1）[5]，現代の日本においては，高齢者は男性で平均おおむね85歳まで，女性は平均おおむね90歳まで生きることになる．このような長寿は，世界でも，また人類の歴史の中でも未曾有というべき状態といえる．しかし健康

表1 今の中高年者は何歳まで生きるか

現在年齢	男性		女性	
	平均余命	推定寿命	平均余命	推定寿命
0歳	81.64年	81.64歳	87.74年	87.74歳
55歳	28.58年	83.58歳	34.09年	89.09歳
60歳	24.21年	84.21歳	29.46年	89.46歳
65歳	20.05年	85.05歳	24.91年	89.91歳
70歳	16.18年	86.18歳	20.49年	90.49歳
75歳	12.63年	87.63歳	16.25年	91.25歳
80歳	9.42年	89.42歳	12.28年	92.28歳
85歳	6.67年	91.67歳	8.76年	93.76歳

平均余命と現在年齢を足したものを「推定寿命」として示している．女性の場合は平均で90歳かそれ以上となり，男性も長生きすればするほど女性に近づくことがわかる．
〔厚生労働省大臣官房統計情報部：令和2年度簡易生命表の概況 1 主な年齢の平均余命，https://www.mhlw.go.jp/toukei/saikin/hw/life/life20/dl/life18-02.pdf（2022.5.13 アクセス）を参考に筆者作成〕

図1　要支援・要介護になる原因と経年的推移

国民生活基礎調査の結果では，骨関節疾患による要介護認定は全体の4分の1を占め，2001（平成13）年以降，その割合は変わっていない．一方，脳血管疾患は減り続け，認知症は増え続けていたが最近減少に転じた．
〔厚生労働省政策統括官（統計・情報政策担当）：国民生活基礎調査（令和元年）の結果から　グラフでみる世帯の状況，p 38，https://www.mhlw.go.jp/toukei/list/dl/20-21-h29.pdf（2022.5.13アクセス）を参考に筆者作成〕

寿命はそこまで長くない．健康寿命とは，健康上の問題がない状態で日常生活を送れる期間のことで，平均寿命から健康寿命を引くと男性は約9年，女性は約12年となる．この年数を短くすることが，今後のわが国の課題である．

　長寿に伴い高齢者人口が増えている．高齢化率が21％を超えた状態は超高齢社会と定義されるが，わが国は2007（平成19）年に超高齢社会になっている．そして，2020（令和2）年9月の総務省の発表では，高齢化率は28.7％に達している[1]．今後も高齢化率は増加し，2025年には30％，2040年は35％に達すると試算されている[6]．さらに，高齢者の中でも年齢の高い層が増え続ける「高齢者の高齢化」が大きな課題となっている．

　高齢者人口の増加と「高齢者の高齢化」を背景に，介護が必要な高齢者が増え続けている．介護保険制度がはじまった2000（平成12）年における要介護者は218万人であったが，2011（平成23）年には500万人を超え，2020（令和2）年12月には680万人を超えた[7]．これに伴い，介護保険にかかわる総費用も増加し，2000（平成12）年の3.6兆円から2018（平成30）年には10.4兆円と約3倍に増加している[8]．今後も要介護者数は増加し続け，介護にかかわる財政コスト，マンパワーや施設が不足する懸念が大きい．

　要介護者の急激な増加に対する最良の解決策は，自立した高齢者を増やすこと，つまり要介護状態に移行する高齢者を減らすことであろう．厚生労働省「国民生活基礎調査（令和元年度）」によると，要介護となった原因は認知症17.6％，脳血管疾患16.1％，高齢による衰弱12.8％に続き，転倒・骨折12.5％，関節疾患10.8％，脊髄損傷1.5％であり，運動器の障害が原因の約25％を占めている（図1）[3]．脳血管疾患の比率は持続的に減ってきているが，運動器障害の比率は変化がない．要介護者を減らすためには，高齢者における運動機能の維持や運動器疾患の予防が重要である．このことを一般国民に知らしめ，運動機能の維持や運動器の健康の重要性を広く啓発するための概念が，ロコモである．

2 ロコモティブシンドロームの特徴

　ロコモの要因は，筋力やバランス，可動域制限など運動機能の低下と高齢者に多い運動器疾

表2 ロコモの主な原因疾患の全国推定罹患者数　　　（万人）

疾患名	総数	男性/女性
変形性腰椎症	3,790	1,890/1,900
変形性膝関節症	2,530	860/1,670
骨粗鬆症（腰椎）	640	80/560
骨粗鬆症（大腿骨頚部）	1,070	260/810
上記3疾患・1つ以上	4,700	2,100/2,600
上記3疾患・2つ以上	2,470	990/1,480
上記3疾患・すべて	540	110/430

変形性腰椎症，変形性膝関節症，骨粗鬆症のいずれか1つの疾患を有する患者は4,700万人に達し，その約半数の2,470万人は2つ以上の疾患を有する．骨粗鬆症の患者数は，腰椎骨密度と大腿骨頚部骨密度で判定された数がそれぞれ記載されているが，重複を除いた骨粗鬆症罹患者数は1,280万人とされる．

〔Yoshimura N et al：Prevalence of knee osteoarthritis, lumbar spondylosis, and osteoporosis in Japanese men and women：the research on osteoarthritis/osteoporosis against disability study. J Bone Miner Metab 27：620-628, 2009 より引用〕

患である．これらが複合し，相互に関連しながら徐々に進行する．運動器疾患やロコモには以下のような特徴がある．

A 運動器疾患は患者数が多く，重複罹患が多い

　ロコモの要因となる運動器疾患は，主に変形性関節症（特に股関節，膝関節などの下肢関節），変形性腰椎症（および腰部脊柱管狭窄症），骨粗鬆症（および骨粗鬆症性骨折）の3疾患である．整形外科の日常臨床でも，これらの疾患を有する高齢者が極めて多い．

　吉村らによる40歳以上の男女を対象とした疫学調査の結果から得られた推計では，わが国には変形性腰椎症3,790万人，変形性膝関節症2,530万人［以上2疾患は単純X線像のKellgren-Lawrence（ケルグレン・ローレンス）分類により診断］，骨粗鬆症1,280万人（腰椎および大腿骨頚部骨密度で診断したものがそれぞれ640万人および1,070万人）が罹患している（表2）[9]．また，この3疾患のうちの少なくとも1つに罹っている高齢者は4,700万人と推計された．さらに，これらの運動器疾患は重複罹患が多く，約半数の2,470万人が複数の運動器疾患を有するとされている．

　臨床の現場でも，変形性膝関節症の患者は，腰椎変形も強く認めることをよく経験するし，変形性膝関節症で人工膝関節全置換術を行った患者が膝の痛みはよくなったものの，腰部脊柱管狭窄症による下肢痛で悩む例も少なくない．

B ロコモティブシンドロームの要因は相互に関連しながら緩徐に進行する

　ロコモの発症と進行の概念図を図2に示す．運動器は，身体の支えとなる骨，動く部分を構成する関節や椎間板，動かす役割を果たす筋肉や神経からなるが，それぞれ加齢に伴って脆弱化する．特に遺伝的要素や他臓器の疾患などによって，脆弱化が加速する．その結果，変形性

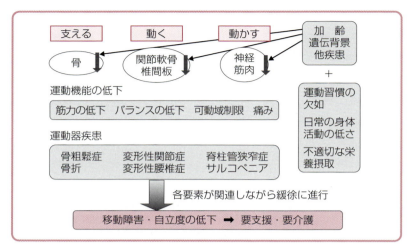

図2　ロコモティブシンドロームの概念と要因
ロコモは主に加齢により進行する運動器の脆弱化の概念である．運動機能低下や運動器疾患が徐々に進行して，自立度低下につながる．加齢や遺伝背景以外に，運動習慣がないこと，身体活動が低いこと，不適切な栄養摂取はロコモは加速因子である．

関節症・変形性腰椎症・骨粗鬆症などの運動器疾患や筋量・筋力の低下（サルコペニア），バランスの低下，さらに痛みや可動域制限などの症状が進行する．そして，これらの要因が相互に関連しながらゆっくり進み，移動機能の低下，そして自立度の低下，要介護，寝たきりに陥ると考えられる．特に運動習慣の欠如，日常の身体活動の低下，不適切な栄養摂取などの要因があるとロコモの進行が加速する．

サルコペニアは，加齢に伴う筋量・筋力の減少を特徴とする疾患である．その原因は多岐にわたるが，運動習慣の欠如は大きな要因である．特に高齢者では上肢や体幹に比して，下肢筋力が低下しやすい．筋力低下が高じると，バランスも低下する．バランスとは，姿勢を制御しながら身体を動かしたり静止させる能力を意味し，易転倒性や歩行速度，種々の運動機能や生活動作に影響する．

筋力の低下は変形性膝関節症においても増悪因子であり，また骨への力学的負荷が減ることにより骨粗鬆症も進行させる．さらに腹筋や背筋の弱さは，脊柱の支持能を低下させ，椎間板や椎間関節への負担が過剰となり腰痛の原因になったり，脊椎変形を進行させる．

こうした筋力やバランスの低下をはじめとする運動器の障害はゆっくりと進行するため，自覚されにくい．また自覚されても「年のせいだからしかたがない」と看過されることが多い．そのまま進行すると運動器の機能低下や疼痛が高度になり，歩行機能や生活動作が障害されて回復がむずかしくなる．したがって，ロコモを早目に察知することは重要である．

後述のロコモーションチェックは，ロコモを早目に察知する自己チェックの方法である．また，運動機能や身体状況が年代平均と比べて維持されているかどうかを確かめるロコモ度テストもロコモの危険を早期に察知する有効な手段である．また，運動器疾患の心配がある場合は，整形外科医の診察を受け，X線やMRI，骨密度測定などの検査により，運動器疾患の所見の有無や進行程度の判断を受けることが勧められる．

C 筋力の強化は運動機能を向上させ，運動器疾患を予防・改善する

　筋力を鍛えることで運動機能を維持・向上し，運動器疾患を予防・改善することができる．変形性膝関節症は大腿四頭筋訓練によって疼痛や機能障害が改善すること[10]や，背筋訓練[11]や多因子の運動プログラムによって骨粗鬆症が改善することなどが知られている[12]．また，運動介入によってバランスの改善，転倒予防，ADL および QOL の改善が期待できる[13,14]．

　このため，ロコモの進行予防，改善には運動が有効である．特に日本整形外科学会では開眼片脚立ち，スクワット，ヒールレイズ，フロントランジを「ロコモーショントレーニング（ロコトレ）」および「ロコトレプラス」として推奨している．ロコモ予防で重要なことは，移動機能の脆弱化を早めに察知して，運動を中心とした対策を早めに講じることである．

3 ロコモティブシンドロームのリスク評価・判定法
――ロコチェック・ロコモ度テスト

　ロコモのリスクを評価したりロコモを判定する方法として，日本整形外科学会は，ロコモーションチェック（以下ロコチェック）とロコモ度テストを推奨している．前者は簡単な7項目の質問からなる自己チェック法であり，後者は「立ち上がりテスト」と「2ステップテスト」の2種目の運動機能測定と，自記式調査票である「ロコモ25」からなる．

　以下にそれぞれ解説する．

A ロコチェック

　ロコチェックは以下の7項目からなり，1つでも該当する項目があればロコモの危険があるとされる[4]．

①片脚立ちで靴下が履けない
②家の中でつまずいたり滑ったりする
③階段を上るのに手すりが必要である
④横断歩道を青信号で渡りきれない
⑤15分くらい続けて歩けない
⑥2 kg 程度の買い物（1 L の牛乳パック2個程度）をして持ち帰るのが困難である
⑦家のやや重い仕事（掃除機がけや布団の上げ下ろし）が困難である

　ロコチェックは日常生活の中の一般的な動作についての質問であるので，一般の成人や高齢者にも簡単に答えることができる．各項目は，「基本チェックリスト」[15]「転倒スコア」[16]「ロコモ25」[17]などの高齢者の日常生活自立度や運動機能障害にかかわる質問票の項目の中から選ばれている．

　ロコチェックでロコモと判定された場合，運動機能が低下しているとのデータが報告されている．地域在住の自立歩行可能な高齢者219名（年齢75.9歳，女性188名，男性29名）を対象として，ロコチェック該当群（全体の39.7%）と非該当群の高齢者で開眼片脚起立時間，10 m 歩行所要時間（通常，最速），立って歩けテスト（timed up & go test：TUG），足趾把持力，膝伸展筋力を測定したところ，すべての評価項目において該当群が非該当群に比べて低下して

表3 ロコチェック該当群・非該当群の比較

		該当群	非該当群	有意差
男/女/女性%		12/75/79.8	17/113/82.5	N.S.[a]
年齢（歳）		77.5±5.6	75.1±5.1	$p<0.01$[b]
過去6ヵ月の転倒歴があるものの割合		23例（17.8%）	5例（5.7%）	$p<0.001$[b]
EQ-5D 効用値		0.779±0.157	0.886±0.124	$p<0.001$[b]
functional reach test（cm）		28.2±5.9	30.3±5.8	$p<0.01$[b]
開眼片脚起立持続時間（秒）	右	29.1±34.7	57.2±45.9	$p<0.001$[b]
	左	27.9±35.1	56.2±43.6	$p<0.001$[b]
10m歩行時間（秒）	通常	8.0±1.8	7.0±1.2	$p<0.001$[b]
	最速	6.4±1.5	5.4±0.7	$p<0.001$[b]
TUG（秒）		7.8±0.9	6.4±0.8	$p<0.001$[b]
足趾把持力（kg）	右	6.9±3.4	8.2±3.1	$p<0.01$[b]
	左	6.6±3.6	8.1±3.4	$p<0.01$[b]
膝伸展筋力（N・m/kg体重）	右	1.40±0.43	1.73±0.41	$p<0.01$[b]
	左	1.37±0.45	1.68±0.44	$p<0.01$[b]

平均年齢75.9歳の219名の地域在住高齢者を対象して，ロコチェック該当群と非該当群を比較した．すべての項目について有意に非該当群が良好であった．[a]：chi-square test，[b]：Mann-Whitney

〔石橋英明ほか：ロコモーショントレーニングの高齢者の運動機能に対する有効性の検討．運動療物理療 23：183，2012より引用〕

表4 ロコチェックと転倒歴

ロコチェック項目	オッズ比	95% CI	p値
片脚立ちで靴下が履けない	3.25	1.98〜5.33	<0.001
家の中でつまずいたり滑ったりする	8.81	4.53〜17.18	<0.001
階段を上るのに手すりが必要である	2.95	1.74〜4.99	<0.001
横断歩道を青信号で渡りきれない	8.13	2.17〜30.47	<0.001
15分くらい続けて歩けない	2.42	1.07〜550	0.03
2kg程度の買い物をして持ち帰るのが困難	2.02	0.93〜4.37	0.08
家のやや重い仕事が困難	3.53	1.86〜6.71	<0.001
該当項目1〜3個	3.21	2.04〜5.12	<0.001
該当項目4個以上	10.36	4.00〜26.85	<0.001

30〜90歳までの624人を対象としたインターネット調査で，過去1年間の転倒の有無とロコチェック項目との関連を調べた．ロコチェックの多くの項目単独で有意に転倒歴と関連し，該当項目数が増えるほどオッズ比が増した．

〔Akahane M et al：Relationship between difficulties in daily activities and falling：Loco-Check as a self-assessment of fall risk. Interact J Med Res 5：e20，2016より引用〕

いた（表3）[18]．

　ロコチェックの該当項目の有無や項目数に応じて転倒歴が多いこと[19]（表4）[20]や，EQ-5D（EuroQol-5 dimensions）の効用値が低いこと[21]が報告されている．これらのことから，ロコ

表5　ロコモ度テストの判定基準

	立ち上がりテスト	2ステップテスト	ロコモ25
ロコモ度1	片脚40 cm不可	1.3未満	7点以上
ロコモ度2	両脚20 cm不可	1.1未満	16点以上
ロコモ度3	両脚30 cm不可	0.9未満	24点以上

いずれかの基準に該当した場合，ロコモ度1，ロコモ度2と判定する．ロコモ度1はロコモがはじまった状態である．ロコトレをはじめとする運動を習慣づけ，バランスのとれた十分な動物性たんぱく質とカルシウムを含んだ食事摂取を心がける．ロコモ度2はロコモが進行した状態である．運動と栄養に気をつけることと同時に，痛みが強い場合や筋力や歩行能力が急激に低下している場合は，何らかの運動器疾患が存在する可能性もある．ロコモ度3はロコモが進行して社会生活に支障をきたしている状態．運動器疾患が強く疑われるため，医療機関の受診が勧められる．

〔日本整形外科学会：ロコモパンフレット2015年度版を参考に筆者作成〕

チェックは簡単な自己チェックであるが，実際に運動機能や転倒リスク，QOLの低下との関連性が高い有用な自己チェック方法であると考えられる．

Ⓑ ロコモ度テスト

　ロコモ度テストは，立ち上がりテスト，2ステップテスト，ロコモ25の3種からなり，運動機能や運動器の症状，生活機能を評価する．このテストには，ロコモがはじまった状態を示す「ロコモ度1」と，ロコモが進行した状態を示す「ロコモ度2」さらにロコモが進行して社会生活に支障をきたした状態を示す「ロコモ度3」の3つのレベルの臨床判断値が設定されている（表5）[4]．3テストのうちいずれかでも臨床判断値を下回った場合は，それぞれのレベルに該当すると解釈され，ロコモ度1に該当した時点でロコモと判定される．

　ロコモ度1はロコモがはじまった状態を示し，有酸素運動や筋力トレーニング，種々のスポーツやロコモーショントレーニングなどの運動をはじめたり，運動習慣をつけたりするような対策を講じること，またバランスのよい食事，十分なたんぱく質，カルシウム，ビタミンDなどの栄養素を十分に摂ること，そして生活の中でよく外出をすること，よく歩くこと，階段を使うことなどを習慣づけることなどが勧められる．ロコモ度2はロコモが進行した状態を示し，前述の通り運動習慣，適切な栄養摂取，生活習慣の改善は重要であるが，何らかの運動器疾患の可能性があるため，整形外科などへの受診が勧められる．

1）立ち上がりテスト（図3）[4]

　下肢筋力を評価するテストで，10〜40 cmのうちのどの高さの台から両脚または片脚で立ち上がれるかを調べる[22]．台に腰かけて，片脚を浮かせて前に出し，他方の脚で立ち上がる．このとき，両上肢は胸の前でクロスさせ，反動をつけないように気をつける．ある高さから両側とも立ち上がれたら成功と判定する．40 cmの台から片脚で立ち上がれないとロコモ度1，20 cmまたは30 cmの台から両脚で立ち上がれないと各々ロコモ度2またはロコモ度3と判定される．

2）2ステップテスト（図4）[4]

　両脚をそろえて立った状態から，可能な限りの大股で2歩進み，その2歩幅を身長で除したものを2ステップ値として評価するテストである[23]．下肢筋力，バランス，柔軟性を評価するもので，歩行速度や歩行時の歩幅，下肢筋力と関連する．実施時は両足をそろえて止まれる，転倒しない，ジャンプをしないといったことに注意する．2ステップ値が1.3未満だとロコモ

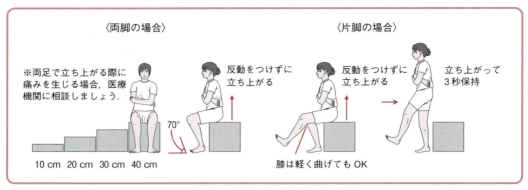

図3　立ち上がりテスト

片脚または両脚で，10 cm から 40 cm の台のうち，立ち上がれるもっとも低い高さから，下肢の筋力を評価するもので，下肢筋力の良好な指標となる．

〔日本整形外科学会：ロコモパンフレット 2015 年度版より許諾を得て転載〕

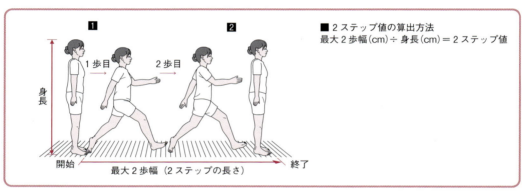

図4　2ステップテスト

両足をそろえて立った状態から，可能な限りの大股で 2 歩進み，その 2 歩幅を身長で割ったものを 2 ステップ値として評価する．たとえば，身長 175 cm で 2 歩幅が 285 cm の場合，2 ステップ値は 285÷175＝1.63 となる．このテストは，歩行速度と相関が高く，下肢の筋力・バランス能力・柔軟性などの歩行能力を評価となる．

〔日本整形外科学会：ロコモパンフレット 2015 年度版より許諾を得て転載〕

度 1，1.1 未満だとロコモ度 2，0.9 未満だとロコモ度 3 と判定する．

3）ロコモ 25

　25 項目の質問で日常生活動作の困難さの程度を問う，高齢者の運動器障害の早期発見のための調査票である[17]（250 頁，**付録**⑥**参照**）．各項目を 5 段階の選択肢から回答し，それぞれ 0 点から 4 点までの評点をつけ，25 項目の合計が 0 点で最良の状態，100 点で最悪の状態と評価される．ロコモ 25 による評価は，医師が実際に判断する運動器障害の重症度（障害なし，特定高齢者相当，要支援相当，要介護相当）と高い関連性がある．7 点以上をロコモ度 1，16 点以上をロコモ度 2，24 点以上をロコモ度 3 と判定する．

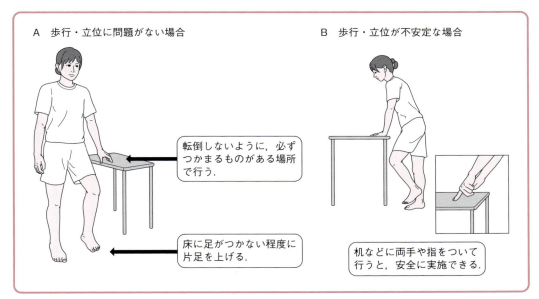

図5　開眼片脚立ち
バランスを高める運動で転倒予防効果があり，下肢筋力のトレーニングにもなる．(A) 立位や歩行が不安定な場合は手をついて行う．(B) 左右1分間ずつを1日2～3回行う．
〔日本整形外科学会：ロコモパンフレット2015年度版より許諾を得て転載〕

4 ロコモ対策としてのロコモーショントレーニング

　加齢や遺伝的背景や他臓器の疾患はロコモを加速するが，それに加えて運動習慣がないこと，生活の中での身体活動が低いこと，食べすぎやカロリーやたんぱく質の摂取不足などの不適切な栄養摂取はロコモの加速因子である．したがって，運動習慣をつけること，適切な栄養摂取を実行すること，活動的な生活を送ることがロコモ予防に重要である．なかでも運動により筋力を強化することはロコモ予防に有効である．

　日本整形外科学会は，ロコモの予防，改善のための運動としてロコモーショントレーニング（以下，ロコトレ）を推奨している．下肢筋力とバランス能力の向上をロコモ予防の中心であるとして，スクワットと開眼片脚起立を中心的なロコトレとして特に推奨している．これらは下肢筋力訓練とバランス訓練の代表格といえる運動である．また，ロコモの究極の目標がさいごまで歩ける運動機能の維持，すなわち「立って歩いてまた座る」機能が維持されることとすると，スクワットは立ち座り動作そのものの動きであり，片脚起立は歩行の片足立脚期のバランス訓練になるため，目的に適合した運動であるといえる．

　さらに，下腿三頭筋を強化するヒールレイズ（踵上げ）と下肢の筋力およびバランスを鍛えるフロントランジもロコトレプラスとして推奨されている．

　以下，ロコトレおよびロコトレプラスとして推奨されている，①開眼片脚起立，②スクワット（以上，狭義のロコトレ），③ヒールレイズ（カーフレイズ，踵上げ），④フロントランジの順に具体的な方法を解説する．

1) 開眼片脚立ち（図5）[4]

　開眼片脚起立の方法は，開眼で一方の足を5～10cm程度上げて他方の足で立つという簡

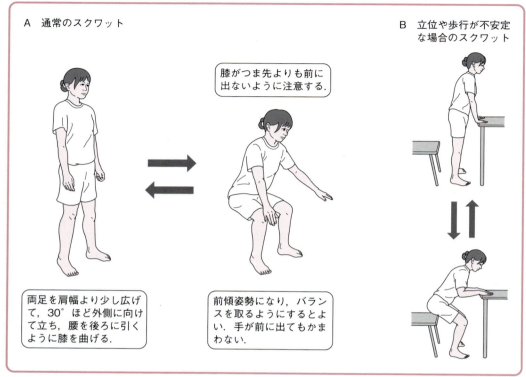

図6　スクワットの方法
下肢筋力のほぼ全体を効果的に鍛える．膝が前に出ないこのスクワットは，膝を痛める心配が少ない．年齢や運動機能を考慮して，1回当たり10〜12秒かけて，10〜15回を1日2〜3セット行う．
〔日本整形外科学会：ロコモパンフレット2015年度版より許諾を得て転載〕

単なものである（図5）[4]．これを左右1分間ずつ1日3回行うことを目標とする．片脚起立の安定性は，歩行や階段昇降において重要である．実際，Sakamotoらは，片足立ち運動をダイナミックフラミンゴ療法と命名し，左右1分間ずつ1日3回の片足立ちによる介入試験行い，介入群では転倒率が対照群の約3分の2であったと報告している[24]．

　片足立ちが1分間続けられない場合は，何かにつかまって行う．指1本で壁や手すりに触っているだけで，バランスが取りやすい．高齢者の場合は転倒の危険に特に注意して，倒れそうになったらすぐにつかまれるような机や手すりの横で行うようにする．立位や歩行が不安定で，何かにつかまらないと立ったり歩いたりできない場合は，机などに手をついて片足立ちを行う．両手をつき，必要に応じて体重を両手で支える．ただし，膝や腰に強い痛みがある場合は，痛みが軽減するまで中止する．

2）スクワット

　スクワットは，下肢全体の筋力向上を期待できる効率的な運動である．
　ロコトレで推奨するスクワットは，腰を後ろに引くようにしながら膝を曲げ，膝が前に出ないようにする（図6）[4]．この方法は，膝を伸展させる大腿四頭筋だけでなく，股関節伸展に必要な大殿筋や大腿後面のハムストリングにも力が入るため，トレーニング効果が高い．バランスをとるために上体を前傾させてよく，手の位置はバランスをとるために前方に出しても，下に降ろしてもよい．腰を下ろす動作に5〜6秒，上げる動作に5〜6秒かける．息は止めない．

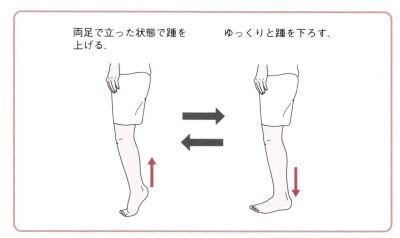

図7　ヒールレイズ（踵上げ）
立位でゆっくり踵を上げ下げする．10～20回を1日2～3セット行う．下腿三頭筋や足趾の屈筋を鍛える．高く上げすぎるとバランスを崩しやすい．
〔日本整形外科学会：ロコモパンフレット2015年度版より許諾を得て転載〕

これを5回から10回行い，1日3セットを目標とする．

歩行ができない場合は，椅子からの立ち座りでスクワットと同等な効果がある．この場合，椅子からの立ち座りを机に両手をついて行う．やはり10～12秒かけてゆっくりと行う．

膝の痛みを生じた場合や元から膝の痛みがある場合に，スクワットを行っていいかを質問されることは多い．スクワットで膝の痛みを感じた場合は，まずスクワットのフォームを確認する．膝が前に出る形のスクワットになっていると膝に痛みが出やすいので，正しいフォームで行うようにする．また，腰を曲げる角度を浅くしてみるのもよい．

3）ヒールレイズ（カーフレイズ，踵上げ）

立位で踵の上げ下げを行い，下腿三頭筋や足趾の屈筋（長母趾屈筋，長趾屈筋）を強化する運動である（図7）[4]．前足部および足趾で踏み込む力が鍛えられるので，歩行の安定性や転倒予防も期待できる．簡単な運動であり，負荷が軽いと感じるときは，片脚でのヒールレイズや，体重の5％程度までのダンベルや水を入れたペットボトルなどを持って行うという方法もある．

4）フロントランジ

両手を腰に当て，両脚をそろえた状態から片足を大きく踏み出し，ゆっくり腰を落とす．再び腰の位置を上げ，踏み出した足を元に戻す（図8）[4]．この一連の動作は，下肢のほとんどの筋肉を使う効果の高い運動である．ただし，高齢者が単独で行うと転倒の危険があるため注意を要する．

5 ロコモーショントレーニングの介入効果

ロコトレは，下肢筋力およびバランスを強化することができる，実施しやすい簡便な運動である．実際に，以下のようにロコトレによる介入の有効性が報告されている．

・ロコチェックで該当項目のあった29名の高齢者（平均年齢79歳）に対して，開眼片脚立ちとスクワットを中心とした運動による6ヵ月間の介入を行ったところ，片脚起立時間，

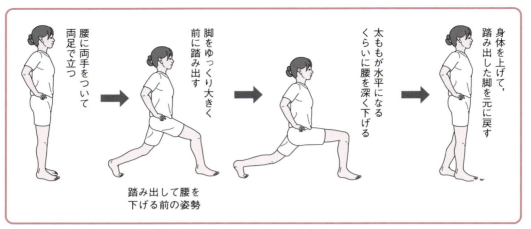

図8 フロントランジの方法

フロントランジは，下肢全体の筋力を効果的に鍛える方法である．上体は，胸を張ったよい姿勢のまま行うように注意する．5～10回を1日2～3セット行う．

〔日本整形外科学会：ロコモパンフレット2015年度版より許諾を得て転載〕

functional reach testが有意に改善し，ロコチェック該当項目数が有意に減少した[25]．
- 229名（男性30名，女性199名，平均年齢76.6歳）の高齢者を対象として2ヵ月間のロコトレによる介入を行ったところ，138名（60.3%）が完遂し，開眼片脚起立持続時間，functional reach test，10 m歩行時間，3 m timed up & go test，足趾把持力が有意に改善した[26]．
- ロコチェックで該当項目のあった28名（男性1名，女性27名，平均年齢72歳）のうち25名に対して，ロコトレおよびウォーキングによる3ヵ月（13名）または6ヵ月間（12名）の介入を行ったところ，片脚起立時間，膝屈曲筋力，ロコチェック該当数が有意に改善し，転倒不安が減少した[27]．
- 地域在住高齢者34名（男性3名，女性31名，平均年齢72.2歳）を対象として，ロコモ予防教室でロコトレやダンベル運動を指導し，6ヵ月間のホームエクササイズを実施したところ，最速歩行速度，30秒椅子立ち上がりテスト，3 m timed up & go test，ロコチェックの該当項目数などの有意な改善を認めた[28]．
- ロコモコールはロコトレによるホームエクササイズの介入で，期間中，参加者に1週間に1回から数回の励ましの電話をかけて継続の動機づけを行う手法である．介護予防事業として60名の地域在住高齢者にこのロコモコールによる介入を行ったところ，3ヵ月間で91.7%という高い継続率を実現し，男女別，年齢階層（前期高齢者・後期高齢者）を問わず，片脚起立時間が有意に延長した[29]．
- 介護予防事業とした実施した「ロコモコール講習会」で，地域在住高齢者105名（男性30人，女性75人，平均年齢71.1）を対象としたスクワット，片脚立ち，ヒールレイズの3種の運動によるホームエクササイズ介入を行った．初回に運動機能評価とロコトレ指導を行い，3ヵ月間，1週間から2週間に1回の励ましの電話（ロコモコール）をかけた．93人（88.6%）が3ヵ月後評価に参加し，開眼片脚起立時間，5回立ち上がり時間，最大歩行速度，2ステップ，ロコモ25が有意に改善し，立ち上がりテストで40 cmの台から片足で立ち

表6 ロコモコールを利用した介護予防事業の講習会における地域在住高齢者93名を対象としたスクワット，片脚立ち，ヒールレイズの3種の運動による介入効果

測定時期	初回	3ヵ月後	p値
BMI（kg/m²）	22.9 ± 2.6	22.8 ± 2.5	0.065
最大握力（kg）	26.8 ± 7.2	26.8 ± 7.6	0.898
開眼片脚立位時間（秒）†	36.0（17.6～92.2）	100.0（40.7～120.0）	<0.001
開眼片脚立位時間が120秒であった人#	21	44	
5回立ち上がり時間（秒）	7.4 ± 2.3	6.7 ± 1.8	<0.001
最大歩行速度（m/秒）	1.81 ± 0.34	1.98 ± 0.27	<0.001
2ステップ値	1.43 ± 0.14	1.48 ± 0.15	<0.001
ロコモ25（点）†	7.0（3.0～11.5）	4.0（1.0～9.0）	<0.001
40 cm台からの片脚立ち上がり（可/不可）#	42/51	50/43	
ロコモ度（非該当/ロコモ度1/ロコモ度2）#	26/51/16	35/46/12	

平均値±標準偏差を表示，t検定．
†：中央値（四分位範囲）を表示，Wilcoxonの符号付き順位検定．
#：人数を表示．
〔新井智之ほか：自治体介護予防事業としてのロコモコールプログラムの運動機能改善効果と6ヵ月後の検証．日骨粗鬆症会誌 4：531-540, 2018 より引用〕

表7 24週間のロコトレ自己運動による運動機能改善効果

	人数（n = 45）		
	介入前平均値（SD）	介入後平均値（SD）	p値*
膝伸展筋力（kg重）（右）	16.2（2.75）	18.0（2.38）	<0.001
股関節屈曲筋力（kg重）（右）	17.7（3.69）	20.8（3.00）	<0.001
下肢筋肉量（kg）（右）	6.26（1.45）	6.38（1.38）	0.003
2ステップ値	1.23（0.16）	1.30（0.18）	0.002
片脚起立時間（秒）	71.8（46.0）	80.0（45.4）	0.217
5回立ち上がりテスト（秒）	9.68（3.40）	8.44（3.45）	<0.001
ファンクショナルリーチ（cm）	31.3（7.61）	33.1（6.04）	0.086
ロコモ25	9.76（11.3）	8.62（9.64）	0.237
血中25（OH）D濃度（ng/mL）	28.8（9.17）	30.2（11.5）	0.385

＊Wilcoxon符号付順位検定
〔Aoki K, Sakuma M, Endo N：The impact of exercise and vitamin D supplementation on physical function in community-dwelling elderly individuals: A randomized trial J Orthop Sci 23：682-687, 2018 より引用〕

上がれる人数が42人から50人と約20%増え，ロコモの非該当者も増加していた（**表6**）[30]．
・45名の高齢者（男性11名，女性34名，平均年齢71.2歳）に対して24週の介入期間でロコトレによるホームエクササイズ介入を行い，運動機能の変化を評価したところ，膝伸展筋力，股関節屈曲筋力，下肢筋肉量，2ステップ値，5回立ち上がりテストの種目で有意な改善がみられた（**表7**）[31]．

以上のように，ロコトレによる運動機能の改善効果は実証されていると考えて良い．簡単な運動で，屋内でもでき，安全度の高い運動であるため，ホームエクササイズとしても効果が高い．このため，医療機関や介護予防事業，健康増進事業などにおいてさらに広く活用されることが期待される．

6 運動の注意事項

一般的に，運動を行う場合はやや強度の強い運動をすることを念頭におくようにする．日常生活の中での動きや軽くできる運動強度では運動としての効果は望めない．運動の強度や速さ，時間は，ややきつめ，やや強め，やや速めを意識する．負荷をかけてこそ効果があがるという運動の原則を「過負荷の原則」という．その上で，徐々に強度，速度，回数などを高めていく．これは「漸進性の原則」と呼ばれる．

前述のような低強度の運動やウォーキングなどの有酸素運動も毎日行ってもかまわない．最低でも1週間に2回以上は行うようにする．

日常的に膝の痛みがある場合でも，できるだけ運動を続ける．運動中に痛みが増強しても，運動終了後30分以内に速やかに通常の痛みのレベルに落ち着くようであれば行ってかまわない．続けていると大腿四頭筋筋力が増強し，徐々に膝の痛みが軽減することが期待できる．痛みが30分以上続くが翌日には痛みや違和感が引く場合は，運動量や強度，速度を半分程度に減らし，その後徐々に増やす．症状が翌日まで続く場合は，3〜7日程度運動を休み，その後に少ない強度にして再開する．たとえば，スクワットの回数を半分して再開し，問題なければゆっくりと回数を増やしていく．

また，人工股関節，人工膝関節，大腿骨人工骨頭置換の手術後でも，日常生活での痛みが強くなければ原則として行ってよい．逆に運動をするほうが筋力の維持や強化につながり，歩行や階段などでの移動がしやすくなると考えられる．ただし，主治医から運動や歩行を控えるようにいわれている状態であれば，まず主治医に相談してから行う．

7 ロコモティブシンドロームと運動器不安定症

運動器不安定症は2006（平成18）年に運動器リハビリテーションの診療報酬が算定できるようになった疾患である．2015（平成27）年には，その原因を運動器に関連した疾患，病態に限るという趣旨で改定された．新しい定義は「高齢化に伴って運動機能低下をきたす運動器疾患により，バランス能力および移動歩行能力の低下が生じ，閉じこもり，転倒リスクが高まった状態」とされた．英語名はmusculoskeletal ambulation disability symptom complex（MADS）で「マーズ」と呼ばれる．

診断基準は表8[32]に示す通りである．変形性関節症や骨粗鬆症などの「運動機能低下をきたす運動器疾患（11疾患）」を有し，かつ運動機能の低下がみられる状態である[32]．11の「運動機能低下をきたす運動器疾患」の中には，「長期臥床後の運動器廃用・高頻度転倒者」といった従来では疾患と考えられていなかった要素も含まれている．これらの疾患を有し，日常生活自立度がランクJまたはAであるか，開眼片脚起立時間（15秒未満）または3m timed up & go test（椅子に腰かけた状態から立ち上がって3mを歩いて往復して再び椅子に腰かけるまで

表8　運動器不安定症の診断基準

Ⅰ　定義
　高齢化に伴って運動機能低下をきたす運動器疾患により，バランス能力および移動歩行能力の低下が生じ，閉じこもり，転倒リスクが高まった状態

Ⅱ　診断基準
　下記の，高齢化に伴って運動機能低下をきたす11の運動器疾患または状態の既往があるか，または罹患している者で，日常生活自立度ならびに運動機能が以下の機能評価基準に該当する者

機能評価基準
1. 日常生活自立度判定基準ランクJ（生活自立：独力で外出できる）またはA（準寝たきり：介助なしには外出できない）に相当
2. 運動機能：1）または2）
   1) 開眼片脚起立時間：15秒未満
   2) 3m timed up & go（TUG）テスト：11秒以上

高齢化に伴って運動機能低下をきたす11の運動器疾患または状態
・脊椎圧迫骨折，各種脊柱変型（亀背，高度腰椎後弯・側弯など）
・下肢骨折（大腿骨頸部骨折など）
・骨粗鬆症
・変形性関節症（股関節，膝関節など）
・腰部脊柱管狭窄症
・脊髄障害（頚部脊髄症，脊髄損傷など）
・神経・筋疾患
・関節リウマチおよび各種関節炎
・下肢切断後
・長期臥床後の運動器廃用・高頻度転倒者

〔日本運動器科学会ホームページ「運動器不安定症」定義・診断基準改定（3学会：H27.12.10），http://www.jsmr.org/fuanteishow.html（2022.5.13アクセス）より引用〕

の所要時間：11秒以上）（図9）で実際の運動機能の低下を認めた場合に運動器不安定症と診断される．運動器不安定症は，おおむね要支援または要介護に相当する状態である．ロコモは「要介護が懸念される」を含むので，ロコモは運動器不安定症を含む概念と考えられる．

　一方，ロコモは運動器の衰えを示す言葉で疾患名ではない．医師は，運動器不安定症と病名をつけることで運動器リハビリテーションを処方することはできるが，ロコモの場合は，その背景に変形性関節症，腰部脊柱管狭窄症，骨折などがあるときに，それらの疾患名で理学療法を処方することが必要である．

8 ロコモとフレイルとの協業

1) 領域横断的なフレイル・ロコモ対策の推進に向けたワーキンググループ（WG）

　2019（平成31）年6月29日，第155回日本医学会シンポジウムとして，「超高齢社会における医療の取り組み─ロコモ・フレイル・サルコペニア」（組織委員：中村耕三，大内尉義，鈴木隆雄）が開催された．これを契機として，日本医学会連合の中に上記のWGが設置された．このWGは日本整形外科学会，日本運動器科学会，日本老年医学会，日本サルコペニア・フレイル学会の代表，日本リハビリテーション医学会の委員をはじめとするロコモとフレイルにかかわる主要なメンバーから構成されている．WGでは人生100年時代における健康寿命延伸のための医療対策として，ロコモ・フレイルへの適切な介入で生活機能維持・改善を目指し，

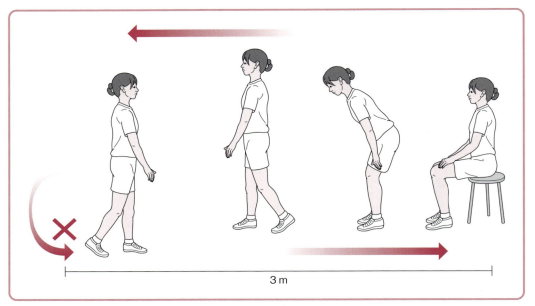

図9　3 m timed up & go test（立って歩けテスト）
椅子に腰かけた状態から，合図とともに立ち上がり，3 m 直進し，U ターンして元の椅子に腰かけるまでの時間を計測する．11 秒以上要した場合に，運動器不安定症と判断する．

そのためにはライフコースアプローチと領域横断的アプローチが必要であるとしている．

2）ロコモとフレイルの相違と共通点に関する合意

身体的，精神・心理的，社会的問題を含む包括的な概念であるフレイルに対し，ロコモは運動器の障害に焦点を絞っている点に特徴がある．また対象年齢の違いがもう1つの特徴であり，フレイルでは高齢者に限定しているのに対し，ロコモでは年齢を限定していない．

一方，フレイルとロコモの共通点として，いずれも目的を「健康寿命の延伸」に置いている点があげられる．また，両者ともに加齢による身体機能の低下を非可逆的なものとはとらえず，何らかの介入により改善を期待できるものと考え，対策を提案している．

3）ロコモとフレイルとの関係に関する合意

上記の WG の中で議論され，2022 年1月時点で以下の合意が得られている．

概念としてロコモは身体的フレイルに含まれるが，疫学研究からはフレイルの大部分がロコモに含まれるという逆の事実が判明している[32]．その理由は診断基準の違いにあり，フレイルに比ベロコモはより軽度の機能低下を検出するためである．つまり，若年者も含めた広い年齢層において運動器の軽度の機能低下がまずロコモとして検出され，その中から徐々に重症化して高齢者ではフレイルに至る，と関係を整理できる．ロコモが進行したロコモ度3の状態とフレイルでの身体機能の低下は，ほぼ同等である．

4）ロコモとフレイルとの共通目標の設定

上記の WG では 2022 年4月1日に共同宣言を発出し，その中で今後 30 年のフレイル・ロコモ克服のための活動目標を設定することとなった．国民一人一人がライフコースの中にフレイル・ロコモの克服を位置づけて行動し，フレイル・ロコモを克服した自分の姿を思い描く助けとなるよう，80 歳で歩いて外出しているという目標を掲げた「80GO（ハチマルゴー）」運動

を展開する予定である．80歳で歩いて外出している目標歩行速度の目安は，秒速 1.1 m，時速 4 km である．この目安を下回る人は，10年後に要介護になるおそれが高いとされる[34]．

・文　献・

1） 総務省統計局：統計からみた我が国の高齢者(65歳以上)―「敬老の日」にちなんで―/高齢者の人口，https://www.stat.go.jp/data/topics/pdf/topics126.pdf（2022.5.13 アクセス）
2） 厚生労働省：介護保険事業状況報告（暫定）令和2年12月分，https://www.mhlw.go.jp/topics/kaigo/osirase/jigyo/m20/dl/2012a.pdf（2022.5.13 アクセス）
3） 厚生労働省政策統括官（統計・情報政策担当）：国民生活基礎調査（令和元年）の結果から グラフでみる世帯の状況，p 38, https://www.mhlw.go.jp/toukei/list/dl/20-21-h29.pdf（2022.5.13 アクセス）
4） 日本整形外科学会：ロコモパンフレット 2015 年度版
5） 厚生労働省大臣官房統計情報部：令和2年度簡易生命表の概況　1　主な年齢の平均余命，https://www.mhlw.go.jp/toukei/saikin/hw/life/life20/dl/life18-02.pdf（2022.5.13 アクセス）
6） 国立社会保障・人口問題研究所：日本の将来推計人口（平成29年推計），http://www.ipss.go.jp/pp-zenkoku/j/zenkoku2017/pp29_gaiyou.pdf（2022.5.13 アクセス）
7） 厚生労働省：介護保険事業状況報告の概要（令和2年12月暫定版），https://www.mhlw.go.jp/topics/kaigo/osirase/jigyo/m20/dl/2012a.pdf（2022.5.13 アクセス）
8） 厚生労働省老健局：平成 30 年度 介護保険事業状況報告（年報），https://www.mhlw.go.jp/topics/kaigo/osirase/jigyo/18/dl/h30_point.pdf（2022.5.13 アクセス）
9） Yoshimura N et al：Prevalence of knee osteoarthritis, lumbar spondylosis, and osteoporosis in Japanese men and women：the research on osteoarthritis/osteoporosis against disability study. J Bone Miner Metab 27：620-628，2009
10） 岩谷　力ほか：運動器疾患の Evidence 変形性膝関節症に対する大腿四頭筋訓練の効果に関する RCT．リハビリテーション医学 43：218-222，2006
11） Sinaki M et al：Stronger back muscles reduce the incidence of vertebral fractures：a prospective 10 year follow-up of postmenopausal women. Bone 30：836-841，2002
12） 骨粗鬆症の予防と治療のガイドライン作成委員会（代表 折茂　肇）：骨粗鬆症の予防と治療のガイドライン 2015 年版，ライフサイエンス出版，東京，2015
13） Carter ND et al：Community-based exercise program reduces risk factors for falls in 65-to75-year-old women with osteoporosis：randomized controlled trial. CMAJ 167：997-1004，2009
14） Hourigan SR et al：Positive effects of exercise on falls and fracture risk in osteopenic women. Osteoporos Int 19：1077-1086，2008
15） 鈴木隆雄：介護予防のための生活機能評価に関するマニュアル，厚生労働省老研局老人保健課，2005
16） 鳥羽研二ほか：転倒ハイリスク者の早期発見における'転倒スコア'の有用性．日本臨床（増刊）9：597-601，2007
17） Seichi A et al：Development of a screening tool for risk of locomotive syndrome in the elderly：the 25-question Geriatric Locomotive Function Scale. J Orthop Sci 17：163-172，2012
18） 石橋英明ほか：ロコモーショントレーニングの高齢者の運動機能に対する有効性の検討．運動療法と物理療法 23：183，2012
19） 重松英樹ほか：一般住民における「ロコチェック」と転倒の関連．臨床整形外科 52：525-528，2017
20） Akahane M et al：Relationship between difficulties in daily activities and falling：Loco-Check as a self-assessment of fall risk. Interact J Med Res 5：e20，2016
21） Iizuka Y et al：Association between "loco-check" and EuroQol, a comprehensive instrument for assessing health-related quality of life：a study of the Japanese general population. J Orthop Science 19：786-791，2014
22） 村永信吾：立ち上がり動作を用いた下肢筋力評価とその臨床応用．昭和医学会誌 61：362-367，2001
23） 村永信吾：2ステップテストを用いた簡便な歩行能力推定法の開発．昭和医学会誌 63：301-308，2003
24） Sakamoto K et al：Effects of unipedal standing balance exercise on the prevention of falls and hip fracture among clinically defined high-risk elderly individuals：a randomized controlled trial. J Orthop Sci 11：467-472，2006
25） 太田実来ほか：ロコモティブシンドロームに対するロコモーショントレーニングの効果　6ヵ月間継続できた症例について．日臨スポーツ医会誌 21：237-241，2013

26) 石橋英明ほか：ロコモティブシンドロームの実証データの蓄積 高齢者におけるロコモーションチェックの運動機能予見性およびロコモーショントレーニングの運動機能増強効果の検証．運動器リハビリテーション **24**：77-81，2013
27) 天尾理恵ほか：ロコモティブシンドローム対象者に対するロコモーショントレーニング実施による動作能力と転倒意識の変化 ロコモーショントレーニング実施の有無による比較検討．運動器リハ **25**：68-75，2014
28) 後藤亮吉ほか：当院におけるロコモティブシンドローム予防教室の効果検証．日農村医会誌 **64**：1-7，2015
29) 安村誠司，橋本万里：ロコモティブシンドロームの運動療法 ロコモコールの試み．臨牀と研究 **89**：1527-1530，2012
30) 新井智之ほか：自治体介護予防事業としてのロコモコールプログラムの運動機能改善効果と6ヵ月後の検証．日骨粗鬆症会誌 **4**：531-540，2018
31) Aoki K et al：The impact of exercise and vitamin D supplementation on physical function in community-dwelling elderly individuals: A randomized trial J Orthop Sci **23**：682-687，2018
32) 日本運動器科学会ホームページ「運動器不安定症」定義・診断基準改定（3学会：H27.12.10），http://www.jsmr.org/fuanteishow.html（2022.5.13 アクセス）
33) Yoshimura N et al：Prevalence and co-existence of locomotive syndrome, sarcopenia, and frailty：the third survey of Research on Osteoarthritis/Osteoporosis Against Disability（ROAD）study. J Bone Miner Metab **37**：1058-1066, 2019
34) Zhang S et al：Geriatr Gerontol Int 2022（in press）

章 アスレティックリハビリテーション

1 アスレティックリハビリテーションとは

　アスレティックリハビリテーションとは,「日常生活活動（ADL）復帰」を目指すメディカルリハビリテーションよりもさらに活動レベルが高い「スポーツ競技復帰」をゴールとしたリハビリテーションである．よって，広義の意味で，アスレティックリハビリテーションはスポーツ選手を対象としたリハビリテーションを指し，競技レベルはレクリエーションレベルからプロレベルまでさまざまである．スポーツ選手をできる限り受傷前の身体能力に近い状態で競技復帰させ，再受傷のリスクを少なくすることが重要になる．

　一方，狭義の意味でのアスレティックリハビリテーションは，医療機関からスポーツ現場に移行する時期に行うリハビリテーションを意味する（図1）[1]．受傷後，選手はADL復帰を目指したメディカルリハビリテーションを行う．この期間は医療機関での治療や手術，リハビリテーションが行われるため，医師や理学療法士が関与することが多い．その後，徐々に身体機能が改善し，スピードやパワー回復を図ったスポーツ現場にて行うメニューが増加する．この時期に実施するリハビリテーションをアスレティックリハビリテーションと呼び，アスレティックトレーナーや理学療法士が関与することが多い．さらに，パフォーマンスレベルが受傷前近くまで回復すると，練習・試合への部分復帰が可能となり，通常の練習やトレーニングメニューを実施するリコンディショニング期に移行する．いずれの期においても，ゴールは競技復帰となるため，競技特性を理解した上でのメニューの作成やリスクマネジメントが必要となる．実践のポイントとして，①リスクマネジメント，②到達目標・時期の設定，③競技種特性の理解，④外傷発生メカニズムに基づいた展開，⑤再発予防があげられ，各競技特性やスポーツ外傷・障害に応じたリハビリテーションを講じることが重要である．

2 スポーツ外傷・障害

A スポーツ外傷・障害の分類

　スポーツ傷害は，その発生機序に基づき外傷（injury）と障害（disorder）に分けられる（表1）．
　外傷は一度の大きな外力で生じたものであり，骨折，捻挫，靱帯断裂が例としてあげられる．症状としては腫脹・発赤・熱感・疼痛・機能障害といった炎症所見を確認することができ，手術療法が行われることも多い．

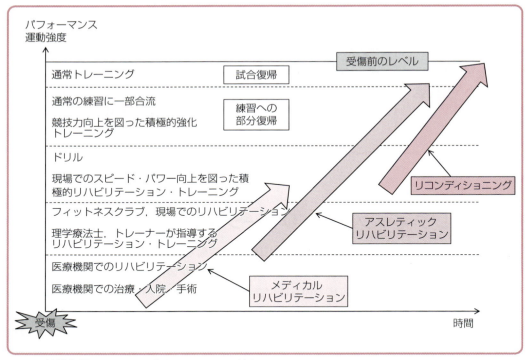

図1 競技復帰までのリハビリテーションの流れ
〔福林 徹，小林寛和：アスレティックリハビリテーションの考え方，公認アスレティックトレーナー専門科目テキスト7，日本体育協会，2007 を参考に筆者作成〕

表1 外傷と障害の分類

	外力	発症	部位	症状	予後
外傷（injury）	1回	急性	すべて	疼痛，腫張発赤，熱感	通常
障害（disorder）	反復	慢性	筋付着部 腱，靱帯，骨	主に運動時痛	治りにくい 慢性化

　一方，障害は繰り返しのメカニカルストレスや overuse syndrome（使いすぎ症候群）により生じたものであり，疲労骨折，腱鞘炎などがある．症状は主に運動時痛を訴え，慢性化することも多い．

B スポーツ外傷・障害の定義

　外傷・障害は，一般的に「受傷後初日の練習または試合に1日以上参加できなかったもの」と定義される．重症度については，おのおのの研究により若干の違いはあるが，The National Athletic Injury Registration System（NAIRS）[2]では，練習または試合に参加できなかった日数が1～7日を「minor（軽度）」，8～21日を「moderate（中等度）」，22日以上を「serious（重度）」と分類している．外傷・障害の発生率（incidence）の指標として一般的に用いられるのは

表2 スポーツ外傷・障害発生因子の分類

内的要因	構造的要因	年齢，既往歴，静的アライメント，筋形態，身体組成など
	機能的要因	筋力，筋持久力，関節可動域，関節弛緩性，ダイナミックアライメント，バランス能力など
外的要因	環境要因	天候，気温，湿度，サーフェイス，スポーツ用具など
	競技特性要因	競技の種類・方法，競技ルール，コンタクトの有無，ポジション，継続時間，競技レベルなど

「1人1,000時間当たりの発生件数」である．ただし，試合と練習ではincidenceが異なることが多いため，別々に計算することが望ましい．

豆知識

● incidence A の計算方法
exposure time（参加時間）＝試合（練習）数 × 試合（練習）時間 × プレーヤー人数
incidence A ＝（損傷人数／exposure time）× 1,000 時間

C スポーツ外傷・障害の発生要因

外傷・障害の発生要因にはさまざまなものがあり，大きく**内的要因**と**外的要因**に分類される（表2）．内的要因は選手個人の因子であり，構造的要因と機能的要因がある．リハビリテーション現場では，この内的要因をいかに改善し，スポーツ外傷・障害のリスクを軽減するかが重要になる．特に近年は，スポーツ動作を行っている際の**ダイナミックアライメント**の評価をし，損傷部位へのストレスを軽減させることが重要視されている．選手個人以外の要因は外的要因に分類され，競技を行う環境の環境因子と競技特有の因子になる競技特性因子に分けられる．外的要因が示唆される場合は，スポーツ実施環境の整備やルール改正などが必要になる．

D スポーツ外傷・障害の予防

スポーツ外傷・障害のいずれにおいても，発生機序を的確に評価し，その評価に基づいた治療・予防策を講じることが重要である．van Mechelen[3]らは，スポーツ外傷・障害を予防するためには，①傷害調査を実施し，外傷の発生率と重症度を把握する，②傷害調査の結果をもとに，傷害の原因と受傷機転，傷害のリスクファクターを把握する，③傷害のリスクファクターに対し，予防法を導入する，④再度，傷害調査を行い予防策の効果を検証する，の4段階で実施することを提唱している（図2）[3]．このサイクルを繰り返し，発生機序の分析に基づいた外傷・障害予防を行うことが重要である．

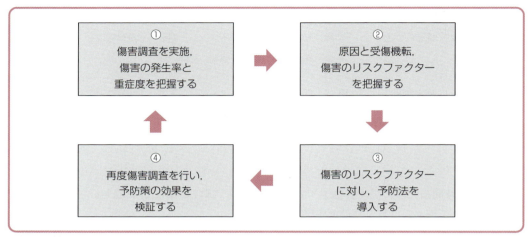

図2　傷害予防実践モデル

〔van Mechelen W, Hlobil H, Kemper HC：Incidence, severity, aetiology and prevention of sports injuries：a review of concepts. Sports Med **14**：82-99, 1992 を参考に筆者作成〕

3 アスレティックリハビリテーションの内容

A アスレティックリハビリテーションの留意点

　アスレティックリハビリテーションは，スポーツ外傷・障害により，スポーツ活動を制限または休止している者に対して，できる限り早期に，よりよい状態で復帰させるために実施する．アスレティックリハビリテーション特有の留意点として，①競技特性を踏まえたトレーニングの処方，②段階的なプログラムの処方，③患部外トレーニングの処方，④再発予防への配慮，があげられる．

①競技特性を踏まえたトレーニングの処方：各競技には競技特有の体力や動作が要求されるため，一般的なメニューだけでなく，その競技に必要な筋力や柔軟性獲得を目指し，最終的に正しい肢位で競技動作が行えるようリハビリテーションを実施する．

②段階的なプログラムの処方：リハビリテーションを実施する際は，運動負荷，運動スピード，収縮様式などを段階的に上げていく．競技によっては，対人の有無，ボールの有無，攻守の有無などについても段階を踏んでメニューを組まなければいけない（表3）．

③患部外トレーニングの処方：リハビリテーション期間中，選手の基礎体力や患部外機能の低下を防ぐため，患部外トレーニングを積極的に行う．患部外トレーニングは受傷直後の急性期から実施可能であり，競技に必要な患部外機能をできる限り低下させないメニュー作成が必要である．

④再発予防への配慮：選手はモチベーションや競技中断の焦りなどから，機能低下や関節不安定性が残存したまま競技復帰してしまうことがある．受傷要因を明確に評価し，再発予防への対策を十分施してから競技復帰させることが望ましい．また，受傷要因や再発リスクについて，選手自身に教育させることも再発予防に重要である．

3. アスレティックリハビリテーションの内容

表3 リハビリテーションプログラムの段階上げ

	段階上げ
運動負荷	軽い→重い
運動スピード	遅い→速い
運動距離	近い→遠い
運動方法	OKC（単関節）→ CKC（複合関節）
荷重	非荷重→部分荷重→全荷重
収縮様式	等尺性→求心性→遠心性
ボール	ボールなし→ボールあり
対人	対人なし→対人あり
攻守	オフェンス→ディフェンス

	目標	方法	場所
保護期	・受傷部の保護 ・炎症の除去 ・関節可動域の改善	・RICE処置 ・投薬，固定，手術 ・等尺性トレーニング	・リハビリ室
訓練前期	・全可動域確保 ・筋力強化 ・関節安定化	・等張性トレーニング （求心性→遠心性，OKC→CKC） ・スクワット ・knee bent walk	・リハビリ室
訓練後期	・筋力強化 ・協調性の改善 ・巧緻性の改善	・CKCトレーニング ・バランストレーニング ・ジョギング ・ストップ，ターン，ジャンプ	・リハビリ室 ・競技現場
復帰期	・スピード・パワーの強化 ・瞬発性の強化 ・実践経験の再獲得	・プライオメトリックトレーニング ・アジリティドリル ・対人・ボールを用いた競技動作	・競技現場 ・トレーニング室

図3 段階的アスレティックリハビリテーションの内容
〔福林 徹，小林寛和：アスレティックリハビリテーションの考え方，公認アスレティックトレーナー専門科目テキスト7，日本体育協会，2007を参考に筆者作成〕

B アスレティックリハビリテーションの流れ

アスレティックリハビリテーションを実施する際，一般的に保護期，訓練前期，訓練後期，復帰期の4段階に分けて移行していく（図3）[1]．

1）保護期

第1段階の保護期は，患部に腫張や可動域制限が残存している時期であり，主に受傷部位の保護を目的とした処置が施される．選手が受傷した場合，まずその場でRICE（安静，アイシ

ング，圧迫，挙上）などの応急処置を行う．その後，医療機関に搬送し医師の診断を受け，投薬や固定，場合によっては手術適応となる．保護期では，炎症症状の除去や可動域の改善を目的に，物理療法やROM（range of motion）エクササイズが主に行われる．この時期には患部に大きなストレスをかけることができないため，患部周辺の筋力トレーニングは等尺性で実施する．ただし，患部外トレーニングは積極的に実施し，全身機能の低下を極力防止する．特に，draw-in exerciseやbridge exerciseなどのコアトレーニングは積極的に行い，体幹安定性を高め，効率的な四肢の運動が行えるよう教育する．手術後の場合は，荷重量や関節可動範囲を制限されることがあるため，リスク管理に留意してリハビリテーションを進める必要がある．

2）訓練前期

炎症所見がほぼ消失すると，少しずつ患部に負荷を与える第2段階の訓練前期に入る．関節の全可動域獲得，関節の安定化，筋力強化を目的としたリハビリテーションを行う．訓練前期から，患部の等張性筋力トレーニングを開始するが，求心性収縮から遠心性収縮，OKC（open kinetic chain）からCKC（closed kinetic chain）のトレーニングへと段階を上げていく．OKCトレーニングはチューブや軽い重錘を用いて負荷を与える．CKCトレーニングは自重のスクワットやカーフレイズを行うことが一般的であり，スクワットではクオータースクワット（膝関節屈曲約60°）→ハーフスクワット（膝関節屈曲90°）→パラレルスクワット（大腿部が床面と平行）→フルスクワット（膝関節最大屈曲）と段階を上げていく．負荷をさらに上げる場合はフリーウェイトやトレーニングマシンを用いたトレーニングを行う．動的なトレーニングではランジやknee bent walk（KBW），ツイスティングなどを行い，ダイナミックアライメントの修正を意識しながらリハビリテーションを実施することが重要である．

3）訓練後期

第3段階の訓練後期では，筋力強化だけでなく，協調性や巧緻性の改善が目的となり，ジョギングが可能となる時期に当たる．トレーニングではCKCが中心であり，少しずつ遠心性収縮を伴うトレーニングを取り入れる．さらに，協調性改善を目的に，バランスボールやバランスディスクを用いたバランストレーニングを積極的に取り入れる．ただし，安定面において，正しいダイナミックアライメントを獲得してから，不安定面でのトレーニングを実施するよう注意する．訓練後期ではジョギングが可能となるため，体育館やコートなどスポーツ現場でのリハビリテーションを実施する．はじめは速度の遅いジョギングから開始し，カーブ走やストップ，ターンといったバリエーションを加えていく．この際のリスク管理として，健側を軸にした動作から行わせ，正しいダイナミックアライメントを健側で意識させてから患側に負荷のかかる動作へと移行する．また，ボールを使う競技の選手では，ボールを使ったトレーニングを行い，より競技特性に近づけていく．

4）復帰期

最後の第4段階の復帰期では，競技復帰を狙ったスピード，パワー，瞬発力の強化や，実践トレーニングを行う．ジャンプ系トレーニングやプライオメトリックトレーニング，ラダーやポールを用いたアジリティドリルなどが中心に行われる．ダッシュ，ストップ，ターンなどが正しいダイナミックアライメントで行われているかを確認し，競技によって，対人ありでの動作，ボールありでの動作を加え段階を上げていく．

以上のアスレティックリハビリテーションの過程を経て競技復帰する際には，表4に示す項目を確認しておく必要がある．患部の回復程度以外にも，患部外の運動機能を確認し，受傷機

表4　競技復帰時のチェック項目

No	チェック項目	具体例
1	患部の回復程度	痛み，腫張，関節不安定性など
2	患部（周囲）の運動機能	筋力，関節可動域など
3	競技に必要な体力	持久力など
4	競技に必要な動作	ジャンプ，ストップ，カッティングなど
5	受傷要因となった危険動作の有無とそれを回避する能力	knee-in & toe-out，knee-out & toe-in，過度な腰椎前弯など
6	再発予防に対する認識	継続すべきトレーニング，テーピング・装具の使用など
7	コーチ・スタッフの協力体制	段階的な競技復帰

転となったダイナミックアライメントが改善されているかが再発予防に重要である．また，画像，筋力，関節可動域などの測定や，30 m走，垂直跳び，12分間走などのパフォーマンステストを行い，客観的データを用いて競技復帰を判断する必要がある．

4 コアトレーニング

A アスレティックリハビリテーションにおけるコアトレーニング

　近年，アスリートの外傷・障害予防やパフォーマンス向上にコアトレーニングが盛んに行われている．コアトレーニングは腰椎・骨盤を中間位に保持し，体幹安定性の向上を図ったトレーニングである．アスリートに対するコアトレーニングの有効性については，腰痛からの競技復帰を早める可能性があることや，シーズン中の腰痛発症を軽減させることが報告されている[4,5]．さらにZazulakら[6]は，277名の大学生アスリートを対象に前向き研究を行った結果，膝関節外傷を負った群は体幹安定性が有意に低下していたことから，コアトレーニングは腰部障害だけでなく下肢の外傷予防にも重要であることを示唆している．国際サッカー連盟（FIFA）が推奨しているサッカー傷害予防プログラム"FIFA 11"にもコアトレーニングが組み込まれており[7]，競技現場のウォーミングアップとして用いられている．

　また，コアトレーニングはパフォーマンス向上にも有効であることが報告されている．コアトレーニングの即時的な効果として，重心動揺が改善するとの報告から，競技前に実施することの有用性が示唆されている[8]．長期的な介入では，動的バランス能力やジャンプ能力などを向上させることが報告されている[9,10]が，近年のシステマティックレビューでは，コアトレーニングがパフォーマンスを向上させるエビデンスは不十分であり，今後さらなる調査が必要であると結論づけている[11]．

B 段階的なコアトレーニング

　コアトレーニングもアスレティックリハビリテーションの全体的な流れと同様に，選手の病期や身体能力に合わせて「段階的」に実施される．コアトレーニングの基本的な段階づけとし

図4　draw-in exercise

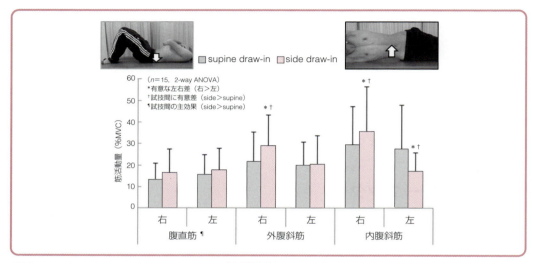

図5　supine draw-in と side draw-in（右側臥位）時の腹部筋活動量
内腹斜筋は side draw-in 時に右側で有意に活動量が大きく，左側は有意に小さい．外腹斜筋は side draw-in の右側で有意に活動量が大きいのに対し，腹直筋では左右差はないが side draw-in で活動量が大きい．

て，①体幹深部筋の選択的収縮，②抗重力位での体幹筋群の共同収縮，③機能的な動作時の体幹安定性獲得，の3段階に分けられる．

　第1段階の「体幹深部筋の選択的収縮」で基本となるのが，腹部引き込みによる **draw-in exercise**（図4）である．背臥位にて，下腹部の筋収縮を意識し，息を吐きながら腹部を引き込ませる．腹横筋の選択的収縮を促通させる手技であり，腹直筋や外腹斜筋に過剰な収縮を生じさせないことに注意する．本トレーニングは大きな関節運動を伴わない運動のため保護期から積極的に実施し，体幹深部筋機能の向上を図る．一側の腹横筋を促通する場合は，促通する側を下にした側臥位で draw-in を行う side draw-in が有効である．

　大久保らは，背臥位の draw-in（supine draw-in）と右側臥位での draw-in（side draw-in）の腹部筋活動量を比較したところ，右内腹斜筋の筋活動量が supine draw-in（右：29.4 ± 17.8% MVC，左：27.6 ± 20.3% MVC）よりも side draw-in（右：35.4 ± 21.1% MVC，左：17.1 ± 8.6% MVC）で有意に大きく，左側で有意に小さかった[12]（図5）．よって，腹斜筋群へ片側性に大きい刺激を入れるには side draw-in が有効である．ただし，side draw-in では側臥位による重力の影響から，下側の外腹斜筋や腹直筋の活動量も大きくなる傾向があることを考慮しておく必要がある．

　draw-in を獲得した後，腹部引き込みを行わせながら上部体幹を屈曲させる **draw-in＋**

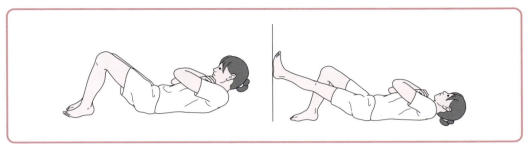

図6　draw-in＋crunch（左），draw-in＋SLR（右）

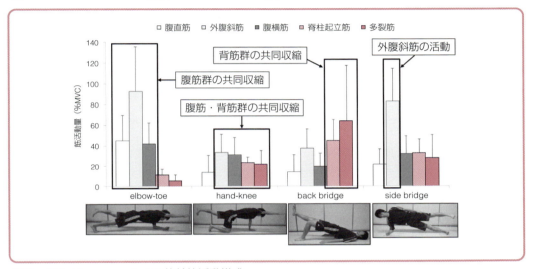

図7　各 bridge exercise の体幹筋活動様式
elbow-toe では腹筋群の共同収縮，hand-knee では中等度の腹筋・背筋の共同収縮，back bridge では背筋群の共同収縮，side bridge では外腹斜筋の活動量が大きくなる．

crunch や，下肢を伸展挙上させる draw-in＋SLR（straight leg raising）（図6）を行う．draw-in＋crunch では腹横筋と上部腹筋群，draw-in＋SLR では腹横筋と下部腹筋群や股関節屈筋群の共同収縮を促通することができる．draw-in＋SLR において体幹安定性が獲得されている場合，骨盤の運動は生じず股関節の屈曲運動のみが生じるため，骨盤の代償運動に注意して観察する．

コツ

● draw-in 時の腹横筋と内腹斜筋の収縮の判別
　draw-in 時は上前腸骨棘の内側で内腹斜筋および腹横筋の筋層を触診して筋収縮を確認する．draw-in 初期に外側へ滑走する感覚を指先に感じるのが腹横筋の選択的収縮である．一方，draw-in 中期〜後期に触診部位が硬くなり，指が上方へ押し返される感覚が主に内腹斜筋の収縮となる．

　保護期においてこれらの基礎的なコアトレーニングを行った後，訓練前期〜後期では第2段階の「抗重力位での体幹筋群の共同収縮」を狙った bridge exercise を行う．大久保らは，ワイヤ電極を用いて各エクササイズの収縮様式を検討した結果，elbow-toe が腹筋群の共同収縮，back bridge が背筋群の共同収縮が生じる傾向を示し，hand-knee では 30 〜 40% MVC の腹筋・背筋群の共同収縮を示した[13, 14]（図7）．本結果より，bridge exercise では床面に面している

体幹筋群の共同収縮を示し，促通したい部位に応じたエクササイズを処方する．さらに，front bridge の段階上げとして，hand-knee → elbow-knee → elbow-toe の順に負荷が上がる．これら 3 つの front bridge 時の筋活動量は，elbow-toe で腹部グローバル筋（腹直筋，外腹斜筋）の活動量が有意に大きいのに対し，腹横筋の活動量は 3 つのエクササイズで有意差を認めなかった．さらに，股関節周囲筋においては，大腰筋（ワイヤ電極を刺入）の活動量が elbow-knee および elbow-toe exercise で大きいのに対し，大腿直筋の活動量は elbow-toe でのみ（右上肢・左下肢挙上：56.2 ± 41.4% MVC）で特異的に大きかった[15]．以上より，負荷が大きい elbow-toe では体幹筋・下肢筋ともにアウターマッスルの活動が大きくなるため，深部筋機能に焦点をおいた安定性の評価には elbow-knee が適していると考える．

また，bridge exercise の段階を上げる際，バランスボールなどを用い不安定面上で実施されることがあるが，不安定面上でのコアトレーニングは体幹表層筋の筋活動量を増加させることが報告されており[16]，体幹深部筋の促通が不十分な選手に対して実施する場合は注意が必要である．

ポイント

表 5 に各体幹筋の賦活化に有効なコアトレーニングをまとめた．運動処方の際に参考にしていただきたい．

表 5　各体幹筋の促通に推奨されるコアトレーニング

対象筋	推奨されるコアトレーニング
腹横筋	draw-in
片側の腹部深部筋	side draw-in elbow-knee 同側上肢挙上 ＊elbow-toe では腹部表層筋の活動が上がる
腹筋群（負荷：高）	elbow-toe
背筋群	back bridge
片側の多裂筋	hand-knee 同側下肢挙上
外腹斜筋，腰方形筋	side bridge
腹筋・背筋の共同収縮（負荷：低〜中）	hand-knee
大腰筋	elbow-knee 同側上肢・対側下肢挙上 ＊elbow-toe では大腿直筋の活動が上がる

訓練後期〜復帰期では，より競技動作・環境に近いコアトレーニングに段階を上げる．まず，スポーツ動作の中で基本的な動作となるオーバーヘッドスクワットやランジ（図 8）にて，腰椎骨盤を中間位で行えるよう指導する．さらに段階が上がると，プライオメトリック要素を取り入れたドロップジャンプなどのメニューに移行する．Okubo ら[17]は，ジャンプ動作時に腹筋群は深部筋から表層筋（腹横筋→外腹斜筋→腹直筋）へと順に活動が開始し，離地直前に腹筋群の筋活動量が高まることを報告しており，ジャンプ動作においても体幹筋の協調性が重要であり，体幹筋機能不全によるアライメントの乱れなどを観察する必要がある．最終的には，各競技に求められる動作において体幹安定性を保持した動作が可能であるか否かを確認し，競技復帰させる必要がある．

図8　オーバーヘッドスクワット（a）とランジ（b）

オーバーヘッドスクワットでは腰椎骨盤を中間位に保持し，上肢，体幹，下腿前傾角度が平行になるよう指導する．ランジにおいても腰椎骨盤中間位に注意し，前額面では knee-in や骨盤の側方傾斜が生じないよう指導する．

・文　献・

1) 福林　徹，小林寛和：アスレティックリハビリテーションの考え方．公認アスレティックトレーナー専門科目テキスト 7, 日本体育協会，東京，p2-14, 2007
2) Adamczyk G, Luboiński Ł：Epidemiology of football — related injuries（part I）. Acta Clinica **2**：236-250, 2002
3) van Mechelen W et al：Incidence, severity, aetiology and prevention of sports injuries：a review of concepts. Sports Med **14**：82-99, 1992
4) Durall CJ et al：The effects of preseason trunk muscle training on low-back pain occurrence in women collegiate gymnasts. J Strength Cond Res **23**：86-92, 2009
5) Childs JD et al：Effects of traditional sit-up training versus core stabilization exercises on short-term musculoskeletal injuries in US Army soldiers：a cluster randomized trial. Phys Ther **90**：1404-1412, 2010
6) Zazulak BT et al：Deficits in neuromuscular control of the trunk predict knee injury risk：a prospective biomechanical-epidemiologic study. Am J Sports Med **35**：1123-1130, 2007
7) Kilding AE et al：Suitability of FIFA's "The 11" training programme for young football players — impact on physical performance. J Sports Sci Med **7**：320-326, 2008
8) 今井　厚ほか：異なる体幹エクササイズが静的バランスに及ぼす影響．日臨スポーツ医会誌 **20**：469-474, 2012
9) Filipa A et al：Neuromuscular training improves performance on the star excursion balance test in young female athletes. J Orthop Sports Phys Ther **40**：551-558, 2010
10) Butcher SJ et al：The effect of trunk stability training on vertical takeoff velocity. J Orthop Sports Phys Ther **37**：223-231, 2007
11) Reed CA et al：The effects of isolated and integrated 'core stability' training on athletic performance measures：a systematic review. Sports Med **42**：697-706, 2012
12) 神部周仁ほか：側臥位での draw-in が筋活動および姿勢制御に及ぼす影響．日臨スポーツ医会誌 **28**：98-106, 2019
13) Okubo Y et al：Electromyographic analysis of transversus abdominis and lumbar multifidus using wire electrodes during lumbar stabilization exercises. J Orthop Sports Phys Ther **40**：743-750, 2010
14) 大久保　雄：体幹のスタビリティの向上．臨床スポーツ医学 **33**：936-941, 2016
15) 大久保　雄，金岡恒治：コアスタビリティトレーニングの筋電図学的特性．理学療法 **34**：879-886, 2017
16) Imai A et al：Trunk muscle activity during lumbar stabilization exercises on both a stable and unstable

surface. J Orthop Sports Phys Ther **40**：369-375, 2010
17) Okubo Y et al：Abdominal muscle activity during standing long jump. J Orthop Sports Phys Ther **43**：577-582, 2013

章 上肢のリハビリテーション

1 肩関節

A 五十肩（肩関節周囲炎）

病態

　五十肩は，「中年以降に，加齢的退行変性を基盤として発症する疼痛性肩関節制動症」と言い換えることもでき，肩関節痛と可動域制限を主徴としている症候群である．

　外傷などの明らかな原因はなく，進行した時期の典型的な症状は，急な肩関節痛とともに徐々に可動域の減少が生じ，運動制限はすべての方向に及び，特に結髪・結帯障害とも呼ばれるように，髪が結えない，帯が締められないなど，主に女性の日常での生活障害ともとらえられていて，外転，内・外旋制限が著しい．

　肩関節周囲の肩峰下滑液包炎や，上腕二頭筋長頭腱の炎症が肩関節包に及び，関節の拘縮をきたすことにより，疼痛と肩関節の可動域制限が発現すると考えられており（図1），通常1～2年程度で自然治癒する．

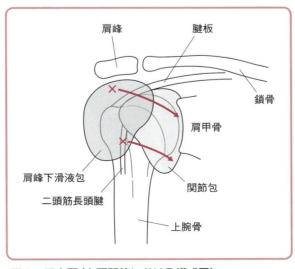

図1　五十肩（右肩関節における模式図）

症状・診断・病期

40〜50歳代に好発して，肩関節の疼痛は主に運動時痛，夜間痛であるが，急性期では，腕を急に上げたり，伸ばしたときに激痛が生じることがあり，慢性期では関節の可動域制限に伴う疼痛である．

特徴的な臨床所見は，関節拘縮による可動域制限（挙上障害，内・外旋制限）であり，診察により診断され，単純X線，MRIなどの画像診断では，異常所見，特徴的な所見はみられないが，関節造影では関節包の縮少が確認できる（図2）．

五十肩には3つの病期があり，それぞれ特徴的な臨床症状を呈する．急性期は炎症期とも呼ばれ，疼痛性筋性攣縮期であり，可動域制限はあまりない．慢性期は拘縮期とも呼ばれ，関節包や関節周囲の軟部組織の癒着によるものであり，可動域制限がもっとも高度となる．回復期は，緩解期とも呼ばれ，関節拘縮の状態が改善していく時期であり，全体としての病期は1〜2年程度である．

リハビリテーション以外の治療法

保存治療にて効果のみられない症例に対しては，全身麻酔下でのマニピュレーション，さらには，関節鏡を用いて関節包切開術が行われるが，適応となる例は少ない．

運動器リハビリテーション治療

肩関節周囲炎に対する治療は，保存的治療が第一選択で，その目的は，1）疼痛の軽減，2）肩関節可動域の保持，改善による日常生活の回復ということができる．

1）疼痛の軽減

肩関節周囲炎のすべての病期を通じて，温熱療法（ホットパック，超音波，極超短波など）は，重要な治療法である．

急性期では，症状に応じて冷湿布なども用いられるが，局所の循環改善，除痛，筋痙縮の軽減のために，温熱療法や自宅での入浴，シャワーでの加温が推奨される．また，疼痛の改善，炎症の消退の目的で，肩峰下滑液包，関節包などへの注射療法（ステロイドなど），消炎鎮痛薬の内服，貼付剤による治療も行われる．

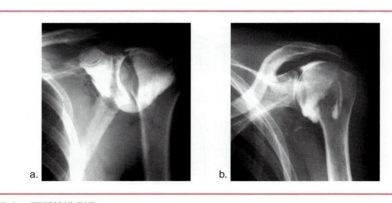

図2　肩関節造影像
　a：正常　b：五十肩（拘縮による関節包の縮小を認める）

2）肩関節可動域の保持，改善

肩関節周囲炎の病期に分けて，可動域改善訓練法を提示する（表1）．

a. 急性期（炎症期）

急性期は肩関節の拘縮は認められず，肩関節の運動によって疼痛が誘発される時期であり，治療としては局所の安静が基本である．日常生活での疼痛誘発動作を避け，ときには三角巾で患側上肢を保持することも推奨され，患側を下にしての睡眠も疼痛を誘発する可能性があるので避ける．

急性期における肩関節の可動域訓練は，日常生活で肩関節の使用を制限するために，拘縮予防としての可動域保持が推奨され，具体的にはおじぎ体操，振り子運動が行われる．

①**おじぎ体操**（図3）：立位にて，上体を徐々に約90°程度まで前屈していきながら，両上肢の力を抜いて手をブラリと下げる（この位置は肩関節90°屈曲の位置であり，重力を利用して肩に負担をかけずに，屈曲位をとることができる）．おじぎの位置を5秒程度保持して，元に戻り，5回繰り返す．

②**振り子運動（前後運動）**（図4）：立位でテーブルの横に立ち，健側の手をテーブルの上に置

表1　肩関節周囲炎の病期別の運動療法

病　期	運動療法
急性期（炎症期） （安静・除痛 可動域維持）	・おじぎ体操 ・振り子運動（前後方向） ・コドマン（Codman）振り子運動
慢性期（拘縮期） （可動域改善 関節ストレッチ）	・挙上介助運動 ・内・外転介助運動 ・内旋介助運動 ・コドマン（Codman）振り子運動 ・棒体操 ・滑車運動
回復期（緩解期） （可動域改善 筋力強化）	・筋力強化 ・スポーツ活動

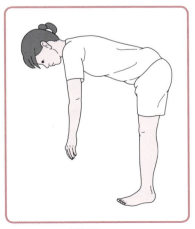

図3　おじぎ体操

図4　振り子運動（前後運動）

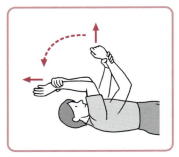
図5　挙上介助運動

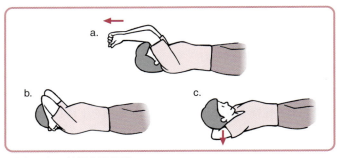
図6　内・外転介助運動

いて上体を支え，上体を約90°程度まで前屈していきながら，患側上肢の力を抜いて手をブラリと下げる．この姿勢を基本姿勢として，患側の上肢を前後にゆっくり振る．振り幅は30～40 cm程度で，痛みをあまり感じない範囲として，5～10回程度を1セットとする．

③コドマン(Codman)振り子運動：前後・内外方向への円運動であるが，急性期から慢性期への移行の時期での運動が最良と考えられ，具体的な方法は次の慢性期の項で述べる．

b. 慢性期(拘縮期)

慢性期は，肩関節包ならびに周囲の軟部組織の癒着などにより，可動域制限が出現している時期であり，肩関節の現状の可動域を越えて動かそうとするときに，強い疼痛を自覚するものの，積極的に可動域改善訓練を行う必要がある．拘縮の強い場合には，他動訓練(モビライゼーション)も行われるが，施行者には事前の教育，訓練が必要であり，安易に行うべきではない．

肩関節運動の基本的運動は，挙上，外旋，内旋であり，この運動を拘縮肩において，いかに肩関節への負荷を少なくしつつ，かつ有効に行うかがもっとも重要な点である．その観点からも，次に記載する挙上介助運動，内・外転介助運動，内旋介助運動は，その理論にかなうもっとも有用な運動といえ，可動域拡大の目的を理解して，少し痛みを感じる位置まで動かすこともポイントである．

①挙上介助運動(図5)：床などの平らな場所で必ず仰臥位となり，健側で患側の手首をつかみ，保持したまま腕を上げ，患側の腕を肩関節が90°になるまで引き上げる．少し痛みを感じる程度まで，最大限挙上して3秒間程度，この位置を保持して元の位置まで戻す．5～10回繰り返すが，このとき，患側には力を入れず，健側のみで介助して行うのが，介助運動のポイントである．さらに，90°以上に挙上が可能であれば，健側の手で患側の肘の後面(上腕三頭筋側)を押して，少しでも180°に近づけるべく積極的に行う必要がある．

また，この運動は制限された可動域を改善するためのストレッチ運動でもあり，少し痛みを感じる位置まで挙上(押上げ)しなければ意味がない．

②内・外転介助運動(図6)：床など平らな場所で必ず仰臥位となり，健側の手で患側の手を持って，徐々に挙上していき，首の後ろで両手を組み，両肘が床につくようなイメージで両肩を同時に開く(外転する)．次に，頭を挟むように両肘を，顔の前で付けるように寄せる(内転する)．肘を開く(肩外転)，肘を寄せる(肩内転)ときに3秒間程度，それぞれの動きを少しでも改善するように努力して，可動域の改善を図る．5～10回繰り返し，患側は，健側と左右対称となるようなイメージで行うのがよい．

③内旋介助運動(図7)：坐位にて，両手を背中に回し，健側で患側の手首を持ち，健側でゆっ

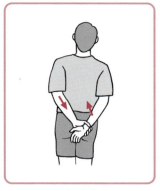
図7 内旋介助運動

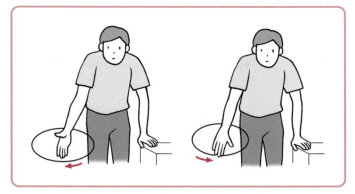
図8 コドマン振り子運動（内外方向への円運動）

くり上方に引き上げる．患側の手は開き，親指が背骨に沿うように少し痛みを感じる位置まで上げていき，3秒間程度止めて，下に戻す．5～10回繰り返す．

④コドマン振り子運動（図8）：立位でテーブルの横に立ち，健側の手をテーブルの上に置いて，上体を約90°程度まで前屈していきながら，患側上肢の力を抜いて手をブラリと下げる．この姿勢を基本姿勢として，患側の上肢を円を描くように（肩が円錐運動の頂点となるように），ゆっくり振る．振る円形の直径は，40～50 cm程度で，痛みをあまり感じない範囲として，右回りを10回程度行い，その後左回りも10回程度行って，合計20回り程度を1セットとする．

⑤棒体操（図9）：健・患側の手で棒を保持して，健側で誘導しながら行う肩の介助運動法である．

　ⓐ外旋補助運動：仰臥位にて両肘を90°に曲げて，身体の前に棒（40～50 cmの長さ）を保持して，健側の手の掌から患側の掌に向けて押し，肩関節の外旋運動を行う．3秒間程度止めて，元に戻し，5～10回繰り返す．そのとき，患側の肘下にタオルなどの滑り止めを置き，肘が身体から離れて，肩の外転運動にならないように注意する．

　ⓑ伸展補助運動：立位にて，後方に両手で棒（40～50 cmの長さ）を保持して，健側で患側を誘導しながら後方に，少し痛みを感じる位置まで徐々に上げる．3秒間程度その位置を保持して，下方に戻し，5～10回繰り返す．

⑥滑車運動（図10）：滑車を通した紐を両手で保持して，健側を引き下げることにより，他方の患側が挙上していき，挙上補助を行うこととなる運動法である．ただし，この運動は可動域が130°程度得られた後の肩甲運動リズムの獲得に用いるべきで，拘縮肩に対して挙上可動域改善のために滑車を用いるのは肩峰下における炎症などを誘発する可能性があるため，注意を要する．

　c．回復期（緩解期）

　回復期は，可動域も徐々に回復してきた時期であり，疼痛はあまりない．関節可動域に関しては，介助運動などによりさらなる改善を図るが，一方では積極的な日常生活，スポーツ活動にも徐々に復帰していく時期でもある．

　回復期における重要なリハビリテーションのポイントは，肩周辺筋群の再強化である．急性期，慢性期では，積極的な肩関節の使用もできなかったことから，肩関節周辺筋群は筋萎縮を生じ，筋力が低下している．肩周辺筋群の中でも，腱板筋力の回復に努めることは，肩関節運

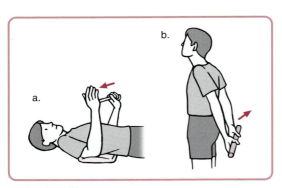

図9 棒体操
a. 外旋　b. 伸展

図10 滑車運動

動の安定性を再構築する上でも，必須事項といえる．具体的な腱板の筋力強化法は，図14を参照されたい．

> ● 五十肩
> 　五十肩は，加齢的退行変性に伴う，疼痛性の肩関節制動症といえる病態である．治療の目標は，疼痛の軽減，肩関節可動域の改善による日常生活の回復であり，温熱療法は基本的で有効な治療法である．
> 　急性・慢性・回復期の各病期に対応した可動域改善運動療法を行う．慢性期（拘縮期）の可動域改善には，挙上・内外転・内旋の介助運動による関節ストレッチが推奨され，一般的に3〜8ヵ月くらいの期間が必要である．

B 腱板損傷

病態・症状

　腱板（rotator cuff，ローテーターカフ）とは，肩甲骨から上腕骨骨頭を包むようにして伸びる4つの回旋筋群（棘上筋，棘下筋，小円筋，肩甲下筋）の総称で，その機能は肩関節挙上時には三角筋の補助的な作用としての上腕骨骨頭の安定化，回旋などを行う重要な筋群である．加齢などの退行性変化に伴って変性した腱板に，生活の中で生じる微小な外傷が重なることにより断裂を発症することが多く（図11），60歳以上の高齢者では明らかな外傷歴のないケースが多く存在する．

　夜間痛，運動時の疼痛などの鈍痛が，長期間にわたって持続することが多く，激痛といえる痛みを訴えることは少ない．腱板断裂における特徴的な疼痛としては，腕の挙上や降下時（内・外転時）に，ある一定の角度において疼痛が生じる"painful arc"がある．

　一方，原則的に可動域制限は少ないものの，筋力低下により物を上に持ち上げられない，自然に手が落下する（drop arm sign，図12），などの特有の筋力低下の症状を呈する．また，断裂の程度により，完全・不全断裂がある．

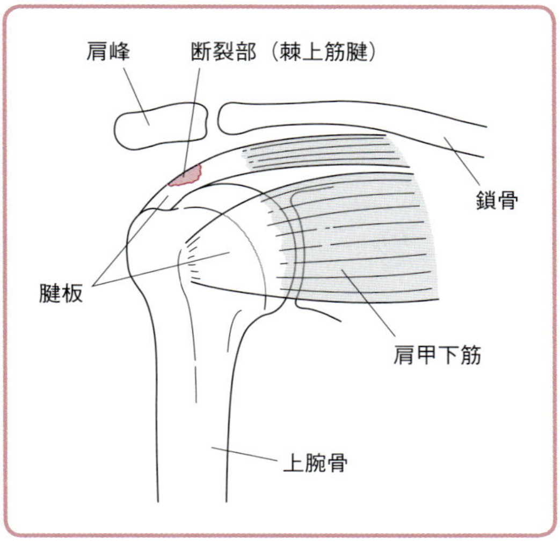

1. 肩関節

図11 腱板断裂（右肩関節における模式図）

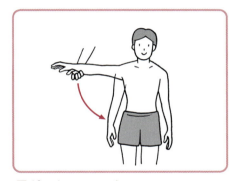

図12 drop arm sign

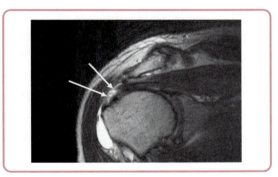

図13 腱板断裂 MRI T2 強調画像（矢印：断裂部）

診 断

棘下筋萎縮，筋力低下，インピンジメント徴候などの臨床所見のほかに，MRI（図13），超音波検査，関節造影などにより断裂部の存在を確認することにより診断される．鑑別診断としては，腱板不全断裂と五十肩（肩関節周囲炎）の鑑別がむずかしく，MRI の精度が上がった今日でも，決してやさしいものではない．

リハビリテーション以外の治療法

発症当初は消炎のための薬物療法，注射療法（Ⓐ五十肩を参照）などの保存治療が行われるが，疼痛や筋力低下が残存する場合には，観血的または鏡視下の腱板縫合術が行われる．しかし，観血的治療にも術後の運動器リハビリテーション的治療は，必須である．

運動器リハビリテーション治療

腱板断裂における治療は，①可動域の改善，②腱板の筋力強化である．
可動域改善のためには介助運動，拘縮を伴った例では徒手による他動訓練（モビライゼーシ

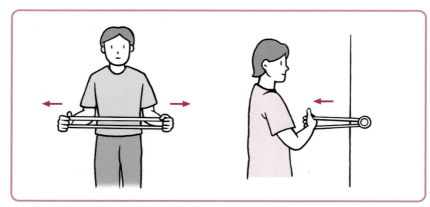
図14　腱板強化訓練（外旋筋，内旋筋）

ョン）の併用，介助運動などにより可動域の改善を行う．初期には臥位での挙上介助運動などの介助運動（図5〜7）によって可動域の改善を図ることが重要で，さらに無負荷で机上の回旋運動から開始して，徐々に坐位や立位の訓練に移行する．

　筋力増強訓練は，腱板の残存筋力を強化して，上腕骨頭の安定性を得ることを目的にした大切な治療法であり，外旋・内旋の筋力強化法を，以下に紹介する．

①**腱板外旋筋力強化（図14左）**：立位，または坐位にて両肘を90°に曲げ，両前腕は肩幅として，前方に出した位置を基本肢位とする．両手で，輪にしたゴムバンドを保持し，左右同時に外旋していき，最大角度となった所で3〜5秒間程度止めた後，基本肢位に戻す．このとき，両肘が身体から決して離れないように，また，手関節が背屈しないように注意する．もし，肘が離れてしまえば，肩の外転運動となり，外旋筋力強化法にはならないためである．10回を1セットとして，徐々に3セット位まで増やしていく．

②**腱板内旋筋力強化（図14右）**：立位で，肘は90°に曲げ，内旋して，前腕は前方に出した位置を基本肢位とする．前述の輪にしたゴムバンドを用い，輪の一方をドアノブ，またはフックなどに掛け，一方を手で保持して，徐々にみぞおち当たりに引き付けるようにして，3秒間程度止めた後，基本肢位に戻す．このとき，肘が身体から決して離れないように，また，手関節が掌屈しないように注意する．10回を1セットとして，徐々に3セット位まで増やしていく．

Note

● **肩腱板損傷**

　65歳以上の高齢者の慢性肩関節痛では，腱板損傷（断裂）を第一に考慮する必要がある．治療の基本は，日常生活上での疼痛の軽減，肩関節の可動域保持・改善訓練，筋力強化訓練を並行して行うことである．

　筋力強化訓練は，腱板の残存筋力を強化し，上腕骨頭の安定性を得て，日常生活動作の改善のために重要な治療法である．なお，保存的治療に抵抗する例に対して，外科的治療（鏡視下腱板再建術など）が行われる．

C 上腕骨近位端骨折

病態・症状

　高齢者（特に女性）が転倒することにより発症することが多く，多くは骨粗鬆症を基盤とした上腕骨外科頸骨折をきたす．臨床的な分類としてNeerの4-part分類が用いられることが多

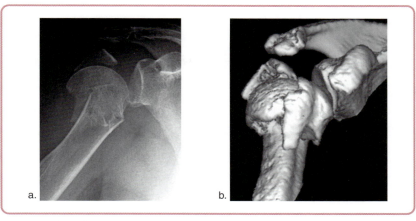

図 15 上腕骨近位端部骨折（3-part 骨折）
a：単純 X 線前後像　b：3D-CT 像

く，この分類は上腕骨近位端部を，骨頭，大結節，小結節，骨幹部の 4 部位に分けており，各部位の転位の程度により治療の方針も推薦されている．

診　断

正確な単純 X 線像の 2 ないし 3 方向により診断可能である．小結節の骨折の合併は診断が困難なことが多く，CT 検査も行うことがある（図 15）．

リハビリテーション以外の治療法

転位のない骨折や，外科頚 2-part 骨折では保存治療が行われる．転位のある 2-part 骨折以上では骨接合のために手術療法が行われ，4-part 骨折では人工骨頭置換術が行われることが多い．手術療法は，いかに早期に肩関節の運動療法を開始できるかという目的で行われると言っても過言ではなく，術後の可動域訓練は必須事項である．

運動器リハビリテーション治療

保存・手術治療においても可動域改善訓練を行うが，骨折部の安定性や骨癒合状況の判断が極めて重要であり，それによりリハビリテーションの開始時期も決定される．

可動域訓練は早期に開始するのがよいのはいうまでもないが，患者の疼痛や不安が少なく，骨折部に負荷のかからない方法をとるべきである．一般的には，上体を前屈した振り子運動（図 4，8）から開始して，骨折部の状況をみながら介助運動（図 5），自動運動へと進めていく（156 頁，b．慢性期の項を参照）．

2 肘関節

A 骨折などの外傷後拘縮

病態・症状

　肘関節周辺の外傷では，上腕骨顆上骨折，同通顆骨折，尺骨肘頭骨折，橈骨近位端（橈骨頭，頚部）骨折が代表的であり，さらに脱臼骨折，捻挫が含まれる．いずれの外傷でも手術加療の適応になることも多いが，関節可動域制限が頻発しやすい部位であり，迅速かつ慎重な対応が要求される．

リハビリテーション以外の治療法

　手術療法の選択を常に考慮しながら，ギプスなどによる局所固定から装具などを駆使してリハビリテーションに移行させる保存療法の可能性も追求する．近年は高齢者の通顆骨折に遭遇することが増加しており，種々の要因で手術加療ができないことも多い．捻挫（靱帯損傷）であれば，X線透視下による安定性の確認を経て手術適応か否かを判断する．

運動器リハビリテーション治療

　手術加療のあるなしにかかわらず，関節可動域の改善を第一に図る．しかし，暴力的な他動的可動域訓練は疼痛増強による患者の心理的負担を無用に増大させるだけでなく，骨化性筋炎などの不可逆的合併症をきたす可能性があるので禁忌である．可動域訓練としてCPM装置を使用することもあるが，それだけで目覚ましい効果は期待できないので，他動的可動域訓練を積極的に行う．関節の腫脹や熱感がまだ強いと判断されれば，アイシング（上腕骨の内側と外側を中心に）をしてから実施する．そうでなければ温熱療法（ホットパックを関節に巻き付けるなど），渦流浴，超音波照射（上腕骨顆部の内側と外側を中心に）などを行ってから開始する．
　軽度の可動域制限であれば，患者を臥床させ，肘関節90°屈曲位を基本位置として屈曲と伸展を行う．患者自身には力を入れないように指導しながら，リハビリテーション担当者の片手を患者の前腕から手関節部に当てながら，ゆっくりと押して屈曲させる（図16 a）．屈曲しにくくなったら，そこでしばらく若干の屈曲力を加えながら肘関節周囲が弛緩することを待つ．"フッ"と緩む感覚を触知できればさらに屈曲させ，これを繰り返しながら屈曲角度の増大に努める．逆に伸展時はゆっくりと伸展させ，抵抗が出てきたときは同様に弛緩を待って伸展を進める（図16 b）．このように関節可動域訓練は関節周囲の硬直状態に合わせて段階的に行い，決して画一的な速度や強度で行うべきではない．前腕の肢位は一般的には回外位にして実施するが，回内位にして行うことが有効なこともある（図17）．
　高度の可動域制限がある場合，肩関節の可動域制限を合併していることも多く，肩関節も同時に可動させて協調性の改善に努める．肩関節前方挙上90°としながら肘関節を屈曲させてゆくが，患者自身にも自動的な肘屈曲を意識させ，リハビリテーション担当者は肩と肘の両者の肢位を保持するように介助する（図18 a）．伸展時は患者を極力ベッドの端に臥床させて，患肢がベッドから容易に離れるようにしておいて，肘の自動伸展を意識させつつ肩関節を後方挙上させるように介助する（図18 b）．側臥位で行えば両者を交互に行うことも可能である．
　なお，靱帯損傷後の可動域訓練については，前腕肢位と可動域の許容範囲を担当医に確認し

2. 肘関節

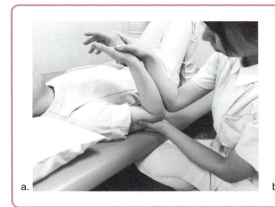
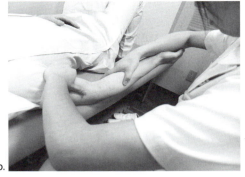

図16 肘関節の他動的可動域訓練
a. 屈曲時の様子．上腕三頭筋に手を当てがい，筋緊張を触知しながら屈曲力を柔らかく加えてゆく．リハビリテーション担当者はなるべく自身の前腕全体を患者の前腕に添えるようにして，手指だけで押し込むようにはしないよう注意する．
b. 伸展時の様子．上腕筋と上腕二頭筋に手指を当てがいながら，屈曲時と同様に筋緊張に注意しながら伸展力を加える．やはり前腕全体を使って伸展させるようにする．

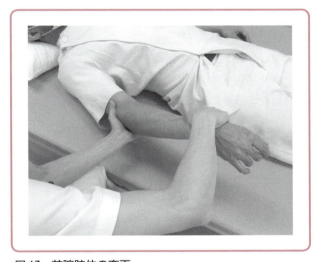

図17 前腕肢位の変更
肘の他動的屈伸運動は通常，前腕が回外位で行われることが多いが，回内，回外動作も障害されることも多く，回内位で実施するとよい場合もある．

ながら実施する．また，小児の肘関節周囲外傷では他動的訓練を要することはまれであり，家族と入浴するときを利用して（温熱療法に相当），両上肢を使って自動的可動域運動を行うように指導する．

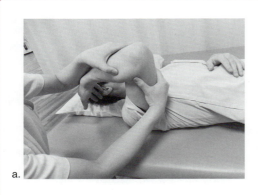
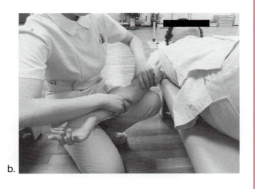

図18 肩関節も含めた総合運動の実施

a. 可動域制限が高度な場合，肩関節も同時に可動域訓練を行う．上腕三頭筋は一部が肩甲骨に付着しているので，肩関節を前方挙上させることでより伸展効果が得られる．同時に患者が肘屈曲を意識することにより相反抑制効果の出現も期待される．

b. 伸展時には肩関節後方挙上により上腕二頭筋により強い伸展効果が期待される．患者の患肢をベッドから少し離すようにして，リハビリテーション担当者の大腿部で患肢を保持すると上肢全体が安定しやすい．

B 野球肘

病態・症状

　成長期（小学生から高校生くらいまでの時期）に過度の投球動作を行うことによって生ずる肘関節障害の総称で，骨軟骨損傷，靱帯損傷，腱損傷，神経障害など，さまざまな要因が想定される．肘関節の運動時痛や関節可動域制限が起こり，ロッキング（急に動かせなくなること）を生ずることもある．

リハビリテーション以外の治療法

　肘関節の腫脹と疼痛が生じて，X線像などでも何らかの骨性変化が確認されれば（図19 a, b）投球動作の禁止を指示する．日常生活においても重量物を患肢では持ち上げないような指導も必要である．期間は最低でも3ヵ月を要するが，本人も含めて周囲を説得するのに困難を感じることも多い．無理をすれば野球続行が不可能になりうることを丁寧に説明し，気持ちを落ち着けて療養することの重要性を十分に納得させる．

運動器リハビリテーション治療

　肘の関節以外に，体幹，肩関節の筋力と可動域，通常の姿勢（起立したときに左右バランス不良がないかどうか）と投球動作時の姿勢（振りかぶりからフォロースルーまでの一連の動作で肩から手指までが1つの平面上で動いているかどうか）をチェックする．野球肘は野球肩と同様，上肢から体幹全体のバランス確立が極めて重要である．したがって，肘関節の機能訓練だけでなく，体幹と下肢の筋力向上，肩関節の可動域訓練と正常の肩甲上腕リズムの獲得，患側だけでなく健側も含めた上肢の筋力トレーニングとストレッチを重点的に行う．そうすることで，バランスの悪さから肘に障害が生ずるということを本人や周囲が認識することにもつながる．

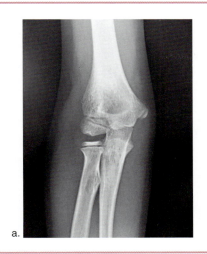
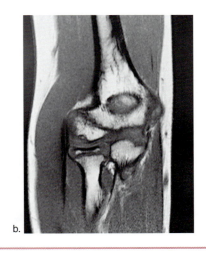

図19 15歳，男性症例
a. 単純X線像．上腕骨先端部外側の上腕骨小頭部に骨性陥凹が認められる．なお，こうした所見は通常のX線撮影法では見出せないことがあり，この症例も正面像は屈曲30°で撮影している．
b. MRI所見像．単純X線像で確認された骨性陥凹部分に一致して，同様の陥凹所見とともに，その中に浮遊した骨性成分も認められる．

C 上腕骨外側上顆炎（テニス肘）

病態・症状

テニスやゴルフなどラケットなどを持って行うスポーツ愛好者ばかりでなく，中年以降の成人にも多く発症する．物を取ろうと手を伸ばしたり，持ち上げようとして力を入れたり，ペットボトルのキャップを開けようとしたりするときに肘関節の外側に疼痛が生ずる．

リハビリテーション以外の治療法

疼痛が著しい場合，疼痛部位に局所麻酔薬やステロイド薬を注射することがある．湿布剤（パップなど）や消炎鎮痛軟膏などの外用剤もある程度の効果が得られる．前腕にベルトのような簡易装具を巻きつけて，筋の収縮力が疼痛部位に伝わらないように工夫することもある．

運動器リハビリテーション治療

現在は上腕骨外側上顆に付着する筋のうち，短橈側手根伸筋の起始部の障害説が有力であるが，外側上顆ではなく外側上顆と尺骨肘頭部との間の軟部組織に疼痛を感じる患者も多い．リハビリテーションの要点としては，肘と手関節のストレッチだけではなく，肩関節を含めた自動運動を行わせる．入浴やシャワーなどで上肢全体を温めた後，立位で両側同時に手指最大屈曲，手関節掌屈，肘関節屈曲，肩関節はやや内転させ肘と上腕が前側胸部につくようにして，その肢位を約3秒間保持させる．次に，手指最大伸展，手関節背屈，肘関節伸展，肩関節は軽度外転と後方挙上（45°を目標）としてこの肢位をやはり約3秒間保持．このとき，特に運動の開始直後は疼痛が生じやすいが，怖がらずに続行させる．実施しているうちに疼痛が軽減してくるので，これを交互に約10〜20回繰り返すように指導する（図20 a，b）．

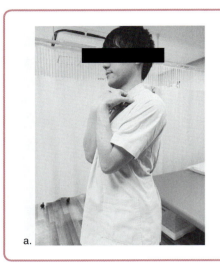

図 20　上腕骨外側上顆炎における自己ストレッチ法
a. 手指最大屈曲，手関節掌屈，肘関節屈曲の肢位で 3 秒間保持．肘関節が胸壁の前側壁につくようにする．
b. 逆に手指最大伸展，手関節背屈，肘関節伸展，肩関節後方挙上（45°）の肢位を 3 秒間保持．折り曲げることと伸ばすことを交互に行う．

3 手，手関節

A 腱損傷

病態・症状

　手指および手関節の腱は，屈筋腱と伸筋腱に分かれる．腱損傷の治療に対して，基本的に手術療法を行う．

リハビリテーション以外の治療法

　開放性腱断裂の場合，原則的に当日に腱縫合などの一次手術を行う．受傷後 12 時間以上経過例では，創治癒後，腱縫合を行い，挫滅例では 3 週間後を目安に腱移植・腱移行などを行う．

運動器リハビリテーション治療

　屈筋腱断裂の術後は，手関節軽度掌屈，中手指節（MP）関節屈曲，近位指節間（PIP）・遠位指節間（DIP）関節伸展位で背側ギプスシーネ固定を行い，腱の癒着防止のために早期からゴムバンドを使用して自動伸展運動を行う（図 21 a）．強固な腱縫合ができていれば，健側の手で指関節の他動屈曲を行い，2 週後から自動屈曲運動を開始する（図 21 b）．術後 1 ヵ月でギプスシーネを外し，手関節の自他動可動域訓練を行う．
　伸筋腱断裂（MP 関節より末梢部）の術後は，4 週間の DIP 関節の外固定後，2 週間の DIP 関節の自動伸展運動を行い，徐々に自動屈曲，他動屈曲伸展運動に移行する．
　MP 関節の近位部の断裂の術後は，MP 関節伸展拘縮が生じやすいため，MP 関節軽度屈曲位，PIP 関節伸展位，手関節軽度伸展位で掌側ギプスシーネ固定を行う．4 週間の外固定後，MP

図21 屈筋腱断裂術後のリハビリテーション
a. 自動伸展運動　b. 自動屈曲運動

関節の自動屈曲伸展運動を開始し，徐々に他動屈曲伸展運動を行う．
　術直後より，動的装具を使用して，早期運動療法を行うこともある．
　なお，関節リウマチによる閉鎖性（皮下）腱断裂の術後は，罹患指を隣接指とともにテーピングし，術直後より自動屈曲伸展運動を行い，夜間はMP関節，PIP関節，DIP関節を伸展位で6週間外固定する．

Ⓑ 関節リウマチ

病態

　手および手関節は関節リウマチの好発部位である．関節の滑膜炎により，腫脹，変形，腱断裂が生じる．

臨床症状

　関節リウマチに伴う手指の代表的な変形には以下のものがある．
　ⓐ尺側偏位（図22 a）
　ⓑスワンネック（白鳥のくび）変形（図22 b）
　ⓒボタン穴変形（図22 c）
　ⓓ伸筋腱断裂（図22 d）

リハビリテーション以外の治療法

　まず薬物療法を行う．近年，罹病早期からステロイドやMTX（メソトレキサート）などの薬剤を用いて，症状の寛解を得て，副作用の少ない薬剤で維持する方法が推奨されている．さらに，一部では生物学的製剤も用いられるが，重篤な合併症の発生には十分な注意が必要である．また，関節再建が必要な場合には，人工関節置換などの外科的治療を行う．

運動器リハビリテーション治療

　疼痛の軽減，可動域改善，筋力維持または改善などを目的として運動・物理療法を行う．並行して，手指の巧緻運動を中心とした日常生活動作の機能改善を目的として作業療法を行う．また，手指・手関節の装具（図23）も日常生活の補助，変形防止・矯正などの観点から重要で

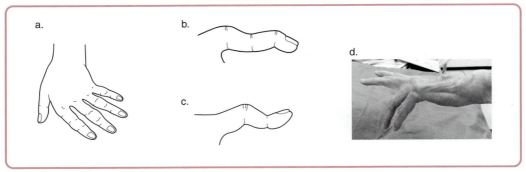

図22 代表的な指の変形
a. 尺側偏位　b. スワンネック変形　c. ボタン穴変形　d. 伸筋腱断裂（環指，小指）

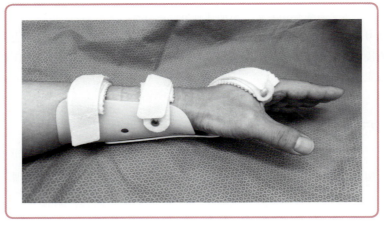

図23 手関節背屈装具（硬性）

ある．装具としては，手関節背屈装具（コックアップ・スプリント），リストサポーター，MP関節尺側偏位防止スプリント，指変形防止リングスプリントなどがある．

自助具の導入も治療に有効である．

C 骨折・拘縮

病態

手関節部に発生する骨折の多くは橈骨遠位端骨折で，転倒して手をついて発症する．Colles（コレス）骨折やSmith（スミス）骨折は関節外骨折，Barton（バートン）骨折は関節内骨折である．治療のために，手関節部の外固定を行う必要がある．

診断

単純X線像手関節2方向（図24 a, b）で診断するが，粉砕骨折などの場合はCT画像（図24 c）や，45°回外・回内位の斜位撮影を追加して行う．

3. 手，手関節　169

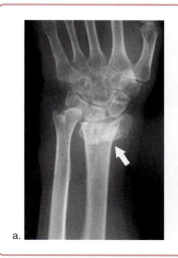
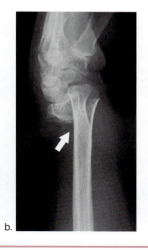
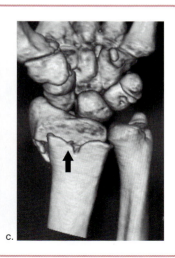

図24　橈骨遠位端骨折（矢印：骨折部）
a：単純X線前後像　b：側面像　c：3D-CT

リハビリテーション以外の治療法

手関節の解剖学的な整復が治療の基本で，徒手整復後，ギプス固定を行う．

粉砕や転位の程度が大きく，徒手整復のみでは関節面の適合性が得られない場合や骨欠損が存在する場合は手術が必要である．

運動器リハビリテーション治療

手指・手関節の拘縮予防がもっとも重要である．橈骨遠位端骨折の場合，外固定はMP関節の近位から前腕または肘上までとし，外固定中は常に手指関節および肩（肘）関節の自他動運動，自動運動介助などを指導，実行させる．手指関節の可動域訓練は，必ず全指を一緒に屈曲伸展させる必要がある．特にMP関節は伸展拘縮を起こしやすいので，十分注意を要する．ギプス内での再転位や異常を早期に発見，把握するためにも，患部の疼痛や手指の腫脹などの変化に注意が必要である．

外固定除去後の手指・手関節の可動域訓練は，温熱などの物理療法を併用して，十分時間をかけて，用手的に行う必要がある．

手関節可動域および握力の改善には，約6ヵ月間くらいの時間を要することに留意する．

D 麻痺手

病態

手関節・手指の運動，感覚を支配する神経は，橈骨神経，正中神経，尺骨神経である．

橈骨神経が肘より中枢側で損傷を受ければ下垂手が発生し，正中神経の高位麻痺では猿手が生じる．また尺骨神経が肘部管部で絞扼を受ければ，骨間筋と小指球筋の萎縮による鷲手変形が発症する．

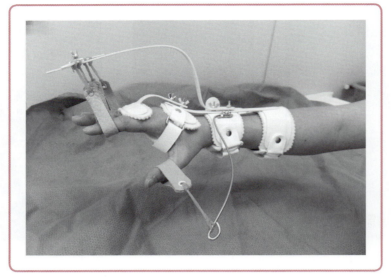
図 25　手指用動的装具

診　断

　橈骨・正中・尺骨神経の解剖を念頭におき，運動麻痺と感覚障害の分布，筋萎縮などを詳細に調べ診断する．また，単純 X 線像による骨折や骨性圧迫の確認，MRI により軟部組織による絞扼や圧迫の確認を行う．なお，頸椎病変の合併の有無も調べておく必要がある．

　電気生理学的な検査として，筋電図は脱神経筋の同定に有効であるが，脱神経電位は神経損傷後 3 週間経過しなければ検出できない．また神経伝導速度は，正中神経や尺骨神経の障害程度・部位の同定に有用である．

リハビリテーション以外の治療法

　神経の切断損傷であれば速やかに神経縫合術や神経移植術を行う．閉鎖損傷では 3 ヵ月間程度の保存治療を行い，改善しなければ神経剥離術などの手術を行い，その後も症状の改善がなければ，腱移行などによる再建術を行う．

　保存治療としては，ビタミン B_{12} 製剤の投与，下垂手などの場合には良肢位保持のために，コックアップ・スプリントや動的装具（図 25）の装着が必要となる．

運動器リハビリテーション治療

　拘縮予防のための関節可動域訓練，筋萎縮防止のための低周波刺激療法を併用する．運動麻痺が回復しはじめれば，筋力増強訓練を開始する．感覚の回復には，感覚再教育が行われる．

XII章 下肢のリハビリテーション

1 股関節

A 人工股関節全置換術（THA：total hip arthroplasty）後（図1）

人工関節

末期変形性股関節症や大腿骨頭壊死症で，疼痛が強く可動域制限が著しい症例がよい適応となる．人工関節は耐用年数が約20年といわれ，60歳以上がよい適応とされていたが，最近では50歳代から行われるようになってきている．

一方，人工骨頭置換術は大腿骨側のみを置換するため既存の臼蓋軟骨とインプラントが接触する構造となる（図2）．そのもっともよい適応は，大腿骨頸部骨折，臼蓋側病変のない大腿骨頭壊死症などである．

脱臼

人工股関節置換術後の脱臼は特に後方進入アプローチの場合，屈曲・内転・内旋の複合運動で起こりやすい．術後のリハビリテーションは，日常生活上で脱臼の起こりうる肢位を教育し，その肢位を避ける指導（図3）が必要である．

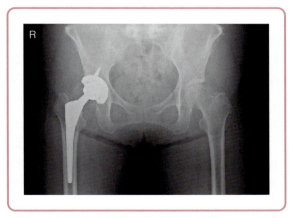

図1　人工股関節全置換術の術後X線像

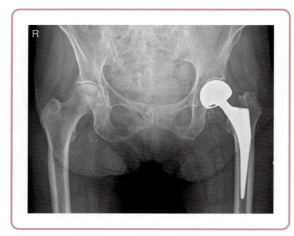

図2　人工骨頭挿入術の術後X線像

運動器リハビリテーション治療

術後の臥床による深部静脈血栓症，褥瘡，肺炎などを予防し，安定した歩行のために十分な下肢筋力，機能的な関節可動域を獲得しながら，術前に習慣化した跛行や姿勢異常などを修正していく．

①術前の指導
　ⓐ深部静脈血栓症予防を目的とした足関節背屈運動（カフパンピング：図4）
　ⓑ大腿四頭筋の等尺性筋収縮（大腿四頭筋セッティング）や，股関節周囲筋の等尺性筋収縮を中心とした筋力トレーニング

②術後のリハビリテーション
　ⓐ手術直後から足関節背屈運動（カフパンピング）を開始する．
　ⓑ関節可動域訓練は手術後出血排液ドレーンを抜去した翌日より愛護的に開始し，全人工股関節置換術症例では股関節屈曲90°，人工骨頭置換術症例では120°の可動域を目標とする．また，股関節屈曲拘縮による伸展時の疼痛，違和感などから歩容，姿勢の異常をきたすことがあり，股関節伸展可動域を獲得することも重要である．
　ⓒ患肢に安静が必要な時期であっても，両上肢，反対側下肢の筋力増強訓練を行う．
　ⓓ筋力増強訓練は徒手によるもの，重錘やゴムチューブを使用するものがあるが，いずれも脱臼肢位に注意して行う．また，等尺性筋収縮訓練の際には筋内圧の上昇に伴って急激な血圧上昇をきたすことがあり，十分な観察をしながら行う．
　ⓔ荷重許可後には荷重量を体重計などで確認した上で，歩行訓練を平行棒から順に歩行器，杖へと進めていく．
　ⓕT字杖により歩行は安定する．術後筋力が不十分な場合は継続使用を勧める．
　ⓖ現在，インプラントの改良は著しく，以前ほどの荷重制限は必要ないが，荷重負荷以外でも下肢伸展挙上や等尺性外転筋筋力強化訓練で予想以上に大きな負荷がかかることを理解しておく．また，回旋に対するインプラント周囲の初期抵抗力は低く，6週間ほどは大きな回旋力を加えないように注意する．特に回旋負荷は坐位からの立ち上がり動作で生じやすく，両上肢で押し上げて，立ち上がるように指導する．

1. 股関節 173

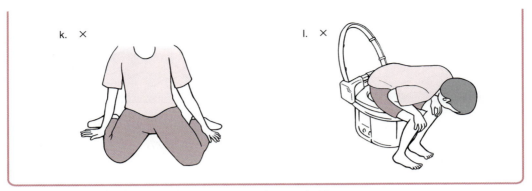

図3 脱臼誘発肢位（右側にTHAを施行した場合）と予防対策

a. 脱臼誘発は，ベッドから降りるときに脚を先に捻り股関節を内旋強制する．
b. 対策としてベッドから降りるときには体幹と脚を一緒に捻り股関節を内旋しないように心がける．
c. 脱臼誘発はベッド上の端坐位で側方移動する際，いざり動作にて股関節を内転内旋強制する．
対策として，このような動作はしないように心がける．
d. 脱臼誘発は，坐位で靴下や靴を履くときに股関節を屈曲内旋強制する．
e. 対策として坐位で靴下や靴を履くときには股関節を外旋強制し行うように心がける．
f・g. 脱臼誘発は，坐位で床に落ちたものを拾うときに股関節を過屈曲強制する．立位で股関節を過屈曲強制させることも誘発因子となる．
h. 対策として，床に落ちたものを拾うときには罹患側を伸展位に保ち，対側膝を屈曲させ拾うように心がける．
i. 脱臼誘発は，坐位で床の後方に落ちたものを拾うときに股関節を屈曲内転強制する．
対策として，後方を振り向かず体全体を拾う方向に向ける．
j・k. 横坐り，とんび坐りは脱臼誘発になるので禁忌肢位として教育する．
l. 脱臼誘発は，洋式トイレで立ち上がるときに股関節を過屈曲強制する．
対策として，手すりなどを使用し体幹を過度に前傾しないように立ち上がる．
○：予防肢位，×：誘発肢位

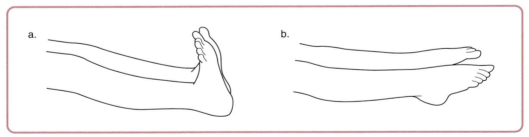

図4 カフパンピング

ⓗクリニカルパスの導入により，実際の治療や訓練内容，注意点などを主治医，メディカルスタッフ，患者で共有することができ，効率よくリハビリテーションを進められる．またクリニカルパスには，運動機能訓練のほか，全身麻酔にかかわる呼吸リハビリテーション，家屋調査など退院後の生活環境評価，社会的な資源活用のためのソーシャルワークなども含まれる．

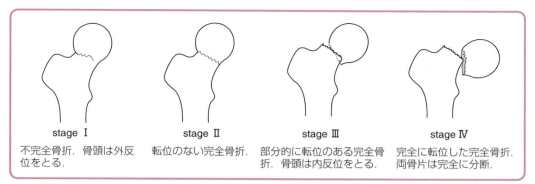

図5 大腿骨頸部骨折の分類（Garden分類）
〔Garden RS：Low-angle fixation in fractures of the femoral neck. J Bone Joint Surg **43B**：647-663, 1961 より引用〕

B 大腿骨近位部骨折

病態

高齢者は骨粗鬆症を伴うことが多く，小さな外力で大腿骨頸部骨折や，大腿骨転子部骨折を起こしやすい．

大腿骨頸部骨折は治癒しにくい骨折であるが，それに比べ，大腿骨転子部骨折は関節包外骨折であり血流が豊富であるなど骨折治癒の条件はよい．しかし，より高齢での受傷が多く，合併症などを考慮すると，早期離床や安全な日常生活復帰を図るという点から，治療のむずかしい骨折でもある．

診断

臨床症状や受傷機転などから診断は比較的容易であるが，確定診断はX線像による．関節内骨折である大腿骨頸部骨折と，関節外骨折である大腿骨転子部骨折がよくみられる骨折である．大腿骨頸部骨折では骨頭の転位の程度によるGarden（ガーデン）分類[1]により4つのstageに分類されるが，この分類は治療法の選択に際し有用であり現在広く使用されている（図5）．

リハビリテーション以外の治療法

大腿骨近位部骨折の治療目標は，下肢の支持性を求めるだけでなく，合併症や廃用症候群の発生・増悪を予防し，可及的早期に受傷前の生活水準への復帰を目指すことであり，骨接合術や人工骨頭置換術などの手術治療が推奨される．

①大腿骨頸部骨折
  ⓐ Garden分類 stage Ⅰ：自発痛が皆無で，他動運動による疼痛が増強しない場合には，6週間の安静および荷重制限などの保存療法を行うこともある．
  ⓑ Garden分類 stage Ⅱ：積極的な骨接合術を行う．
  ⓒ Garden分類 stage Ⅲ：症例によって，骨接合術または人工骨頭置換術を選択する．
  ⓓ Garden分類 stage Ⅳ：人工骨頭置換術を行う．

②大腿骨転子部骨折
大腿骨転子部骨折は，保存的治療でも骨癒合が期待できるが，長期間を要するため，合併症

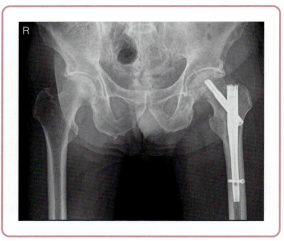

図6 ガンマネイルによる骨折観血的整復固定術の術後X線像

の予防や，早期離床を目指して骨接合術を行うことが多い．近年ではガンマネイルによる固定法（図6）が選択されることが多いが，この固定法は構造的に荷重に対する強度に優れ，骨粗鬆症が強い患者でも早期荷重が可能である．

③その他

全身状態や合併症の問題から手術療法を選択できない場合には，むしろ積極的に保存治療とし，骨折部をあえて偽関節とすることもある．しかしこの場合，疼痛は軽減しても骨性の支持性は不十分であり，日常生活動作などに注意が必要である．

運動器リハビリテーション治療

人工骨頭置換術例についてはほぼTHAの項に準じる．
①高齢者に多い骨折であることから，廃用症候群の予防や筋力維持のため，術前からのリハビリテーション介入が必要である．
②術後は筋力増強，関節可動域拡大を図りつつ，生活環境を考慮しながら，可及的早期に日常生活動作の自立と「安全」な歩行を確立させる．再転倒の予防も重要な点である．
③患肢の筋力強化訓練は等尺性筋収縮による訓練から徐々に抵抗運動を加えていく．
④関節可動域訓練は自動介助運動から開始し，状態に応じて他動運動を加えていく．
⑤下肢伸展挙上運動は十分な指導が必要であり，疼痛の強い患者では，健側からの対側性非対称性連合反応を利用するのも一法である[2]（図7）．
⑥退院後の日常生活環境を考慮し，歩行訓練，日常生活動作の向上を図る．

C 変形性股関節症

病態

本症は関節軟骨の変性や摩耗により関節の破壊が生じ，これに対する骨硬化や骨棘など，反応性の骨増殖を特徴とする疾患である．原因不明の一次性のものと，何らかの疾患に続発する

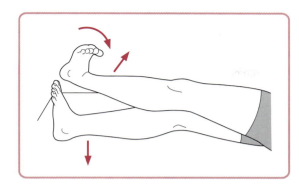

図7　下肢伸展挙上訓練
挙上側の足関節を強く背屈させ，対側の踵・下腿を床面に押しつけ，左右の下肢ともども前後に脚を開くイメージで実施する．

二次性のものに大別されるが，わが国では，先天性股関節脱臼や臼蓋形成不全に基づいた二次性のものが圧倒的に多い．

症　状

主な症状は，関節の痛みと機能障害である．初期には立ち上がりや歩き始めに疼痛を自覚するが，関節症が進行すると，疼痛は増強し持続するようになり，安静時痛や夜間痛が出現する．関節可動域制限も出現し，活動量減少などにより股関節周囲筋（大腿四頭筋，大殿筋，中殿筋など）の筋萎縮が進む．疼痛による疼痛回避跛行，外転筋筋力低下による軟性墜下性跛行，下肢短縮による硬性墜下性跛行など，さまざまな跛行がみられる．歩行障害，長時間の立位，階段昇降，胡坐（あぐら），靴下着脱，足部爪切などの日常生活動作の障害が著明となる．

これらの障害の臨床評価としては，日本整形外科学会の股関節機能判定基準[3]が一般的に用いられている．

診　断

X線画像において，
①関節軟骨の菲薄化による関節裂隙の狭小化
②軟骨下骨の硬化像
③関節辺縁における骨棘形成
④軟骨下骨部に形成される骨囊胞
などの特徴的な所見により診断する．実際の患者のX線像（図8）を示す．

リハビリテーション以外の治療法

①日常生活指導
関節負荷を軽減させるために，重量物運搬の制限，立位，歩行での荷重制限，杖の使用などの指導を行う．

②薬物療法
非ステロイド性消炎鎮痛薬の内服投与，または外用剤処方，股関節周囲筋の緊張緩和のために筋弛緩薬の内服投与を行う．

③手術療法
ⓐ臼蓋形成術［Chiari（キアリ）骨盤骨切り術，大腿骨内反骨切り術，大腿骨外反骨切り術］：

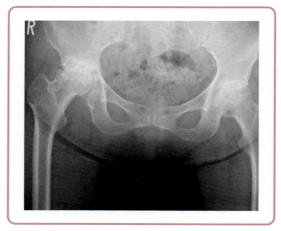

図8　変形性股関節症のX線像

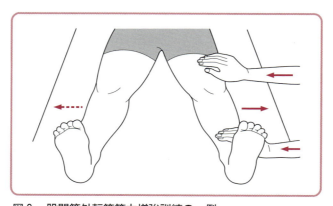

図9　股関節外転筋筋力増強訓練の一例
健側の外転筋に対する抵抗運動を行うことにより，患側の対側性対称性連合反応を誘発させる．

いずれも強固な臼蓋を形成し，骨頭の荷重面を拡大する目的で行う．
　ⓑ関節固定術：若年男性の一側性の末期股関節症に適応となる．疼痛の除去および関節の強固な支持性を得る．
　ⓒ人工股関節全置換術：前述参照（171頁，Ⓐ THA後）．

運動器リハビリテーション治療

疼痛の軽減，筋力維持および増強，関節可動域の維持および拡大を図りつつ，歩行能力の向上を図る．
①関節可動域訓練は関節面への力学的なストレス軽減を念頭におき行う．
②股関節周囲筋の静的伸張運動（反動をつけずゆっくり伸ばす）では，特にハムストリングス，腸腰筋，内転筋を十分に行う．
③筋力増強訓練は中殿筋などの**外転筋筋力増強**が肝要であり，ゴムチューブを使ったトレーニングなどがよく用いられる．また，仰臥位にて健側からの対側性対称性連合反応を利用してみるのも一法である[3]（図9）．

④歩容改善には疼痛軽減，関節可動域拡大，筋力増強のみならず，脚長差などによる姿勢異常を矯正するアプローチも重要であるが，安易な矯正は筋力のバランスが崩れ，歩容や疼痛をむしろ悪化させることがあるので注意を要する．
⑤疼痛，転倒などの恐怖体験は患者のリハビリテーションに対する意欲の低下につながるため，特に注意が必要である．

D 大腿骨頭壊死症

病態

大腿骨頭壊死症は大腿骨頭の無菌性，阻血性の壊死をきたす疾患であって，大腿骨頭の陥没変形から二次性の股関節症をきたす疾患と定義されている（厚生労働省特定疾患「特発性大腿骨頭壊死症」調査研究班）．

症状

①疼痛

階段を踏みはずしたとき，歩道から車道へ降りたときなど小さな外力が加わった際に，急激に股関節痛が出現する．これはすでに無症状の壊死が発生している大腿骨頭に微小な機械的刺激が加わり軟骨下骨層に圧潰が生じることによる．この痛みは2～3週間で軽快し落ち着くことが多い．

②関節可動域制限

外転制限，内旋制限が特徴的である．

③その他

疼痛や関節可動域制限により，変形性股関節症様の多彩な症状を呈する．

診断

臨床症状および画像所見により診断される．画像診断ではX線，MRIが有用である．骨壊死の発症後，壊死部周辺では新たな骨形成などの修復反応が起こり，この骨形成がX線像で帯状硬化像として描出される．MRIはX線では明らかな変化が認められない早期において非常に有用である．MRI画像では通常，T1強調像で評価する（図10）が，骨壊死周辺の修復反応が帯状の低信号域として認められる．大腿骨頭壊死に対する治療はこれらの画像により骨頭内での壊死範囲や病期を評価して決定される．

リハビリテーション以外の治療法

治療の原則は骨頭の壊死による陥没変形の出現・進行を予防することである．

骨頭の非荷重部に壊死病巣が限局する場合には，急速な陥没変形は生じにくく経過観察で対応ができる．保存治療として，松葉杖使用による患肢の免荷も行われることもあるが，本症は活動性の高い青壮年期に好発するため，陥没変形を防止することは困難であり，関節温存手術が選択されることが多い．

①手術療法

　ⓐ骨頭回転骨切り術（寛骨臼回転骨切り術）

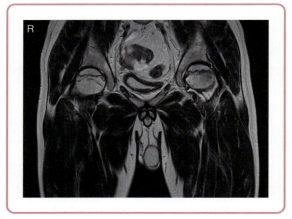

図 10　大腿骨頭壊死症の MRI 像（T1 強調画像）
MRI（T1 強調画像）において，骨頭の正常高信号域内に帯状の低信号域を認める．

　ⓑ関節固定術：疼痛の除去が主目的で選択されることがある．
　ⓒ人工股関節全置換術：前述参照（171 頁，Ⓐ THA 後）．

運動器リハビリテーション治療
前述参照（176 頁，Ⓒ変形性股関節症）．

Ⓔ 関節リウマチ

病態

　関節リウマチは，女性に多く発症し，発症年齢は 30〜50 代に多い．自己免疫異常により発症すると考えられ，原因としては遺伝的要因や細菌・ウイルスの感染などが考えられているが，いまだに不明な点が多い．関節滑膜の慢性炎症を生じ，関節軟骨や軟骨下骨の破壊をきたし，進行すると関節が破壊されさまざまな程度の機能障害を引き起こす．

症状

　関節症状と免疫の異常によるさまざまな全身症状を伴う関節外症状に分けられる．また，脊椎に炎症が波及し脊髄の圧迫などによる症状を起こすこともある．関節症状は，初期には，朝のこわばりを自覚し，左右対称に手指や足趾の関節腫脹が生じる．進行すると膝，股関節など下肢大関節も侵されることがある．

診断

　血液検査では炎症反応やリウマトイド因子，抗 CCP 抗体が診断に有用であるが，2010 年米国・欧州リウマチ学会合同（ACR/EULAR）関節リウマチ分類基準[4]などを参考に診断される場合が多い．X 線画像では，変形性関節症とは異なり，骨萎縮および関節のびらん性破壊が特徴的である．

リハビリテーション以外の治療

薬物治療は疾患活動性の制御と，疼痛などの症状に対する治療に分けられる．疾患活動性については罹病初期からステロイドやメトトレキサート，生物学的製剤などの薬剤により疾患活動性を抑え，その状態を維持することが目的である．疼痛に対しては，非ステロイド系消炎鎮痛剤や非麻薬性鎮痛剤，神経障害性疼痛に対する薬物などが用いられる．

手術治療では，関節破壊のない初期には滑膜切除術が行われることが多いが，関節の破壊が高度になると人工股関節，人工膝関節置換術などの手術療法が選択される．人工股関節，人工膝関節置換術術後については，THA 後（171 頁），TKA 後（181 頁）に準ずる．

運動器リハビリテーション治療

疾患の持つ特性から，関節の保護にかかわる日常生活指導が重要である．関節の変形が進行する要因となるような重量物の運搬，階段昇降，正坐など関節に負担がかかる動作を避ける．調理，洗濯，掃除，買物などの家事動作訓練では，同じ肢位や姿勢の持続をしないように注意し，必要に応じてサポーターを装着する．立ち上がりの際に負担のかからないように椅子の高さを調整する．転倒予防のために段差を解消するといった家屋改造を検討することなども，リハビリテーション治療における重要な取り組みである．

また炎症活動期であっても適切な運動療法は廃用症候群予防のために重要である．筋力増強訓練は関節を動かさずに行える等尺性運動が適しており，関節可動域訓練についても関節に負担がかからないように自動運動あるいは自動介助運動が適した方法である．

2 膝関節

A 人工膝関節全置換術（TKA：total knee arthroplasty）後

人工関節

患者の活動性を考慮し，少なくとも 60 歳以上，できれば 70 歳以上の患者で連続歩行距離が 500m 以下のもの，また関節拘縮が少なく荷重時 X 線像で関節裂隙が重度に狭小化，あるいは消失しているものがよい適応とされている．

運動器リハビリテーション治療

必要十分な下肢筋力，至適な関節可動域により安定した歩行能力の獲得を図る．
①術前の指導
　ⓐ深部静脈血栓症予防を目的とした足関節背屈運動（カフパンピング：図4）
　ⓑ大腿四頭筋の等尺性筋収縮（大腿四頭筋セッティング）や，股関節周囲筋の等尺性筋収縮を中心とした筋力トレーニング
②術後の指導
　ⓐ関節可動域訓練は手術後出血排液ドレーンが抜去された翌日より愛護的な自動介助運動より開始し，術後の膝関節可動域は伸展 0 ～屈曲 120° を目標とする．
　ⓑCPM（持続的他動的運動装置）を使用することも効果的であるが，術創部周囲では膝屈曲により酸素分圧が有意に減少するため，創トラブルが心配される場合には深屈曲を

避ける．また，CPMでは膝の完全伸展位を得ることがむずかしい点に留意する．
ⓒ筋力増強訓練は大腿四頭筋のみならず，大殿筋，中殿筋，ハムストリングス，下腿三頭筋など全般にわたり行うが，患肢の安静が強いられる時期は，両上肢，反対側下肢の筋力増強訓練を行う．
ⓓ歩行訓練は平行棒から歩行器，杖へと進めていく．術後筋力が不十分な場合はT字杖の継続使用を勧める．
ⓔクリニカルパスの導入により，効率よくリハビリテーションを進めることができる．

B 変形性膝関節症

病態
明らかな原因のない一次性と外傷（関節内骨折や半月板損傷など）や炎症（化膿性関節炎，関節リウマチ，離断性骨軟骨炎）などに続発する二次性のものがある．関節症性変化は関節軟骨の表層から深部に向かい，軟骨の摩耗から骨の象牙様変化，骨棘形成，囊胞形成など退行性変化と増殖性変化を呈する．加齢による退行性変化に起因するものが多く，65歳以上の女性に頻度が高い．

症状
①疼痛
荷重時の疼痛，運動開始時痛を訴える．歩行中一時軽快するが，長時間歩行で疼痛は再び出現してくる．また，階段の昇降や坂道などでは，特に下りで疼痛を強く自覚する．進行すると長時間歩行後の夜間疼痛も出現する．
②関節可動域制限
関節可動域制限は徐々に進行し，比較的早期に正座は困難となり，屈曲拘縮もみられるようになる．
③筋萎縮
疼痛による活動制限から大腿四頭筋，股関節内転筋，ハムストリングスなどの下肢筋萎縮を生じる．
④関節腫脹
発症初期には滑膜の非特異的慢性炎症を伴う関節水症による腫脹がしばしばみられる．関節液の性状は関節リウマチとは異なり，一般には透明で粘稠性である．関節周囲に軽度の熱感を伴うものもある．
⑤変形
外見上，多くは両膝に対称的な内反変形（いわゆるO脚）を呈するが，ときに外反変形を呈する．

診断
X線にて関節軟骨の摩耗とともに関節裂隙は狭小化し，骨棘形成，軟骨下骨の硬化像を認める．内反膝では大腿骨頭中心と脛骨下端中心を通るMikulicz（ミクリッツ）線は内側を通り，また膝外側角（femorotibial angle）は180°より大きくなる．実際の患者のX線像（図11）を示す．

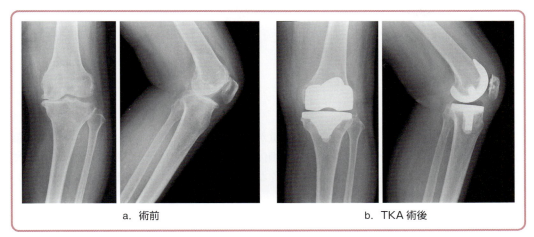

|a. 術前　　　　　　　　　　b. TKA 術後|

図 11　変形性膝関節症の X 線像

　臨床症状の評価としては，従来他覚的な評価としての JOA スコア，関節可動域（ROM）などが用いられてきたが，最近では患者からの主観的評価として変形性膝関節症患者機能評価尺度（JKOM）が用いられるようになっている（248 頁，付録5参照）．

リハビリテーション以外の治療法
①日常生活指導
　関節にかかる負荷を軽減させるために日常生活動作を制限し，杖の使用も勧める．食事療法や水中歩行などの運動療法による体重減量も重要である．
②薬物療法
　NSAIDs（非ステロイド性消炎鎮痛薬），湿布剤などの投与のほか，ヒアルロン酸ナトリウムの関節内注入を併用することも多い．ヒアルロン酸ナトリウムは関節軟骨を保護し，プロテオグリカンの溶出を抑制するため有効である．
③手術療法
　　ⓐ高位脛骨骨切り術：比較的若年齢で変性がまだ関節全体に及んでいなければ，骨切り術によって変形を矯正し，変性の及んでいない関節面に荷重面を移動することができる．
　　ⓑ人工膝関節全置換術：前述参照（181 頁，Ⓐ TKA 後）．

運動器リハビリテーション治療
　リハビリテーションに当たっては疼痛コントロールを常に念頭におき，関節可動域の維持拡大，筋力の維持増強を図りながら，歩行能力の向上を目指す．
①膝関節屈曲運動は温熱療法を併用し，下腿を牽引し脛骨近位部を前方に引き出しつつ行う．疼痛が生じる場合は，自動介助運動にて徐々に可動域を拡大する．
②膝関節伸展運動は膝窩部に小さく丸めたタオルを置き，それを押しつけるように収縮を促す．
③大腿四頭筋筋力増強には，疼痛自制内でゴムチューブや重錘バンドにより負荷量を調節する．
④股関節内転筋筋力増強には，坐位にて両大腿部でボールを圧迫するように行うとよい．また，運動時痛が強い場合には，等尺性収縮運動により疼痛が少ない状態で行うことができる．

⑤疼痛や変形が強く手術適応の患者については，リハビリテーションのみで治療効果を望むことは困難である．

C 半月板損傷

病態
スポーツなどで膝を捻った際に受傷し，体重が負荷した状態で屈曲した膝関節に無理な回旋力が加わり，大腿骨と脛骨に半月板が挟まれ損傷する．若年者では前十字靱帯損傷に続発して起こるものも多い．中高年では立ち上がり動作などでも変性断裂により受傷するものがある．

症状
関節裂隙の疼痛と膝のクリックである．半月板がlocking（嵌頓）していれば完全伸展が不能となる．

診断
McMurray（マクマレー）テスト（一方の手で踵部をつかみ，股関節および膝関節を十分に屈曲して疼痛やクリックを誘発する）が半月板損傷の徒手テストとして有用である．
画像診断はMRIによることが多いが，詳細な診断には関節鏡が有用である．

リハビリテーション以外の治療法
若年者では縫合を行うが，それ以外では部分切除を行う．しかし，半月板は膝の荷重機能に大きな役割を持つので温存できるよう努める．

運動器リハビリテーション治療
早期に膝関節のスムースな動作を再獲得することと，受傷前レベルへの復帰を目的とする．
①関節可動域訓練は早期より疼痛自制内の範囲で開始する．
②膝関節屈曲運動は温熱療法を併用し，下腿を牽引し脛骨近位部を前方に引き出しつつ行う．疼痛が生じる場合は自動介助運動にて徐々に可動域を拡大する．
③膝関節伸展運動は膝窩部に小さく丸めたタオルを置き，それを押しつけるように収縮を促す．
④筋力増強訓練は大腿四頭筋とハムストリングスが特に重要である．ハムストリングス筋力増強には，腹臥位にて膝関節屈曲90°までの運動を行う．
⑤荷重は痛みを勘案しながら進めるが，その際に下腿の回旋に注意を払う．

D 靱帯損傷

病態
前十字靱帯損傷は，ジャンプ着地の失敗時に膝関節軽度屈曲外反位における大腿骨外旋強制により受傷することが多い．スポーツ種目はバスケットボール，サッカー，バレーボール，スキーに加え，器械体操などが多い．
内側側副靱帯損傷は膝の靱帯損傷ではもっとも頻度が高く，コンタクトスポーツやスキーな

どで膝に大きな外反力が加わり発症する．

症状

疼痛，関節血腫，可動域制限である．

前十字靱帯損傷では，放置しても急性期症状は1〜2週で消失するが，スポーツ復帰に伴いgiving way（膝の不安定感）や関節血腫を繰り返し，関節症へと進行する．

内側側副靱帯損傷では，損傷部位に一致した圧痛点を認める．外反動揺性は損傷程度によりさまざまである．

診断

前十字靱帯損傷では，Lachman（ラックマン）徴候（膝関節軽度屈曲位において，前方動揺性を誘発する）が有用である．

内側側副靱帯損傷では理学所見により，ほとんど動揺性を示さない1度（軽症），完全に断裂しているものの不安定性の明らかでないものを2度（中等症），10度以上の動揺性を示す3度（重症）に分類される．以上の徒手検査に加えてMRIによって診断する．

リハビリテーション以外の治療法

前十字靱帯損傷では，軽症例やスポーツを望まない場合には装具療法やリハビリテーションなど保存治療が中心となるが，それ以外は再建術を行う．再建術は手術後，約3ヵ月のリハビリテーション（手術方法によりその内容は多様である），およびトレーニングを行い，スポーツ復帰には6ヵ月〜1年を要する．

内側側副靱帯単独損傷では，装具療法を3〜4週間行い，スポーツ復帰には6週程度必要である．

運動器リハビリテーション治療

受傷後の大腿四頭筋，ハムストリングスの筋力低下を防ぐことで膝関節の動的な安定性を確保し，早期に関節可動域を獲得し，受傷前の活動レベルに復帰することを目的とする．
①膝関節は大腿四頭筋とハムストリングスが共同収縮することで安定するため，これらの筋力バランスが重要である．早期からハムストリングスの筋力増強を行い，動的安定性を確保し，靱帯への負担を減らす必要がある．
②靱帯再建手術後のリハビリテーションでは，再建靱帯を保護しながら，関節可動域を獲得し筋力強化を行うという，相反することを同時に行わなければならない．
③前十字靱帯損傷では，脛骨の前方への偏位を減らし，靱帯にかかるストレスを減少させる必要がある．開放運動系（open kinetic chain：OKC）訓練による大腿四頭筋の訓練では大腿四頭筋単独の筋力強化運動となり脛骨の前方偏位を増加させるため，特に膝30°から完全伸展の範囲では再建靱帯へ不適切な張力をかけてしまう．この点から閉鎖運動系（closed kinetic chain：CKC）訓練が推奨される．CKC訓練では筋の共同収縮が促され，関節に筋力が加わるにつれ関節の安定性も増していく．
④膝関節屈曲運動は脛骨近位部が前方に移動しないように自動運動にて行う．
⑤膝関節伸展運動は大腿四頭筋を弛緩させた状態で他動運動にて行う．

E 膝蓋骨骨折

病態
膝蓋骨骨折は膝前面を強打するような直達外力，あるいは大腿四頭筋の強い収縮による介達外力，いずれの原因でも起こりうる．

症状
腫脹，疼痛，運動障害が主体である．関節内血腫を認める．

診断
X線，CTなどによるが，転位が大きければ，視診や触診でも変形が確認されることがある．

治療
転位がなければ基本的には保存治療でよい．膝蓋大腿関節面での転位が2mm以上で手術適応がある．

運動器リハビリテーション治療
筋力増強，関節可動域拡大を図りつつ，可及的早期に日常生活活動の自立を図る．
①患側への荷重許可前より平行棒や松葉杖での歩行訓練を通して，健側の機能維持を図る．
②膝関節近傍骨折は関節可動域制限が生じやすく，疼痛をコントロールしつつ，CPM（持続的他動的運動装置：112頁，Ⅷ章図4）を併用し，早期から関節可動域訓練を行う．
③膝関節屈曲運動は温熱療法を併用し，下腿を牽引し脛骨近位部を前方に引き出しつつ行う．疼痛が生じる場合は，自動介助運動にて徐々に可動域を拡大する．
④膝関節伸展運動は膝窩部に小さく丸めたタオルを置き，それを押しつけるように収縮を促す．
⑤可動域制限が強ければ，特に愛護的な自動介助運動を行う．過度の可動域訓練では大腿四頭筋の収縮が強まり，むしろ可動域が低下することがあることに注意する．

3 足部

A 足関節捻挫

病態
関節に，外力による過度の運動強制がかかり生じる靱帯の損傷を捻挫という．足関節においては，前距腓靱帯，踵腓靱帯の損傷がほとんどである（図12）．
日常多発する外傷で，軽症として扱われがちだが，不安定性を残す症例も意外に多く，適切な治療が必要である．

症状
足関節の腫脹，損傷靱帯部の圧痛（前距腓靱帯損傷では外果前方に局在する）を認める．重症例では関節の不安定性が生じ，放置すれば立脚期の疼痛や関節の不安定性から歩行障害につ

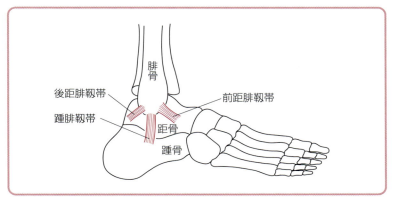

図12　足関節外側の靱帯
内反捻性では前距腓靱帯（ATFL：anterior talo-fibular ligament）と踵腓靱帯（CFL：calcaneo-fibular ligament）が損傷を受ける．

ながる．

診断

受傷機転や受傷時肢位，局所所見から診断が可能である．また，徒手的（あるいはストレスX線にて）に足関節の前後動揺性および内がえし，内転の不安定性の有無を診断する．

リハビリテーション以外の治療法

受傷早期にRICE療法，すなわち安静（rest），冷却（icing），圧迫（compression），挙上（elevation）の4原則を行う．これで疼痛が消退しない場合には，テーピングやギプス（シーネ）にて固定する．

テーピングは初期固定のほか，捻挫の再発防止にも有用である．足関節の不安定性や疼痛が強い症例ではギプス固定とする．足関節の不安定性が残存したもの，若年者で活動性の高い患者には靱帯修復手術が行われることもある．

運動器リハビリテーション治療

受傷機転は足部の内がえしによるものが多く，リハビリテーションは外がえし作用を有する腓骨筋，背屈筋群等の足関節周囲筋の強化が重要である[5]．

①軽症例
　ⓐサポーター装着下での荷重歩行，タオルギャザーによる背屈運動，アキレス腱ストレッチングも急性期をすぎたら開始する．
　ⓑ筋力増強訓練（足関節背屈）は早期より行い，受傷後2週からはゴムチューブによる抵抗運動や足関節底屈筋力増強訓練も追加する．

②重症例
　ⓐギプス固定中でも荷重歩行および足趾の自動・他動運動，腓骨筋の等尺性筋収縮を行い，サポーターに移行してからは，軽症例に準じてリハビリテーションを進める．

B アキレス腱断裂

病態
瞬発的な足関節の蹴り出しなど，下腿三頭筋の急激な収縮による牽引力でアキレス腱の連続性に破綻をきたし受傷する．

症状
局所の腫脹，圧痛，皮下出血を認め，触診上はアキレス腱のレリーフが消失し，断裂部に一致して陥凹がみられる．

診断
Thompson（トンプソン）テスト（患者を腹臥位にして膝を90°屈曲させ，下腿三頭筋の筋腹をつかむと足関節の底屈運動を認めない）により，診断は容易である．

リハビリテーション以外の治療法
手術療法を行うことが多いが，保存治療も良好な成績をあげている．保存的には4週間程度の尖足位ギプス固定の後に，中間位まで徐々に足関節の背屈を矯正していく．

運動器リハビリテーション治療
固定により廃用性筋萎縮をきたした下腿三頭筋の筋力回復と，固定により拘縮した足関節可動域の拡大を目的とし行うものとする．以下に実際の訓練上の留意点を示す．
①ギプス固定中はタオルギャザーなどの足指の自動運動を中心に行う．
②ギプス除去後の足関節底背屈などの可動域訓練は自動運動から開始する．
③カフパンピングの要領で収縮と弛緩を交互に繰り返し行うと，血流が増加することにより，緊張や疼痛が緩和し，運動療法が行いやすい．

保存療法・手術療法を問わず，アキレス腱断裂の治療において，再断裂が起こりうることに注意が必要である．再断裂に関しては，手術療法で1.7～5.4％程度，保存療法で10.7～20.8％程度との報告がある．手術療法より保存療法のほうが再断裂の危険性が高く，発生時期は受傷後早期の2ヵ月以内に多く，特に固定を外し活動性が高くなったときに生じやすいので注意が必要である．

C 肉離れ

病態
下腿三頭筋，大腿の筋などに多く，スポーツなどの外力による筋の部分断裂である．

症状
断裂部位に一致した圧痛，運動時痛（他動伸張時の疼痛，自動収縮時の疼痛），腫脹，皮下出血を認める．

診 断

外傷の病歴，局所の圧痛などにより診断できる．MRIも出血を描出でき，有力な診断法である．

リハビリテーション以外の治療法

そのまま放置しても瘢痕組織によって治癒に至る．急性期にはRICE療法の4原則を行う．

運動器リハビリテーション的治療法

RICE療法により疼痛や腫脹が消退したら，速やかにストレッチと筋力増強訓練に移行する．筋力増強の方法は損傷筋によりさまざまであるが，負荷を徐々にかけるという原則と，ウォーミングアップを十分に行うことに注意を払う．おおむね，スポーツ復帰には1ヵ月程度を要する．

・文 献・

1) Garden RS：Low-Angle fixation in fractures of the femoral neck. J Bone Joint Surg **43-B**：647-663，1961
2) 西野誠一ほか：下肢骨折のリハビリテーション．NEW整形外科MOOK 20，金原出版，東京，p243-249，2007
3) 井村慎一ほか：日本整形外科学会股関節機能判定基準．日整会誌 **69**：860-867，1995
4) Aletaha D et al：2010 Rheumatoid arthritis classification criteria：an American College of Rheumatology/European League Against Rheumatism collaborative initiative. Arthritis Rheum **62**：2569-2581，2010
5) 木村彰男：リハビリテーションプロトコール，メディカル・サイエンス・インターナショナル，東京，p260-277，1999

XIII章 脊椎のリハビリテーション

1 頚椎

A 頚部痛

病態

- 頚部痛をきたす病態（原因疾患）は多様である．
- もっとも一般的な病態は，変形性頚椎症である．
- 変形性頚椎症：頚椎椎間板の加齢による変性変化（退行性変化）が基盤となり，併せて椎間関節や筋・靱帯の退行性変化が生じた状態．単純X線像で診断可能であるが，頚部痛を引き起こす場合（有痛性頚椎症）と，まったく無症状の場合（無症候性頚椎症）があるので注意を要する．頻度は後者が多い．
- 神経根症と脊髄症：頚椎症の中には，頚部痛以外に，神経根や脊髄障害による症状（神経症状）を呈する場合がある（神経根症，脊髄症については後述）．

症状

- 主として，後頭部から項部，上背部，肩甲骨後部への痛みを訴える．
- 肩こりや僧帽筋部の痛みとして訴える場合もある．
- 痛みは運動時痛が主体である．

診断

- 問診：運動時痛が主体であるかを確認．
- 職業歴：頚部に負担のかかる職業．
- 理学所見
    - 運動時痛：実際に頚椎を動かし，確認する．
    - 頚椎可動域制限：頚部痛により，可動域は制限される．
- 単純X線像：骨棘や椎間板の狭小．
- CT，MRI：頚部痛が長期間継続する場合，上肢痛・しびれなど神経症状を呈する場合に必要となる．

リハビリテーション以外の治療法

- 薬物療法：NSAIDs（非ステロイド性消炎鎮痛薬），弱オピオイド，末梢性筋弛緩薬，湿布など．
- ブロック療法：トリガーポイント注射（圧痛点をめがけて局所麻酔薬を注射する）．椎間関節ブロック．硬膜外ブロック．
- 手術療法：保存療法が無効な場合，手術を検討する．しかし，上肢痛・しびれ，筋力低下などの神経症状を伴わず，頚部痛のみの症例に対する手術適応は，原則としてない．

運動器リハビリテーション治療

- 患者教育：頚椎症による頚部痛の場合には，予後がよく，自然経過も良好であることを十分に説明する．
- 安静：疼痛の強い急性期には頚部の安静を指導する．
- 装具療法：頚部の局所安静の目的で，頚椎カラーを装着する．
- 物理療法：急性期（疼痛発症後数日間）をすぎた亜急性期以降の症例に適応となる．
  - 温熱療法（ホットパック）
  - 近赤外線照射
  - 極超短波（マイクロウェーブ）
  - 超音波
- 牽引療法：外来で器械による牽引を行う．局所の安静が主な目的である．
- 運動療法（図1）：疼痛の強い急性期には実施すべきでない．慢性期に指導する．予防の目的にも有用である．
  - 筋力増強訓練：頚部周囲筋の強化を目的とする．
  - ストレッチング：頚部周囲の筋・靱帯の拘縮除去を目的とする．

B 神経根症

病態

- 神経根が圧迫・障害されることにより症状を呈する病態．神経根の圧迫は，主に①骨棘，②椎間板ヘルニアの2つが原因となる．骨棘は，椎間関節とLuschka（ルシュカ）関節の加齢による変性変化が原因である（頚椎症）．椎間板ヘルニアも同様に，加齢による椎間板の変性変化が基盤となる．
- 好発年齢：30〜50歳代の青壮年期．しかし，20歳代以降，高齢者まで各年代で発生する．
- 好発部位：多い順番に，C5/6，C6/7，C4/5高位．上位頚椎（C1〜3）は少ない．

症状

- 頚部痛や項部痛．上腕〜肩甲骨への放散痛．
- 上肢の疼痛やしびれ：頚部神経根症に代表的な症状．
  - 圧迫される神経根によって，疼痛やしびれの領域は異なる（後述）．これをもとに障害神経根を診断することが可能である．
  - 頚椎後屈で，疼痛やしびれは増強する．この肢位により，神経根への圧迫が強くなるからである．

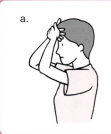   

図1　頚部周囲筋の等尺性筋力増強訓練（a, b, c）とストレッチング（d）
a. 前方からの抵抗運動：手を組み，額に当てる．手が額を押すと同時に，額も手を押す．1回につき，約5秒間行う．
b. 後方からの抵抗運動：後頭部に当てた手を用いて，同様の運動を行う．
c. 左右からの抵抗運動：側頭部に当てた手を用いて，同様の運動を行う．
d. ストレッチング：息を吐きながら，前後左右にゆっくりと頚椎を動かす．

- 神経障害：神経根障害によって引き起こされる，いわゆる神経症状．
  - 感覚障害：障害される神経根の支配領域に一致して，感覚（痛覚，触覚）が障害される．
  - 筋力低下：麻痺の程度によっては，ADL（日常生活動作）の障害が生じる．

診　断

- 問診：上肢への疼痛やしびれを聴取．症状は，頚椎後屈で悪化することを確認．
- **神経根圧迫テスト**：Jackson（ジャクソン）テスト，Spurling（スパーリング）テストなど．実際に頚椎を後屈させ，頭部を下方に押しつけることにより，症状が再現されるかを調べる．
- 疼痛・しびれの部位の確認
  - 肩・上腕への放散痛：C5神経根障害
  - 母指・示指への放散痛：C6神経根障害
  - 中指への放散痛：C7神経根障害
  - 環指・小指への放散痛：C8神経根障害
- 単純X線像：斜位像で椎間孔の狭小を確認．
- CT：骨棘やヘルニア像を確認する．
- MRI：骨棘やヘルニアによる神経根の圧迫所見を確認可能である．

リハビリテーション以外の治療法

- 薬物療法：NSAIDs，弱オピオイド，筋弛緩薬など．
- **ブロック療法**
  - 星状神経節ブロック：頚椎椎体前面の星状神経節をブロックする方法．もっとも手軽に実施可能である．しかし，ごくまれに反回神経麻痺による呼吸障害をきたす場合があるので注意を要する．
  - 神経根ブロック：神経根を直接ブロックする方法．他の部位（椎骨動脈，食道，気管，甲状腺）を穿刺する危険性があり厳重な注意が必要である．

運動器リハビリテーション治療

- 患者教育：良肢位の指導．頚椎を後屈するような姿勢は避けるように指導する．
- 枕の指導：就眠時の枕の種類，使用方法によって頚部痛・上肢痛は悪化する．適切な枕による正しい臥床肢位を教育する（後述）．
- 安静：頚椎の動きにより症状は悪化する．良肢位による安静を指導する．
- 頚椎牽引：外来で行う介達間欠牽引．外来牽引で効果がみられない場合には，入院の上，介達持続牽引を行ってもよい．
- 物理療法：頚部の温熱療法，低周波，超短波など．疼痛により痙縮を生じている頚部周囲筋に対して有効である．
- 装具療法：頚部の安静保持の目的に使用される．簡易な頚椎ソフトカラーで十分．
- 運動療法：疼痛の強い急性期には実施すべきでない．慢性期に指導する．
  - 筋力増強訓練
  - ストレッチング

C 脊髄（頚髄）症

病態

- 頚椎部にある脊髄（頚髄）が，何らかの原因疾患により圧迫を受けた状態．
- 原因疾患：頚椎椎間板ヘルニア，頚椎症，頚椎後縦靱帯骨化症（頚椎OPLL），関節リウマチなど．
- 好発年齢：60〜80歳代の壮年〜高齢期．しかし，20歳代以降の幅広い年代に発生する．
- 好発部位：多い順番に，C5/6，C6/7，C4/5高位．上位頚椎は少ない．一般的に，頚椎症や後縦靱帯骨化症（OPLL）では脊髄の圧迫は1ヵ所（一椎間）ではなく，多数箇所（多椎間）に及ぶ．
- いったん発症した頚髄症は，原則として自然経過では改善しない．治療方法を選択・決定する際に，十分患者に説明すべきである．

症状

- 四肢のしびれ
- 四肢体幹の感覚障害
- 手指巧緻運動障害：具体的には，箸が使いづらい，書字障害（字が書きづらい），ボタンを掛けづらいなど．
- 歩行障害：脚が突っ張ったような状態の歩行（痙性歩行）や，脚がうまく前に出ない．
- 立位障害：歩行障害が進行すると，立つことも困難となる．転びやすくなる．
- 膀胱直腸障害：排尿遅延や頻尿．重度になると失禁．

診断

- 問診：前記の代表的な症状を確認する．
- 神経学的診察：筋力，感覚，腱反射を診察する．病状が重症にならない限り，一般に筋力は比較的よく保たれる．四肢体幹に感覚障害が生じる．腱反射は亢進し，病的反射が出現する．

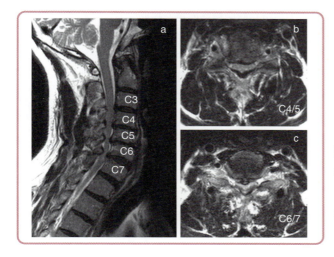

図2　頚椎症による脊髄症（頚髄症）
a．矢状断像：脊髄が第3～7頚椎（C3～7）の範囲で，多椎間にわたって，高度に圧迫されている．
b，c．横断像：椎間板の膨隆，椎体骨棘，黄色靱帯の肥厚により脊髄は強く圧迫されている．

- MRI（図2）：もっとも有用な画像検査法である．脊髄の圧迫状態が明瞭に観察される．
- CT：骨の状態（骨棘や靱帯骨化など）を観察するのに優れている．しかし，脊髄の圧排状態を観察するためにはMRIのほうがより優れている．

リハビリテーション以外の治療法

- 手術療法：唯一の有効性が認められた治療法．頚髄症がある程度進行し，ADL障害が生じてきた場合には適応となる．手術の時期を逸すると重篤な障害を残す場合がある．
- 薬物療法：有効な薬剤はない．ステロイド投与は賛否両論があるが，一般に投与すべきでない．

運動器リハビリテーション治療

- 安静：その治療・進行予防に果たす役割は非常に小さい．むしろ安静による廃用症候群が危惧される．
- 装具療法：頚椎カラーによる局所の安静を目的とする．
- 歩行訓練：歩行障害のある症例には適応となる．根本的な治療法ではないが，ADL改善に有効である．
- 運動療法：持久力低下の症例には奨励される．身体活動性の維持，向上に必須．

D 手術後

目的と注意事項

- 執刀医と十分な連絡を取り合い，手術の効果が最大となるようADLの改善に努める．
- 患者の円滑な社会復帰を援助する．

手術直後～離床まで

- 廃用症候群の防止：安静臥床は，筋力低下，関節拘縮などさまざまな合併症の原因となる．術後のリハビリテーションは，術翌日からはじめるべきである．

- 呼吸リハビリテーション：全身麻酔後の円滑な呼吸機能回復を援助する．去痰，深呼吸の促進．
- 四肢関節の可動域訓練：セラピストによる他動運動．可能であれば自動運動．
- 四肢の等尺性筋力増強訓練：セラピストによる介助訓練．可能であれば自己訓練．
・患部（頚椎）の安静保持
- 適切な頚椎肢位を指導
- 装具の処方・装着：執刀医とも十分連絡を取り，術部位の状況に応じて装着する．
・ベッド上坐位の指導
- 端坐位，椅坐位

離床時〜退院まで

・適切な装具の装着：術者の指示に従い，必要に応じて頚椎カラーの装着指導を行う．
・歩行訓練
・全身調整運動：持久力の向上．
・頚椎可動域訓練：術式に応じて．
・頚部周囲筋の筋力増強訓練（図1a〜c）：術後のリハビリテーションでもっとも重要である．
・生活指導

退院後

・生活指導
・頚部周囲筋の筋力増強訓練とストレッチング
・頚椎可動域訓練
・ADL指導

E 頚椎装具の使い方

目的

・頚部の安静保持．しかし，頚椎運動を100％抑える装具はないので，過信してはならない．
・外傷後，頚部痛，術後などに使用される．

頚椎装具の種類

・ソフト（ポリネック）カラー（図3a）：素材はスポンジであり，外側を布でおおったもの．固定性は乏しいが，頚椎の前後屈運動をある程度制動する．主に，頚椎捻挫・打撲，頚椎術後の安静を目的に使用される．もっとも簡便で，使い勝手のよい装具である．
・フィラデルフィアカラー（図3b）：従来の頚椎カラーを頭尾側方向へ延長して，下顎の一部から前胸部，さらには後頭部までおおうようにしたもの．素材はポリエチレンフォームである．ソフトカラーよりは支持性に優れる．ソフトカラーとほぼ同様の目的で使用される．
・ハローベスト（ハロー式頚胸椎装具：halo-vest）（図3c）：頭蓋骨に直接ピンを刺入して設置するハロー（halo「天使の輪」の意）リングとベストを金属支柱で組み合せた装具．前二者よりも強固な固定が得られる．不安定な外傷（骨折，亜脱臼）および頚椎術後に使用される．

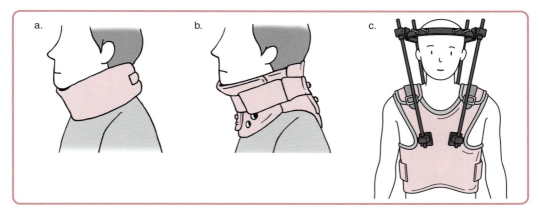

図3　頚椎装具
a. ソフト（ポリネック）カラー　b. フィラデルフィアカラー　c. ハローベスト

ピンの刺入部の感染に注意が必要である．

> **装具装着時の注意事項**

- 無意味な長期装着は避ける：長期装着による弊害は多い（廃用性の筋萎縮，軟部組織の拘縮）．
- 装具の固定性に100％の信頼をおかない：頚椎の動きを完全に抑えることは不可能である．
- 皮膚障害に気をつける：装具により，汗疹，発疹，重篤な場合には褥瘡が生じる場合がある．常に，皮膚の状態には注意を払うべきである．

F 頚椎牽引時および枕使用時の注意

- 最注意事項：**頚椎後屈位**（後ろ反らし）を避ける．頚椎後屈を強くする姿勢は，頚部痛などの症状を引き起こし，悪化させる．
- 牽引時の注意事項
  - 頚椎後屈を避け，軽度前屈位で牽引する．
  - 適切な牽引力
    ⓐ外来での坐位による**介達間欠牽引**：一般には約5 kgの重錘からはじめる．その後，漸増して10 kgで牽引する．15 kg以上の重錘を使うことは適切でない．
    ⓑ入院での臥位による介達持続牽引：一般に約1〜2 kgの重錘を使用する．5 kg以上の重錘を使うことは適切でない．
  - 患者の状態を常に観察する：牽引中に頚部痛や上肢痛などの症状が悪化する場合がある．このような場合にはただちに牽引を中止し，担当医に連絡する．
- 枕使用時の注意事項
  - 適切な形状・大きさの枕を使用する．
    ⓐ十分な大きさがあり，後頭骨〜項部〜両側の肩近位部の範囲を正しく支える枕．
    ⓑ項部だけを支持する枕は不適切：頚椎後屈が強くなる．
    ⓒ後頭骨だけを支持し，項部に隙間が空く枕は不適切：頚部周囲筋の支えがなく，筋疲労をきたす．

- 適切な硬さの枕を使用する：軟らかすぎる枕は頭が沈み込み，頚椎後屈が強くなる．軟らかすぎるために，頚部周囲筋の支えが不十分になる．

G 脊髄（頚髄）損傷

原因・病態

- 交通事故，労働災害，スポーツ外傷，自殺企図による高所からの転落．
- 四肢（上肢・下肢）麻痺を伴う．
- 完全麻痺と不全麻痺：四肢の運動（筋力）がまったくなく，知覚が完全に脱失した状態を完全麻痺と呼ぶ．運動，知覚が少しでも残存すれば不全麻痺である．
- 原則として，頚椎（骨）の骨折や脱臼を伴う（図4a）．
- 中心性頚髄損傷：高齢者に多い頚髄損傷で，画像検査では骨折や脱臼を伴わない．高齢者では，椎体の骨棘や椎間板の変性膨隆，黄色靱帯の変性肥厚などにより脊柱管狭窄が生じており，転倒などの比較的軽微な外傷で起こりやすい．高齢社会に伴い患者数は増えている．

診断

- 四肢の動き，知覚を観察し，腱反射などの神経学的診察により診断は容易である．
- 画像検査では，MRIが脊髄の圧迫障害の程度を知る上で有用である（図4b）．

急性期治療

- 救命処置と全身管理：高位の頚髄損傷では呼吸中枢の障害から，ときに死に至る場合がある．呼吸，循環の管理（人工呼吸や各種薬剤の点滴）が重要である．
- 手術：骨折や脱臼などがある場合，頚椎の支持性が破綻し不安定な状態にある．内固定金属（一般にチタン性）を用いた頚椎固定術が行われる．脊髄への圧迫を取り除く除圧術が適応となる場合もある．
- 合併症の予防：肺炎，褥瘡を起こしやすい．受傷後早い時期から，リハビリテーションを開始しなければならない．肺理学療法による喀痰摘出，呼吸補助，体位交換を行う．

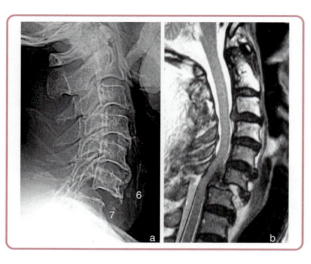

図4　第6/7頚椎脱臼骨折による頚髄損傷（完全四肢麻痺）
a．単純X線側面像：第6頚椎が前方へ脱臼し，椎体の間が広がっている．
b．MRI矢状断像：第6頚椎の脱臼が明らかであり，脊髄が強く圧迫されている．

回復期～維持期の治療

- 廃用症候群を予防するため，引き続きリハビリテーションは重要である：肺炎，褥創に注意．その他，関節拘縮，異所性骨化に注意する．
- 在宅と職業復帰（理学療法と作業療法の重要性）：残存する機能を用いて，在宅医療や職業復帰の訓練を行う．車いす，その他社会資源を有効に利用する．

2 胸 椎

A 側弯症の装具・体操

側弯症の定義

- 脊柱の側方への弯曲を側弯と呼ぶ．
- 非構築性と構築性側弯に大別される．前者は，原因を取り除くことにより矯正可能な側弯であり，機能的側弯とも呼ばれる．姿勢性，坐骨神経痛性，ヒステリー性，脚長差による側弯が含まれる．後者は，原因の除去だけでは矯正されない，文字通りの構築学的側弯である．
- 構築学的側弯では，脊柱は回旋（ねじれ）しながら側方に弯曲する．椎体の回旋を伴う三次元的脊柱変形が特徴であり，側弯が直接の治療対象となる．

構築学的側弯症の分類

- 特発性
- 症候性
  - 神経・筋性（脳性麻痺，ポリオ，脊髄空洞症，二分脊椎，筋ジストロフィ，脊髄損傷などによる）
  - 神経線維腫［von Recklinghausen（レックリングハウゼン）病］
  - Marfan（マルファン）症候群
- 先天性

特発性側弯症

- 側弯症の中で，約80％を占め，最多．
- 原因不明．約80～90％が女子に発症し，思春期（10～15歳）に多い．
- いったん発症した側弯が矯正されることはなく，治療の目的は側弯の悪化を防止すること．
- 側弯の評価にはいくつかの方法があるが，X線像で側弯の角度を測る方法［コブ（Cobb）法：測定した角度を「コブ角」と呼ぶ］が一般的である．
- 特発性側弯症の多くは骨成長の完了とともに進行は停止する．しかし，コブ角が大きい場合（一般には50°以上），骨成長終了後も進行する危険性がある．

装具療法

- 側弯症に対する保存治療の中で，その効果に科学的根拠を認められているものは装具療法のみである．マッサージやマニピュレーションなど民間療法の治療効果はない．
- 装具療法の適応：原則としてコブ角25～30°以上，50°未満で，まだ骨成長の可能性を有す

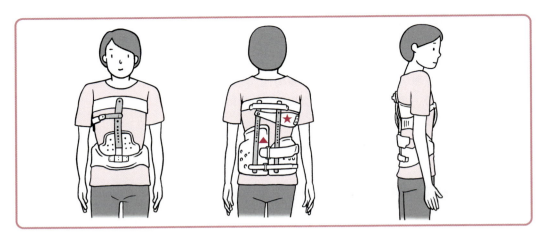

図5　アンダーアーム装具
★の部分が，側弯を矯正する胸椎パッド，▲が腰椎パッドである．

る症例．50°以上の症例では手術療法の適応である．
- 装具療法の継続期間：原則として骨成長が完了するまで（18歳を目安）．
- 1日23時間の装具着用．入浴時には離脱許可．ただし，骨成長に伴い装着時間を段階的に短縮する．たとえば学校時は離脱するなど．
- 患児の精神的負担を考慮：着衣の上からでも認識可能な装具は，ときに「いじめ」の原因ともなる．十分な配慮が欠かせない．
- 具体的な側弯用装具：ミルウォーキー装具（もっとも歴史のある装具であるが，非常にかさばるものであり現在使用されることはない），アンダーアーム装具（図5）など．

運動療法

- 装具療法と並ぶ重要な治療法である．側弯体操とも呼ばれる．しかし，その効果に科学的根拠は認められておらず，この方法だけで側弯症を治療することはできない．特に装具療法との併用が効果的である．
- ストレッチング：側弯症により拘縮に陥っている軟部組織を十分に伸ばす．
- 体幹筋力増強訓練：側弯症児の体幹筋力には左右差があるとされる．この左右差を是正し，かつ体幹筋力を高めることにより，脊柱の支持力を強める．

B 骨粗鬆症性椎体骨折の保存治療

骨粗鬆症性椎体骨折とは

骨粗鬆症を基盤に発生する脊椎椎体の骨折．椎体が圧縮され，X線像にて一般に椎体の楔形変形を呈する（図6）．高齢者，特に閉経後の女性に多い．その他，高齢者に頻度の高い骨折が，大腿骨頚部骨折，橈骨遠位端骨折［Colles（コレス）骨折］であり，脊椎椎体骨折と合せて高齢者の三大骨折と呼ぶ．

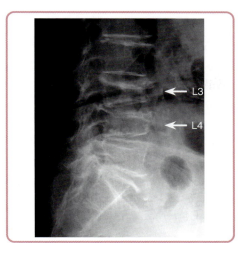

図6　骨粗鬆症によるL3, 4腰椎圧迫骨折（腰椎単純側面X線写真）

圧迫骨折により椎体は楔状変形を呈している．この症例のように，骨粗鬆症症例では，複数の椎体に圧迫骨折が生じることもめずらしくない．

治療の目的とその実際

保存治療がまず選択される．手術療法は慢性期のごく限られた症例に行われる．

- 急性期：受傷後から約2〜3週間以内を指す．
  - 安静：骨折後間もない急性期では，疼痛軽減を目的としてまず安静が図られる．しかし，長期間の安静臥床は廃用症候群（認知症，筋力低下，褥瘡，骨粗鬆症，関節拘縮など）を引き起こす．早期離床と患者のQOL低下を防ぐことが重要である．疼痛を適切にコントロールし，二次的障害の発生を予防する．
  - 薬物療法：疼痛軽減を目的とする．
  - 装具療法
  - 運動療法
- 慢性期：受傷直後の強い疼痛が軽減する．受傷2〜3週間以降．
  　骨折が治癒するに従い，急性期の疼痛は徐々に軽減する．しかし，慢性期においては，再度繰り返す腰背部痛と脊柱の後弯変形による姿勢不良がさまざまな能力障害（洗顔動作困難，家事動作困難，長距離歩行困難，階段昇降困難など）を引き起こす．この時期においては，これらの動作障害の改善や圧迫骨折の再発予防に主眼が移る．具体的には，運動療法と装具療法が選択される．
- 骨粗鬆症に対する治療：基盤にある骨粗鬆症に対しては常に十分な配慮が必要である．必要に応じて適切な薬物療法を施行し，併せて運動を指導する．

具体的な治療法

- 薬物療法
  - NSAIDsの投与．
  - 骨粗鬆症に対する各種薬剤［ビタミンD，K製剤，カルシトニン製剤，ビスホスホネート製剤，SERM，テリパラチド（副甲状腺ホルモン製剤）］の投与．
- 装具療法
  - 軟性装具（コルセット，腰部固定帯）：キャンバス地など布製の体幹装具．強く締めるこ

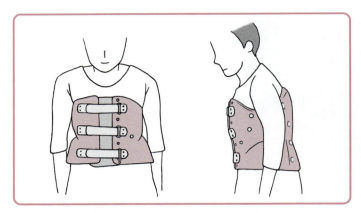

図7　骨粗鬆症性椎体骨折のための胸腰椎硬性体幹装具

とにより腹圧を上昇させ，腰椎を支持する．
- **硬性装具**（図7）：ポリプロピレンなどの材料で作られる，文字通り硬めの装具である．固定性は，軟性装具よりも優れる．しかし，高齢者にとってこの装具装着がADL上の大きな妨げとなり，逆にQOLを低下させる場合がある．注意が必要である．
- リュックサック型装具：約1kgの重錘を背負い，文字通りリュックサック状を呈する装具．円背による脊柱の不均衡な状態が，この装具により是正されることが知られている．

・運動療法
- 急性期：安静臥床のまま，四肢のROM（range of motion）訓練や等尺性筋力増強訓練を行う．
- 慢性期：ストレッチングや体幹四肢の筋力増強訓練を行う．この時期では，骨粗鬆症自体に対する運動療法としてさまざまな運動が推奨される．散歩，水中ウォーキング，水泳，ジョギングなど．

3 腰　椎

A 腰痛症の生活指導（生活，腰痛体操）

腰痛を主体とする病態をいわゆる腰痛症と総称する．その原因の大半は，脊柱を構成する要素（椎体，椎間板，椎間関節，筋・筋膜）の加齢による退行性変化に基づく．

治療方針

保存治療が第一選択である．疼痛の緩和・除去が最重要課題である．しかし，疼痛にばかり目を向けず，ADLあるいはQOLの改善にも重点をおかなければならない．QOLの評価については，JLEQ（251頁，付録7）やRDQ（Roland-Morris disability questionnair）が一般的である．

生活指導

「痛い間はじっと動かず安静保持」は古い考えである．急性腰痛であっても，いわゆる安静

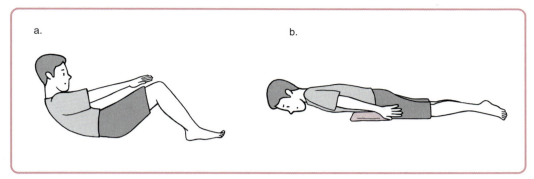

図8　腰痛体操
a. 等尺性腹筋増強訓練　b. 等尺性背筋増強訓練

臥床は2日間が限度といわれている．痛みに応じたADLを患者に指導し，「動ける範囲で動いてよい」というような指導が大事である．具体的な姿勢としては，臥位，坐位，立位，重量物挙上動作などの際に，腰椎に負担のかからない姿勢・動作を指導する．

腰痛体操

- 適応：急性期をすぎた発症後3ヵ月以降（慢性期）の腰痛症．腰痛発症後4週間以内の急性期は，原則として薬物療法などが適応となり，運動療法は適応外である．腰痛の予防としても重要である．特に，慢性腰痛症に対する有効性には高い科学的根拠が認められている．
- 体幹筋力増強訓練
  - 等尺性腹筋増強訓練（図8a）：背臥位で，膝と股関節を屈曲させる．次に，この肢位から体幹を徐々に挙上させ，約45°の位置でその姿勢を5秒間保持する．その後，再び体幹を床上まで戻す．この一連の運動を1セットとし，適当な回数を実施する．腹筋力が弱く体幹の挙上が困難な者では，可能な限り挙上の努力をすることによっても訓練の効果は得られる．より効果を得るためには，頸椎を最大前屈位とし（顎を可能な限り引く），体幹の挙上と同時に大殿筋を収縮させる（お尻を窄めるように意識する）とよい．
  - 等尺性背筋増強訓練（図8b）：下腹部に枕などを置き，腹臥位となる．胸が床から離れるまで体幹を徐々に挙上し，その位置を保持する．約5秒間保持後，再び安静腹臥位に戻す．このときにも，頸椎と大殿筋に関して腹筋訓練と同じようにさせるとより効果的である．
- ストレッチング（図9a, b）：主に，腸腰筋，腰背筋，大殿筋，ハムストリングスのストレッチングを行う．

腰痛体操施行上の留意点

- 運動量が過大にならないように指導する．体操時に腰痛が悪化し，疲労感が残るようであれば逆効果である．実際には1日約15分程度の体操を指示する．
- 懇切に，何回も繰り返し指導する．体操療法の効果は短期間では得られない．長期間繰り返し継続して，はじめて効果が上がる．

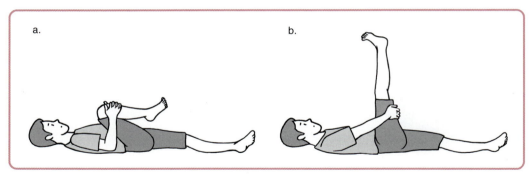

図9 ストレッチング
a. 大殿筋，腸腰筋，腰背筋のストレッチング
b. ハムストリングスのストレッチング

B 腰椎椎間板ヘルニア

病態
- 椎間板が加齢により変性（退行変性）し，髄核組織が線維輪を破って脊柱管内に突出した状態（ヘルニア）．
- 20〜40歳代の青壮年者に好発し，10歳代の若年者や高齢者に発症することは比較的少ない．
- 好発部位はL4/5，L5/Sの下位腰椎椎間板である．
- 突出した組織が，馬尾や神経根を圧迫することにより症状を呈する．
- 原因は単一でなく，椎間板の加齢・変性を基盤に，機械的・環境的・遺伝的因子が複雑に絡み合って発症する．

症状
- 腰痛や下肢痛・下肢しびれを生じる（いわゆる坐骨神経痛）．
- 一般に，腰痛よりも下肢痛が主な症状である．下肢症状を伴わず，腰痛だけを呈するヘルニアは比較的少ない．
- 神経障害が強い場合，下肢の筋力低下が生じ，歩行障害が生じる．
- ヘルニアが大きく，馬尾全体を障害する場合は，排尿困難，失禁などの膀胱直腸障害を呈する．

診断
- 問診：下肢痛・しびれなど，下肢症状を確認する．
- Lasègue（ラセーグ）徴候：検者は患者を仰臥位とし，股・膝関節を90°屈曲した状態から，膝関節だけを徐々に進展させる．このとき，坐骨神経痛が生じればラセーグ徴候陽性であり，ヘルニアの可能性が高い．
- SLR（straight leg raising）テスト：ラセーグ徴候に似た検査．検者は患者を仰臥位とし，膝関節を伸展させたまま，下肢を挙上していく．このとき，坐骨神経痛が生じればSLRテスト陽性であり，ヘルニアの可能性が高い．
- 大腿神経伸張テスト（FNST）：検者は患者を腹臥位とし，膝関節を伸展させたまま，股関節

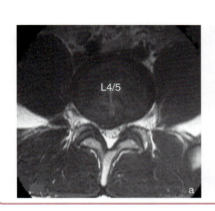
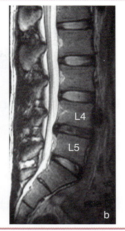

図10 腰椎椎間板ヘルニア（L4/5腰椎）のMRI（T2強調画像）
a. 横断像：ヘルニアが右側に突出している.
b. 矢状断像：ヘルニアが後方へ突出している．椎間板の輝度は他の部位と比較し，暗い．椎間板の変性を意味する．

を伸展させる．大腿の前面に痛みが出ればテスト陽性であり，上位椎間板（L3/4，L2/3，L1/2）ヘルニアの可能性が高い．
・神経学的検査：主に，下肢筋力，感覚（温痛覚，触覚），腱反射を診察する．障害される神経根をある程度，同定することが可能である．
・MRI（図10）：ヘルニアを診断するためにもっとも有用な検査法であり，椎間板の突出状態を評価することが可能である．しかし，MRIだけでヘルニアを診断してはならない．MRIで椎間板の突出があっても，下肢症状（疼痛・しびれ）を有さない場合も多いからである（無症候性ヘルニア）．問診や所見などを含めて総合的診断が必要．
・単純X線像：ヘルニアの診断は不可能．骨折やがんの転移などを鑑別するために重要．
・CT：椎間板の突出状態を把握できる．MRIよりは，診断精度が落ちる．

リハビリテーション以外の治療法
・薬物療法：NSAIDsや弱オピオイド，筋弛緩薬の投与．
・ブロック療法：硬膜外ブロック（仙骨裂孔ブロック）．神経根ブロック．
・手術療法：保存治療によっても疼痛が改善せず，ADL障害が残る症例では，手術療法が適応となる．馬尾障害例は手術の絶対適応．

運動器リハビリテーション治療
・安静：疼痛の強い急性期．過度の長期間安静は避ける．
・物理療法：ホットパックや低周波．疼痛による筋攣縮を軽減させる．
・牽引療法：骨盤牽引を行う．
・装具療法：コルセットを処方する．
・運動療法：急性期で疼痛の強いときは適応外である．疼痛が比較的落ち着いたときに，少しずつストレッチングや筋力増強訓練を行う．

C 腰部脊柱管狭窄症

病態
- 加齢による椎間板の変性膨隆，椎間関節や黄色靱帯の変性肥大によって生じる脊柱管の狭窄状態．
- 脊柱管狭窄によって馬尾や神経根が慢性に圧迫され，その結果としての下肢症状（痛み，しびれ）を特徴とする．
- 60歳代以上の比較的高齢者に好発する．

症状
- 下肢痛やしびれなどの下肢症状．一般に安静時には無症状であり，立位や歩行により出現・増強するのが特徴である．症状は腰椎の後屈（後ろ反らし）で悪化し，前屈（前かがみ）で改善するのが特徴である．
- **神経性間欠跛行**：下肢痛・しびれにより途中で歩行ができなくなり，休んでしまうこと．立ち止まって前屈を保持し，安静にすると，また歩行可能となる．本疾患に特徴的な症状の1つである．
- 筋力低下により歩行障害が出る場合もある．
- 馬尾全体が圧迫されると，排尿困難や尿失禁などの膀胱直腸障害を呈する．

診断
- 問診で，特徴的な間欠跛行の存在を確認する．
- **Kemp（ケンプ）テスト**：患者を立位とし，膝関節を伸ばした状態で，体幹を症状のある側に側屈させたまま腰椎を後屈させる．側屈したほうの下肢症状が誘発されれば，陽性とする．
- 神経学的検査：下肢筋力，感覚，腱反射を評価する．ADLの評価のみならず，障害高位の判断に重要である．
- **足背動脈の拍動触知**：間欠跛行は，本疾患以外にも動脈硬化など血管性病変でも生じる（血管性間欠跛行）．足背動脈が触知不可能な場合には，血管性病変も念頭におく．
- MRI：脊柱管の狭窄状態を評価できる有用な検査法である（図11）．
- 脊髄腔造影：造影剤をくも膜下腔に注入し，脊柱管の狭窄状態を評価する方法である．MRIの普及で，行われる頻度は減少している．

リハビリテーション以外の治療法
- 薬物療法：腰・下肢痛に関してNSAIDsを投与する．間欠跛行に関しては，プロスタグランジン製剤が有効である．
- 硬膜外ブロック：特に仙骨裂孔ブロックは簡便な方法であり，外来でも実施可能である．
- 神経根ブロック：障害されている神経根を直接的にブロックする．有効な場合もあるが，副作用もときに経験する．実施の際には厳重な注意が必要である．
- 手術療法：**椎弓切除術**．時々，脊椎固定術が併用される．最近では，内視鏡手術も行われる．脊椎外科の中でももっとも多く実施される手術の1つである．

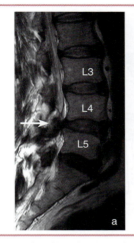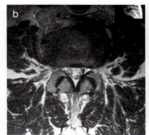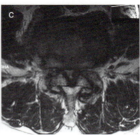

図 11 腰部脊柱管狭窄症の代表的 MRI
a. T2 強調矢状断像：L4/5 高位で，神経（硬膜柱）は前後から圧迫されている．
b. 横断像：正常な脊柱管（L3/4 高位）．脊柱管は広い．
c. 横断像：狭窄した脊柱管（L4/5 高位）．黄色靱帯の肥厚，椎間関節の変性・肥大により，脊柱管は高度の狭窄状態を示す．

運動器リハビリテーション治療

- 安静：本症は，歩行などの運動によって症状が出現し，悪化する．安静は1つの治療でもあるが，長期間の安静は筋力低下などの廃用症候群の原因となり，望ましくない．
- 患者教育
  - 良肢位の指導：腰椎の後屈は症状を出現・悪化させる．この肢位をなるべく取らないような日常生活を指導する．歩行時にも手押し車などを押させることにより，腰椎の前屈を促進し，後屈を抑制することができる．
  - 自然経過の指導：本症は決して生命予後にかかわる疾患ではなく，自然寛解もありうることを説明する．
- 運動療法（図 12）：科学的根拠は実証されていないが，有用な治療法である．
  - 筋力増強訓練：体幹筋・下肢筋力を増強させ，脊柱の支持性を高める．
  - ストレッチング：軟部組織の拘縮を取り除く．
  - 持久性向上：安静の継続による体力の低下を改善させる．
- 装具療法
  - コルセット：腰椎の局所安静，運動制限を目的として装着する（図 13）．
  - 屈曲装具［Williams'（ウイリアムズ）屈曲装具］：背部にフレームを装着し，腰椎の後屈を阻止するような体幹装具．歩行時などに腰椎後屈が予防され，間欠跛行を改善させる効果がある．しかし，かさばるために装着率は高くない．

D コルセットの処方

- コルセットの適応：腰痛症，術後など腰部の可及的安静を必要とする場合．

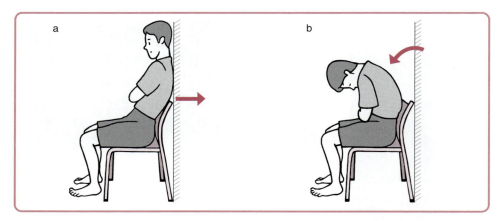

図12 坐位での背筋の筋力増強訓練とストレッチング
a. 背筋増強運動：壁を背もたれにするように椅子を設置し，顎を引き，呼気に合わせて約3～5秒間壁をゆっくりと押す．
b. 背筋ストレッチング運動：aの後，呼気に合わせてゆっくりと可能な範囲で体幹前屈を行う．過度の前屈は避ける．

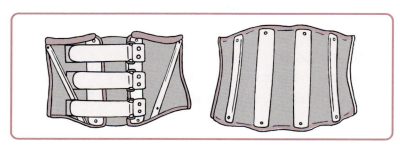

図13 コルセット

・チェックポイント
  ● 装具が当たって疼痛を引き起こす箇所がないかを適宜チェックする．
  ● 高齢者や肥満者では，装着の苦痛のあまりに装具が「腹巻」状態になっている場合がある．適切な観察を行い，効果がみられないと判断した場合は中止する．

E 杖の有用性

・二大有用性
  ● 実用歩行において安定性を与える．
  ● ADL，特に立位姿勢を補助する．
・具体例
  ● 転倒予防
  ● 脊柱管狭窄症の場合，腰椎前屈位の保持を助け，歩行距離を伸ばす．
  ● 立位動作時に腰椎への負担を軽減する．特に，高齢者で腰痛症患者に有用．

F 職業性腰痛への対応

職業に関連して起こる腰痛を**職業性腰痛**と呼ぶ．さまざまな要因が発症原因となる．すべて，運動器リハビリテーションが対応の鍵である．

ボディメカニクスの教育・指導

- 労働時の姿勢は容易に腰痛を引き起こす．腰に負担のかからない，または腰への負担が軽減する姿勢・動きに注意するように指導する．
- 立位，坐位，椅坐位，前屈・後屈動作，挙上動作，運搬動作のすべての姿勢・動きにおける正しい姿勢（＝良肢位）を教育する．

コルセット

- 重労働などでは，簡単な市販（既製品）のコルセットを装着し，腰椎を保護する．
- 急性腰痛には治療の目的で装着する．
- 腰痛が軽減したら，コルセットを少しずつ外すように指導する．就労時に限定して装着するよう指導する．長期間，常時着用をする必要はない．

運動

- 運動は腰痛の予防，治療に有効である．
- 慢性腰痛に運動はよい．腰痛が生じたばかりの急性期には控える．
- 簡単な散歩，ストレッチングや体幹筋力増強訓練（腹筋・背筋の筋トレ）などを行う．
- 継続することが大事であり，興味を持たせながら最低でも数ヵ月は行わせる．

労働環境の整備

- 前述した良肢位を保つためには，労働環境の改善が欠かせない．作業現場やデスク周囲にある仕事用具の改善などを行う．
- 精神心理的要因（上司・同僚とのつき合い，職業への満足度，ストレス）が職業性腰痛と関連する．これらを改善することも大切である．

参考文献

1) 白土 修，伊藤俊一：いわゆる「腰痛症」に対する運動療法．運動療法実践マニュアル，白土 修，宗田 大（編），全日本病院出版会，東京，p142-150，2002
2) 白土 修：脊椎疾患．リハビリテーション医学テキスト，第4版，三上真弘（監），南江堂，東京，p269-286，2016
3) 白土 修，伊藤俊一：新時代の運動器リハビリテーション「腰痛症・腰部障害」．整形外科 56：969-975，2005
4) 白土 修：体幹装具（脊柱側彎症装具を含む）．義肢装具のチェックポイント，第7版，日本整形外科学会，日本リハビリテーション医学会（監），医学書院，東京，p209-229，2007
5) 小峰美仁，白土 修：頚椎の運動療法．MB Med Rehabili 74：17-27，2006
6) 腰痛診療ガイドライン2019，第2版，日本整形外科学会，日本腰痛学会（監），南江堂，東京，2019

XIV章 切断, 装具, 杖, 車いす

1 切断・義肢

　切断（amputation）とは、四肢の一部が切離された場合をいい、この中で関節の部分で切離されたものを離断（disarticulation）と呼んでいる．日本における人口10万人に対する年間の全切断者数は6.2人、そのうち下肢切断者（足部切断より高位）の発生率は1.6人である．外傷による若年者の切断は減少し、循環障害による高齢者の切断が増加している[1]．

Ⓐ 切断部位

　1）上肢切断部位（図1）

　切断部位の測定は、腋窩レベル、上腕骨内側上顆レベル、尺骨茎状突起レベルを基準として行う．

　2）下肢切断部位（図2）

　切断部位の測定は、股レベル、膝内側関節裂隙レベルを基準として行う．大腿骨遠位部膝関節裂隙から短ければ膝継手やターンテーブルを取りつけるスペースがなく、椅子に座った場合に膝が突き出してしまう．膝が突き出ないためには少なくとも関節裂隙から12 cmは必要である．下腿遠位1/3は断端をおおう筋肉がないため切断すべきではない．Syme（サイム）切断では下腿部が太くなり、女性には向かないとする意見もある．Chopart（ショパール）関節やLisfranc（リスフラン）関節切断では変形が必発である．

Ⓑ 切断術後のリハビリテーション

　1）断端の管理法

①弾性包帯法：断端部を弾性包帯で圧迫する方法．成熟断端（断端部の周径が不変な状態）になるまで時間がかかる．下腿切断では大腿まで、大腿切断では骨盤まで、前腕切断では上腕まで、上腕切断では胸部まで巻く．

②リジッド ドレッシング（rigid dressing）：ギプス包帯を術直後から断端に装着する方法である．断端の浮腫を防ぐ、創治癒の促進、断端痛が少ないなどの利点があるが、断端部が観察できず変化に対応がむずかしいことなどの欠点がある．

③セミリジッド ドレッシング（semi-rigid dressing）：リジッドに比較して簡単であり、荷

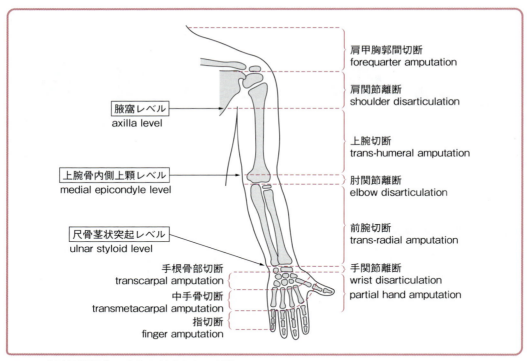

図1　上肢切断部位の名称と基本となる部位

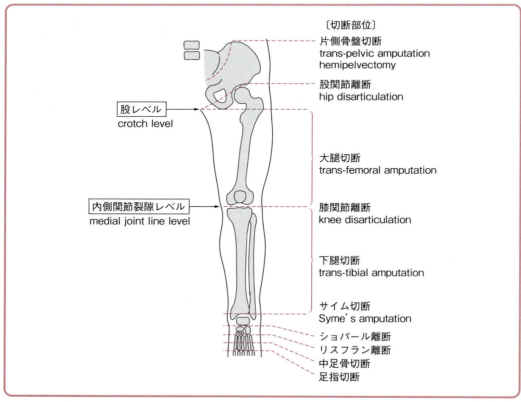

図2　下肢切断部位の名称と基準となる部位

重による浮腫のコントロールが可能，早期に起立・歩行できるなどの利点がある．エアスプリントなどが用いられる．

④**シリコーン法**：シリコーンライナーを用いて断端部の浮腫軽減，創治癒の促進を図る方法．

2）断端の拘縮予防と禁止肢位

大腿切断では股関節外転・外旋・屈曲拘縮になりやすく，下腿切断では膝屈曲拘縮をきたしやすい．これらの拘縮をきたすと義足装着時に問題となる．拘縮予防のために以下に示す禁止肢位がある．

①断端の下に枕，架台を置いてはいけない．
②長時間の坐位はいけない．
③ベッドから断端を垂らしてはいけない．

頻回に腹臥位をとらせる，早期から自動運動を開始することは推奨される．

3）義肢装着前の基本エクササイズ[2]

①断端の自動運動，可動域エクササイズ，抵抗運動を行う．
②体幹筋のエクササイズとして腹筋，背筋の強化，腰椎前弯の矯正，骨盤挙上などを行う．
③健側の筋力強化を行う．特に下肢の場合は片脚起立，片脚スクワットなど健側の強化を行う．

ⓒ 義　肢

1）義手

①義手の分類

I）機能的な分類（型式）

A）装飾用義手：外観の復元を第一義に考え，軽量化と見かけのよさを図った義手の総称．日本で作成される義手の 80 ～ 90％が装飾用義手である[2]．

B）作業用義手：機能を優先して頑丈に作った義手．作業に応じて専用の手先具を交換して使用する（図3）．

C）能動式義手：主として上肢帯および体幹の運動を義手の制御のための力源に利用し，ケーブルを介して専用の継手，手先具を操作する構造の義手（図4）．

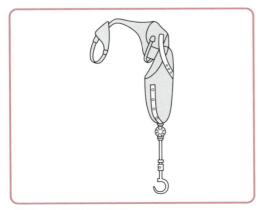

図3　作業用上腕義手

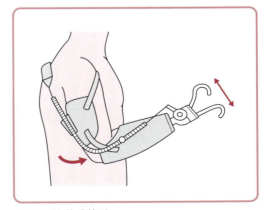

図4　能動式義手

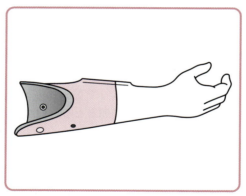

図5　筋電義手

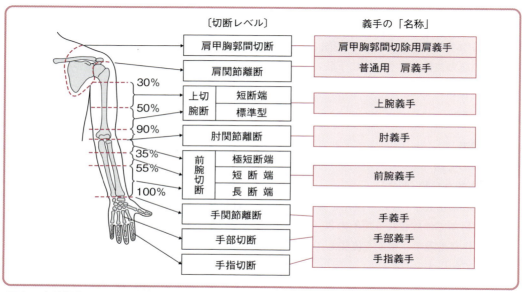

図6　上肢切断レベルと義手の名称

D）筋電義手（図5）：ハンド型手先具の指の開閉動作力源として，電動アクチュエータを利用する義手である．前腕の屈筋，伸筋の筋放電を利用して，ハンド型手先具の指の開閉動作を行う．

Ⅱ）切断レベルによる分類（名称）（図6）
　A）肩義手
　　　肩関節離断に適応となる．能動義手としての操作は可能であるが，実用性は低い．
　B）上腕義手：上腕切断に適応する義手．全面接触式の差し込み式ソケットが一般的．肘義手，手継手が必要．機能的な義手（能動義手，電動義手）の実用性は低い．
　C）肘義手：肘関節離断，上腕切断長断端，前腕切断短断端に適応がある．上腕骨顆部がありソケットの適合がむずかしい．ヒンジ型肘継手を用いる．能動式は可能であるが実用性は低い．

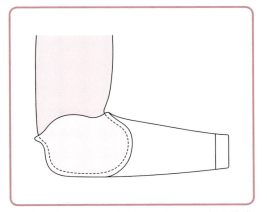

図7　ミュンスター型ソケット．顆上部支持式ソケット

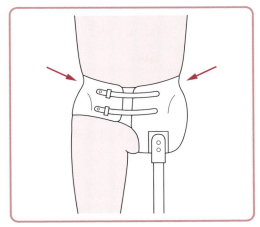

図8　カナダ式ソケット

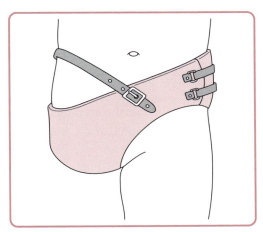

図9　ダイアゴナルソケット

D) 前腕義手：前腕切断に適応する義手である．**機能的な義手の実用性がたいへん高い**．ソケットは，短断端ではミュンスター型ソケット（図7）が実用的である．長断端では，差し込み式やノースウエスタン型ソケットが実用的である．前腕用8字ハーネスと単式コントロールケーブルシステムの組み合わせで制御する．**ミュンスターあるいはノースウエスタン型は，筋電義手の場合にも電極位置の確保に優れており実用的である**．

2）義足

切断高位により，股義足，大腿義足，膝義足，下腿義足，サイム義足，足部切断用義足などに分類される．構造により，殻構造義足と骨格構造義足に分類される．**殻構造義足**とは，外骨格義足ともいわれ，体重支持を外表面の木材や発泡樹脂で行う．**骨格構造義足**とは，内骨格義足といわれ，体重支持を骨のように金属のパイプで行う．義足の構成要素としては，体に接するソケット，懸垂装置，支持部，足部からなり，切断部位により，股継手，膝継手が入る．

A) 股義足

1) ソケット

坐骨で体重支持が可能であれば，**カナダ式ソケット**（図8）あるいはダイアゴナルソケット（図9）を用いる．ダイアゴナルソケットは，カナダ式より軽量で涼しく衣服も着やすい

が，安定性はカナダ式のほうが優れている．
（膝継手，足部に関しては，B）大腿義足，C）下腿義足の項で記載する）

B）大腿義足

1）ソケット

a）機能的分類

ⓐ差し込み式ソケット：断端とソケットの間は密着しておらず，自己懸垂機能はないので肩吊帯や腰バンドが必要である．断端に問題がある際に，用いる場合がある．

ⓑ吸着式ソケット：ソケットの内面と断端の間に吸着作用を作り，自己懸垂機能を持たせたソケットである．全面接触が原則であり，義足のコントロール，断端へのフィードバック，懸垂性はよい．

ⓒライナー式ソケット（図10）：シリコーンやポリウレタン製のライナーを用い，ロック機能でソケットと結合するため懸垂機能がある．高齢者では装着することがむずかしい場合がある．

b）形状による分類

ⓐ四辺形ソケット（図11）：大腿部の坐骨結節直下の筋肉の機能解剖学的位置・役割に応じた形態から四辺形になっており，坐骨結節で体重が支えられるように工夫されている．

ⓑ坐骨収納型ソケット（IRC：ischial ramal containment socket）（図12）：四辺形ソケットでは立脚期に内外側の不安定性が生じやすくなる．坐骨結節を収納することで大腿骨と骨盤の関係を安定化させる．

2）膝継手

a）立脚期制御

アライメントスタビリティと立脚相制御装置がある．

1．アライメントスタビリティ：床反力のベクトルが膝の軸中心より前方を通過すると

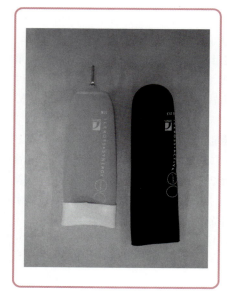

図10　ライナー

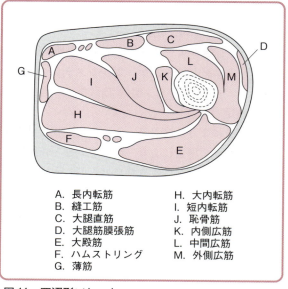

A. 長内転筋　　H. 大内転筋
B. 縫工筋　　　I. 短内転筋
C. 大腿直筋　　J. 恥骨筋
D. 大腿筋膜張筋　K. 内側広筋
E. 大殿筋　　　L. 中間広筋
F. ハムストリング　M. 外側広筋
G. 薄筋

図11　四辺形ソケット

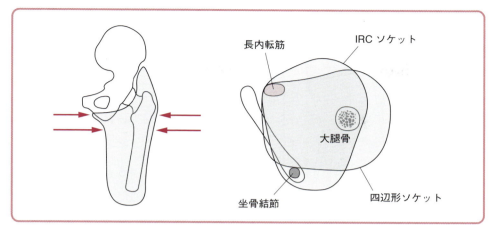

図12 IRCソケット

膝継手は伸展し，後方を通れば膝継手は屈曲する．ベクトルが膝継手の前方を通るように調整する．

2. 立脚相制御装置
   i) 静的安定性
      ⓐ固定膝継手：立ちあがり時，膝を完全伸展すると自動的に固定される継手．座るときには手動で誘導する必要がある．
      ⓑ荷重ブレーキ膝継手（安全膝）：荷重がかかると摩擦力で膝継手にブレーキがかかり固定される．
   ii) 動的安定性
      ⓐバウンシング：正常歩行では踵接地時に膝関節の軽度屈曲がみられ，上下動を減らし歩行を効率化している．立脚相初期に膝継手を軽度屈曲させ，一定の角度以上に屈曲しない機構をバウンシングという．
      ⓑイールディング：荷重すると膝継手がゆっくり屈曲していく機構．坂道を下ったり，階段を交互に下りることが可能．

b) 遊脚相制御
   ⓐ固定膝：膝関節を固定，いわゆる棒足．
   ⓑバネ式：膝継手が屈曲するときの抵抗，伸展するときの補助としてバネを用いる．
   ⓒ機械的摩擦装置：摩擦力が一定の定摩擦と，角度によって摩擦力が変化する可変摩擦がある．伸展時に起こるターミナルインパクトを抑えるために用いる．
   ⓓ流体制御装置：油圧シリンダーでは，ゆっくり屈曲させたときでも大きな抵抗を生じ，小さなシリンダーでも大きな制動力が出せる．

C) 下腿義足
1) ソケット
   ⓐ差し込み式：断端とソケット内面間に余裕を持たせ，断端袋の枚数で適合させる．
   ⓑ PTB (patellar tendon bearing)：膝蓋腱部とそのカウンター部で主として体重を支えるソケット．懸垂機能はPTBカフベルトが必要である（図13）．
   ⓒ TSB (total surface bearing)：断端表面全体で体重支持するソケット．シリコー

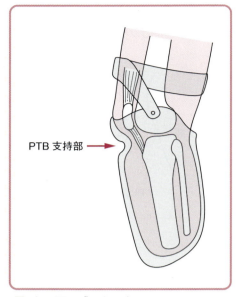

図13　PTB式ソケット

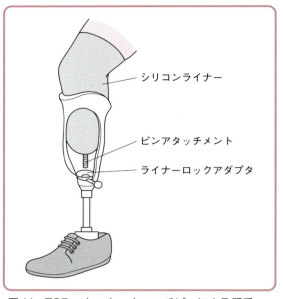

図14　TSBソケット．キャッチピンによる懸垂

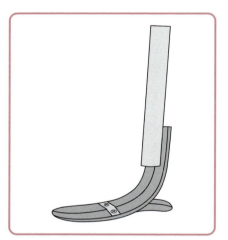

図15　エネルギー蓄積型足部

ンライナーを用い，キャッチピンで接続し懸垂する．密着性が高く歩行中のピストン運動は少ない．懸垂方法は，キャッチピン式で行う（図14）

2) 足継手・足部
 ⓐ単軸足：距腿関節に相当する軸により底背屈の動きができる．踵の後方バンパーで底屈を制動し，前方バンパーで背屈を制動する．
 ⓑ多軸足：底背屈に加えて内外反の動きができる．でこぼこ道やゴルフなど体を捻じる場合に有効．
 ⓒ無軸足：足継手を持たない足部でありSACH（Solid Ankle Cushion Heel foot）が代表．踵部のクッションがたわむことで衝撃を吸収する．
 ⓓエネルギー蓄積型足部（図15）：荷重がかけられることでエネルギーが蓄積され，踏

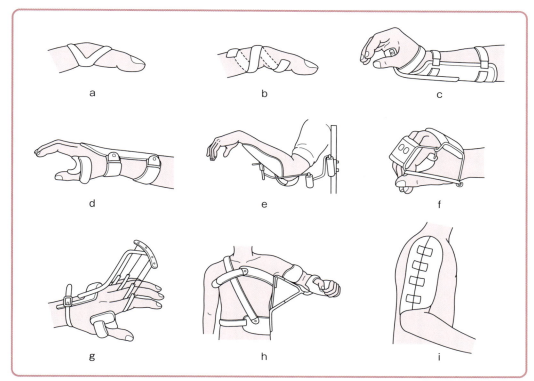

図16 上肢・手の装具

み返すときにエネルギーが放出される．無軸，多軸，単軸などすべての軸形態で用いることができる．最近ではスポーツに限らず使用されている．

2 装　具

装具（orthosis）の定義とは，「四肢・体幹の機能障害の軽減を目的として使用する補助器具」（JIS用語）である．

A 上肢・手の装具

上肢・手の装具を用いる目的としては，①変形の予防，②変形の矯正，③病的組織の保護（炎症や障害のある組織の安静・固定），④失われた機能の代償または補助（筋力低下や関節不安定性に対し，代償や補助），⑤骨折の治療などがある．上肢・手の装具の適応となる疾患は，関節リウマチ，末梢神経障害による麻痺手，頸髄損傷，手・指や肘などの拘縮・変形，上肢の術後，骨折などがあり，以下，疾患別に装具を紹介する．

1）関節リウマチ

指のボタン穴変形に対するリング型装具（図16 a），スワンネック変形に対する螺旋型装具（図16 b），手関節における尺側偏位防止装具や疼痛・不安定性に対する手関節固定装具，肘関節における疼痛・不安定性に対する肘装具などさまざまな装具の適応があり，装具の装着に

より変形予防や機能改善が期待できる．

2）橈骨神経麻痺

下垂手になるので，トーマス型懸垂装具やオッペンハイマー型装具，コックアップ装具（図16 c）などが適応である．

3）正中神経麻痺

猿手になる．長・短対立装具（ランチョ型など）（図16 d）が適応である．

4）尺骨神経麻痺

第4，5指のMP関節過伸展防止装具が適応である．

5）頚髄損傷

第5頚髄の機能残存例にはBFO（balanced forearm orthosis）（図16 e），第6頚髄レベルでは手関節駆動式把持装具，第7頚髄レベルでは指駆動式把持装具や対立装具などの適応がある．

6）拘縮・変形に対する装具

MP関節の伸展拘縮に対してはナックルベンダ（図16 f），屈曲拘縮には逆ナックルベンダが適応であり，伸筋腱や屈筋腱による拘縮にはアウトリガー型動的装具（図16 g）も用いる．肘関節の屈曲あるいは伸展拘縮にはバネやピアノ線を利用した伸展・屈曲補助装具など動的な装具を用いる場合が多い．肩腱板損傷の術後には肩外転装具（図16 h），上腕骨骨幹部骨折に対してfunctional brace（図16 i）が適応となる場合もある．上肢・手の装具の場合，軽いこと，装着が容易であること，装着感がよいこと，外観がよいこと，手や指の感覚を阻害しないことなどを考慮する．

B 下肢装具

下肢装具の目的は，①変形の予防・矯正，②支持性の獲得（免荷），③可動域の制限，④運動の補助と代償などである．目的によって装具はいろいろなものがあるが，下肢は歩行を担っているので歩行運動の代償を可能にすることが期待される．

1）長下肢装具

大腿部から足部にかけて両側に金属製の支柱があり，大腿部，膝継手，下腿部，足継手，足部からなる．膝にパッドを当てる場合もある．膝関節，足関節の支持性を得ることを目的とする．下肢全体の免荷を目的とするときには，坐骨支持を行う必要がある（図17）．

2）股関節装具

股関節の制動・固定性を得る目的で用いる．骨盤から大腿部にかけて装着し，股継手がある場合とない場合がある．人工股関節置換術後などで，脱臼予防目的などで用いる．

3）膝装具

膝関節の支持性獲得，制動を目的とする装具である．前十字靱帯損傷に用いる装具や内側・外側側副靱帯損傷のための装具，また変形性膝関節症に用いる装具などがある（図18）．膝関節の手術後などに用いる簡易膝装具は，可動域はないが軽く安価なのでよく用いる．リウマチの膝関節には，膝蓋大腿関節を保護する目的で，Duke Simpson（デューク・シンプソン）装具が用いられる．不安定性が強い場合には，両側支柱のある膝装具を用いる場合もある．

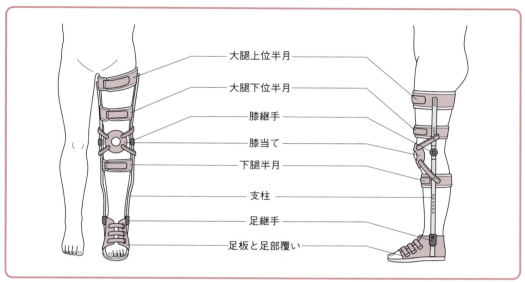

図17 長下肢装具

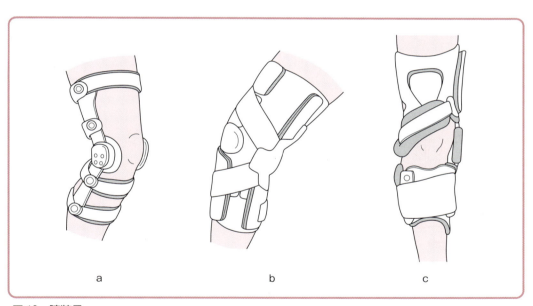

図18 膝装具
a：前十字靱帯損傷用．b：内側・外側側副靱帯損傷用．c：変形性膝関節用

4）短下肢装具

　足関節の支持性獲得，体重負荷を目的とする装具である．下腿部，足継手，足部からなる．下垂足ではプラスチック製の短下肢装具（図19）を用いる．足関節の不安定性が強い場合には，両側支柱付き装具（図20）がよい．尖足位に拘縮を認める場合には補高を加える場合もある．下腿への体重負荷を避けたい場合には，膝蓋靱帯で体重を支える PTB（patellar tendon

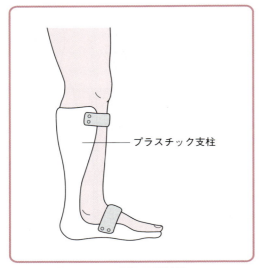

図19　プラスチック製短下肢装具

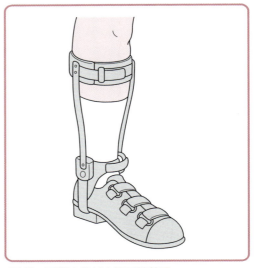

図20　両側支柱付き短下肢装具

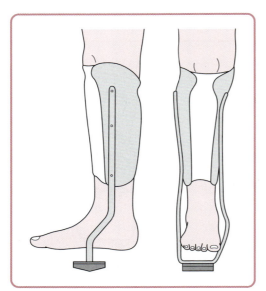

図21　PTB装具

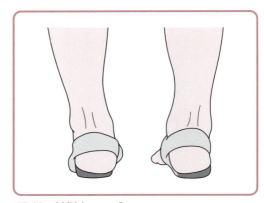

図22　外側ウェッジ

bearing）装具を用いる（図21）．前距腓靱帯損傷では，底背屈は許し内外反を制動する足関節装具が有効である．

　5）足底板

　内反膝による変形性膝関節症に対する下肢のアラインメント矯正目的で，外側ウエッジを用いる場合がある（図22）．外反母趾に対する横アーチのサポート，また扁平足に対する内側縦アーチの支持目的でアーチサポートを用いる．

　6）靴装具

　足部の変形矯正や歩行時の疼痛軽減，脚長差の補正目的で用いる．関節リウマチなどで足部

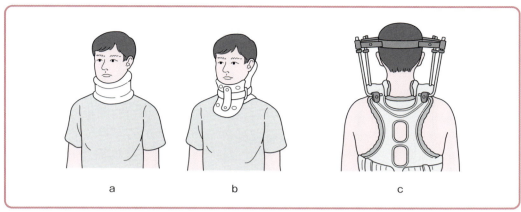

図23　頸椎装具
a. ネックカラー，b. フィラデルフィアカラー，c. ハローベスト

変形が著しい場合には，靴装具が有効である．装着しやすく，軽く，見た目も大切である．

C 体幹装具

体幹装具の目的は，①固定（可動域の制限），②脊柱にかかる負荷の軽減，③脊柱アライメントの維持・矯正などである．

1）頸椎装具

ネックカラー（図23a）は，下顎骨，後頭骨と鎖骨・肩部で，頭部の重量を頸椎から免荷する目的で用いる．フィラデルフィアカラー（図23b）は，顎受けと後頭部に支えがあり，ネックカラーに比較して固定性がよい．ハローベスト（図23c）は，頭蓋骨にピンを刺入しリングと頭蓋を固定し，プラスチック製のベストとリングを支柱で連結し胸郭から頭蓋を支持する装具である．

2）胸腰仙椎装具

適応は，変形性脊椎症，骨粗鬆症による変形・疼痛，圧迫骨折後の変形などがある．また，悪性腫瘍などで固定性を必要とする場合には装着する．ジュエット型（図24a）は，圧迫骨折後などに装着し，変形の進行を予防する．高齢者の圧迫骨折後では，軟性のダーメンコルセット（図24b）を受傷後2〜3週に作製し，立位訓練などを行う．65歳以前の圧迫骨折で変形を最小限にしたい場合や悪性腫瘍など不安定な要素がある場合には，モールド型の硬性コルセット（図24c）を処方する．

3 杖

松葉杖，ロフストランド杖，プラットフォームクラッチ，T字杖などいろいろな種類がある（図25）．ここでは，松葉杖の使い方を説明する．

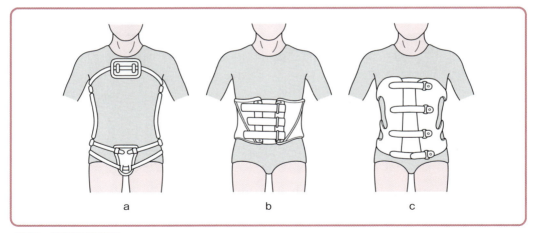

図24 胸腰仙椎装具
a. ジュエット型，b. 軟性コルセット（ダーメン），c. モールド型硬性コルセット

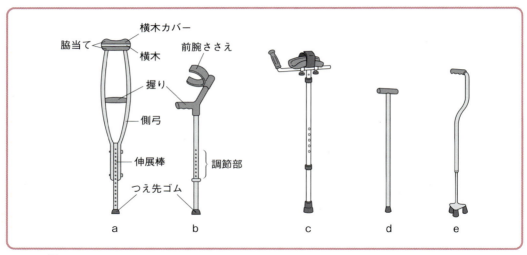

図25 杖
a. 松葉杖，b. ロフストランド杖，c. プラットホームクラッチ，d：T字杖，e：3点杖

A 松葉杖

　松葉杖の合わせ方は，立位姿勢をとり足先から15 cm 外側，15 cm 前方に松葉杖の杖先ゴムを置き，松葉杖の長さを腋窩から2横指下方になるように合わせる．握りの高さは，立位姿勢で握ったときに，肘関節の角度が30°屈曲位になるように調整する（**図26**）．腋窩で支えるのではなく，手で支えるように指導する．松葉杖を使うときには，接地部分のゴムが擦り切れていないか，各杖のパーツは大丈夫かを点検して使う．床が濡れている場合は，非常に滑りやすいので，十分注意が必要である．

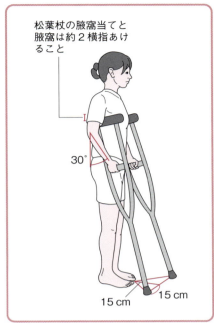

図26 松葉杖の合わせかた

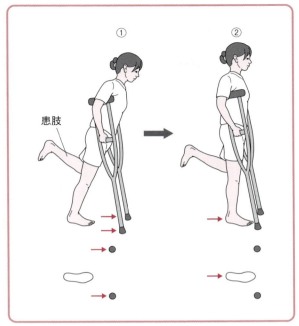

図27 2本松葉杖で左下肢を免荷する場合

1) 松葉杖2本を用いる場合

①片方の下肢を免荷する場合

たとえば，2本松葉杖で左下肢を完全に免荷する場合，まず2本松葉杖を前方に出し，次いで右下肢を前方に移動する（図27）．当初は，松葉杖を越えないように右下肢を出すが，慣れてくれば松葉杖を越えて出してもよい．

②片方の下肢の部分体重負荷を行う場合

部分的に体重負荷を行う場合，たとえば，左下肢に体重の3分の1の体重をかけて歩行する場合は，まず体重の3分の1とはどの程度の負荷なのかを体重計に乗って確認する．その後に，2本松葉杖と左下肢を一緒に出し，体重計で確認した負荷を左下肢にかける．次に右下肢を前方に進める（図28）．

③両下肢の問題で歩行が不安定な場合に松葉杖2本を用いて歩く方法

まず，左松葉杖を前に出し，次いで右下肢，その次に右松葉杖，最後に左下肢を出す（4点歩行）（図29）．慣れたら，左松葉杖と右下肢，右松葉杖と左下肢を一緒に出して進む（2点歩行）．

2) 松葉杖を1本用いる場合

①片方の下肢で免荷は必要ないが，不自由な場合

右下肢が不自由な場合，左手に松葉杖を持ち，右下肢と同時に出して，右下肢にかかる負荷を軽減する．T字杖やロフストランド杖でも同様である．

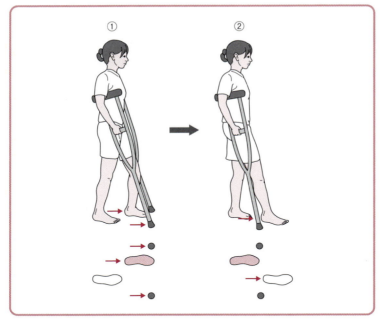

図28　2本松葉杖で左下肢に部分体重負荷を行う場合
白い足あとが健側肢.

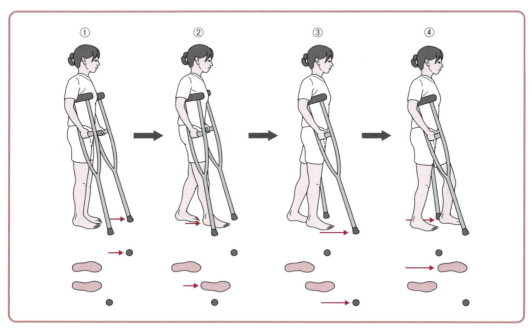

図29　4点歩行
①左松葉杖を出す→②右下肢を出す→③右松葉杖を出す→④左下肢を出す.

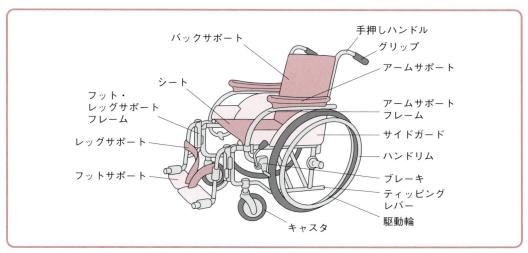

図30　車いすの基本構造

4 車いすの種類と適応指針[3]

A 手動型車いす

1）車いすの基本構造
　車いすの基本構造は，身体支持部，駆動部，車輪，フレームの4部分から構成されており（図30），名称についてはJISで定められている．

2）分類
①**操作法による分類**
　ⓐ自操用車いす：自分で操作する（手でも足でも）車いす
　ⓑ介助用車いす：介助者が操作する車いす

②**製作法による分類**
　ⓐレディメイド車いす：日本人の平均的体格に合わせて作製されている既製品である．
　ⓑオーダーメイド車いす：利用者のためにニーズや体形に合わせて作製された車いす．注文から受け渡しまでに2～3ヵ月必要である．
　ⓒモジュラー車いす：車いすを構成している各部品が何種類もあり，組み合わせることで個々のニーズや体形に合ったものが作製できる車いす

③**障害者自立支援法による分類**
　ⓐ普通型：大車輪が後方にある車いす
　ⓑリクライニング式普通型：背もたれの角度を変えることができる普通型車いす
　ⓒ前方大車輪型：大車輪が前方にある車いす
　ⓓリクライニング式前方大車輪型：背もたれの角度が変えることができる前方大車輪型車いす
　ⓔ片手駆動型：片側にハンドリムを二重に装着して，片麻痺患者が自走できる車いす
　ⓕリクライニング片手駆動型：背もたれの角度を変えることができる片手駆動型車いす

ⓖレバー駆動型：レバー1本で駆動・操舵できる車いす
　　　ⓗ手押し型A：介助者が押して用いる車いすで大車輪のあるもの
　　　ⓘ手押し型B：介助者が押して用いる車いすで小車輪（12インチ未満）のもの
　　　ⓙリクライニング手押し型：背もたれの角度を変えることができる手押し型A
　3）車いすの給付制度[4]

　車いすの公的給付制度には，障害者総合支援法（総合支援法），労働者災害補償保険法（労災），介護保険法がある．もっとも優先されるのが労災である．労災の適応でない場合は，介護保険サービスが利用可能な障害者であれば介護保険法の対象となる（身体障害者手帳を所持している場合でも，介護保険の被保険者に関しては介護保険サービスの利用が優先される）．介護保険サービスによって支給される車いすは標準的な既製品とそのオプションの中から選択し，レンタルという形での支給である．

　介護保険の被保険者だが身体状況により個別に対応が必要である場合，および介護保険の被保険者ではないが身体障害者手帳を所持している場合には，総合支援法による支給対象になる．

Ⓑ 電動車いす

　電動車いすを処方するには，ある程度の交通上の法則の理解，操作能力，判断能力が必要であり，実際に操作できるかなどテストを行って合格する必要がある．種類としては，普通型と簡易型がある．普通型は，モーターが後方にある後輪駆動であり駆動輪は小さい．簡易型には，切替式とアシスト式がある．切替式は電動力走行と手動力走行の切り替えができるものであり，普通型車いすのフレームに電動ユニットを取りつけて電動車いすにしたものである．軽量であるが，力が弱く走行時間も短い．電磁ブレーキを装備する必要がある．アシスト式は，駆動入力を電動力で補助するものである．ハンドリムを駆動するとモーターが作動し補助する．電磁ブレーキは装備されておらず，坂道では停止できない．最高速度は屋内用で4.5 km/h，屋外用で6.0 km/hと定められている．

● 文　献 ●

1）陳　隆明：切断者の現況．義肢装具のチェックポイント，第9版，日本整形外科学会・日本リハビリテーション医学会（監），医学書院，東京，p38-42，2021
2）陳　隆明：義手の役割と普及の現況．義肢装具のチェックポイント，第9版，日本整形外科学会，日本リハビリテーション医学会（監），医学書院，東京，p82，2021
3）大田哲生，向野雅彦：車椅子の分類．義肢装具のチェックポイント，第9版，日本整形外科学会，日本リハビリテーション医学会（監），医学書院，東京，p314-316，2021
4）大田哲生，向野雅彦：車椅子の給付制度．義肢装具のチェックポイント，第9版，日本整形外科学会，日本リハビリテーション医学会（監），医学書院，東京，p333，2021

付 録

1 関節可動域表示ならびに測定法 [1～4)]

❶ 上肢測定

部位名	運動方向	参考可動域角度	基本軸	移動軸	測定肢位および注意点	参考図
肩甲帯 shoulder girdle	屈曲 flexion	0-20	両側の肩峰を結ぶ線	頭頂と肩峰を結ぶ線		
	伸展 extension	0-20				
	挙上 elevation	0-20	両側の肩峰を結ぶ線	肩峰と胸骨上縁を結ぶ線	背面から測定する.	
	引き下げ（下制） depression	0-10				
肩 shoulder （肩甲帯の動きを含む）	屈曲（前方挙上） forward flexion	0-180	肩峰を通る床への垂直線（立位または座位）	上腕骨	前腕は中間位とする. 体幹が動かないように固定する. 脊柱が前後屈しないように注意する.	
	伸展（後方挙上） backward extension	0-50				
	外転（側方挙上） abduction	0-180	肩峰を通る床への垂直線（立位または座位）	上腕骨	体幹の側屈が起こらないように90°以上になったら前腕を回外することを原則とする.	
	内転 adduction	0				
	外旋 external rotation	0-60	肘を通る前額面への垂直線	尺骨	上腕を体幹に接して, 肘関節を前方90°に屈曲した肢位で行う. 前腕は中間位とする.	
	内旋 internal rotation	0-80				
	水平屈曲 horizontal flexion (horizontal adduction)	0-135	肩峰を通る矢状面への垂直線	上腕骨	肩関節を90°外転位とする.	

部位名	運動方向	参考可動域角度	基本軸	移動軸	測定肢位および注意点	参考図
	水平伸展 horizontal extension (horizontal abduction)	0-30	肩峰を通る矢状面への垂直線	上腕骨	肩関節を90°外転位とする．	
肘 elbow	屈曲 flexion	0-145	上腕骨	橈骨	前腕は回外位とする．	
	伸展 extension	0-5				
前腕 forearm	回内 pronation	0-90	上腕骨	手指を伸展した手掌面	肩の回旋が入らないように肘を90°に屈曲する．	
	回外 supination	0-90				
手 wrist	屈曲(掌屈) flexion (palmar-flexion)	0-90	橈骨	第2中手骨	前腕は中間位とする．	
	伸展(背屈) extension (dorsiflexion)	0-70				
	橈屈 radial deviation	0-25	前腕の中央線	第3中手骨	前腕を回内位で行う．	
	尺屈 ulnar deviation	0-55				

❷ 手指測定

部位名	運動方向	参考可動域角度	基本軸	移動軸	測定肢位および注意点	参考図
母指 thumb	橈側外転 radial abduction	0-60	示指(橈骨の延長上)	母指	運動は手掌面とする．以下の手指の運動は，原則として手指の背側に角度計をあてる．	
	尺側内転 ulnar adduction	0				
	掌側外転 palmar abduction	0-90			運動は手掌面に直角な面とする．	
	掌側内転 palmar adduction	0				
	屈曲(MCP) flexion	0-60	第1中手骨	第1基節骨		
	伸展(MCP) extension	0-10				

部位名	運動方向	参考可動域角度	基本軸	移動軸	測定肢位および注意点	参考図
母指 thumb	屈曲(IP) flexion	0-80	第1基節骨	第1末節骨		
	伸展(IP) extension	0-10				
指 fingers	屈曲(MCP) flexion	0-90	第2-5中手骨	第2-5基節骨		
	伸展(MCP) extension	0-45				
	屈曲(PIP) flexion	0-100	第2-5基節骨	第2-5中節骨		
	伸展(PIP) extension	0				
	屈曲(DIP) flexion	0-80	第2-5中節骨	第2-5末節骨	DIPは10°の過伸展をとりうる.	
	伸展(DIP) extension	0				
	外転 abduction		第3中手骨延長線	第2, 4, 5指軸	中指の運動は橈側外転, 尺側外転とする.	
	内転 adduction					

❸ 下肢測定

部位名	運動方向	参考可動域角度	基本軸	移動軸	測定肢位および注意点	参考図
股 hip	屈曲 flexion	0-125	体幹と平行な線	大腿骨(大転子と大腿骨外顆の中心を結ぶ線)	骨盤と脊柱を十分に固定する. 屈曲は背臥位, 膝屈曲位で行う. 伸展は腹臥位, 膝伸展位で行う.	
	伸展 extension	0-15				
	外転 abduction	0-45	両側の上前腸骨棘を結ぶ線への垂直線	大腿中央線(上前腸骨棘より膝蓋骨中心を結ぶ線)	背臥位で骨盤を固定する. 下肢は外旋しないようにする. 内転の場合は, 反対側の下肢を屈曲挙上してその下を通して内転させる.	
	内転 adduction	0-20				
	外旋 external rotation	0-45	膝蓋骨より下ろした垂直線	下腿中央線(膝蓋骨中心より足関節内外果中央を結ぶ線)	背臥位で, 股関節と膝関節を90°屈曲位にして行う. 骨盤の代償を少なくする.	
	内旋 internal rotation	0-45				

部位名	運動方向	参考可動域角度	基本軸	移動軸	測定肢位および注意点	参考図
膝 knee	屈曲 flexion	0-130	大腿骨	腓骨（腓骨頭と外果を結ぶ線）	屈曲は股関節を屈曲位で行う．	
	伸展 extension	0				
足関節・足部※ foot and ankle	外転 abduction	0-10	第2中足骨長軸	第2中足骨長軸	膝関節を屈曲位，足関節を0度で行う．	
	内転 adduction	0-20				
	背屈 dorsiflexion	0-20	矢状面における腓骨長軸への垂直線	足底面	膝関節を屈曲位で行う．	
	底屈 plantar flexion	0-45				
	内がえし inversion	0-30	前額面における下腿軸への垂直線	足底面	膝関節を屈曲位，足関節を0度で行う．	
	外がえし eversion	0-20				
1趾，母趾 great toe, big toe	屈曲(MTP) flexion	0-35	第1中足骨	第1基節骨	以下の1趾，母趾，趾の運動は，原則として趾の背側に角度計をあてる．	
	伸展(MTP) extension	0-60				
	屈曲(IP) flexion	0-60	第1基節骨	第1末節骨		
	伸展(IP) extension	0				
趾 toe, lesser toe	屈曲(MTP) flexion	0-35	第2-5中足骨	第2-5基節骨		
	伸展(MTP) extension	0-40				
	屈曲(PIP) flexion	0-35	第2-5基節骨	第2-5中節骨		
	伸展(PIP) extension	0				
	屈曲(DIP) flexion	0-50	第2-5中節骨	第2-5末節骨		
	伸展(DIP) extension	0				

※一部混乱のあった足および足部の関節可動域表示ならびに測定法が2022年4月から改訂された．詳細は以下を参照されたい．
[http://www.jsmr.org/documents/range_of_motion.pdf]

❹ 体幹測定

部位名	運動方向		参考可動域角度	基本軸	移動軸	測定肢位および注意点	参考図
頚部 cervical spines	屈曲（前屈）flexion		0-60	肩峰を通る床への垂直線	外耳孔と頭頂を結ぶ線	頭部体幹の側面で行う．原則として腰かけ座位とする．	
	伸展（後屈）extension		0-50				
	回旋 rotation	左回旋	0-60	両側の肩峰を結ぶ線への垂直線	鼻梁と後頭結節を結ぶ線	腰かけ座位で行う．	
		右回旋	0-60				
	側屈 lateral bending	左側屈	0-50	第7頚椎棘突起と第1仙椎の棘突起を結ぶ線	頭頂と第7頚椎棘突起を結ぶ線	体幹の背面で行う．腰かけ座位とする．	
		右側屈	0-50				
胸腰部 thoracic and lumbar spines	屈曲（前屈）flexion		0-45	仙骨後面	第1胸椎棘突起と第5腰椎棘突起を結ぶ線	体幹側面より行う．立位，腰かけ座位または側臥位で行う．股関節の運動が入らないように行う．	
	伸展（後屈）extension		0-30				
	回旋 rotation	左回旋	0-40	両側の後上腸骨棘を結ぶ線	両側の肩峰を結ぶ線	座位で骨盤を固定して行う．	
		右回旋	0-40				
	側屈 lateral bending	左側屈	0-50	ヤコビー（Jacoby）線の中点にたてた垂直線	第1胸椎棘突起と第5腰椎棘突起を結ぶ線	体幹の背面で行う．腰かけ座位または立位で行う．	
		右側屈	0-50				

❺ その他の検査法

部位名	運動方向	参考可動域角度	基本軸	移動軸	測定肢位および注意点	参考図
肩 shoulder（肩甲骨の動きを含む）	外旋 external rotation	0-90	肘を通る前額面への垂直線	尺骨	前腕は中間位とする．肩関節は 90°外転し，かつ肘関節は 90°屈曲した肢位で行う．	
	内旋 internal rotation	0-70				
	内転 adduction	0-75	肩峰を通る床への垂直線	上腕骨	20°または 45°肩関節屈曲位で行う．立位で行う．	
母指 thumb	対立 opposition				母指先端と小指基部（または先端）との距離(cm)で表示する．	
指 fingers	外転 abduction		第3中手骨延長線	2, 4, 5 指軸	中指先端と 2, 4, 5 指先端との距離(cm)で表示する．	
	内転 adduction					
	屈曲 flexion				指尖と近位手掌皮線（proximal palmar crease）または遠位手掌皮線（distal palmar crease）との距離(cm)で表示する．	
胸腰部 thoracic and lumbar spines	屈曲 flexion				最大屈曲は，指先と床との間の距離(cm)で表示する．	

2 徒手筋力検査（MMT）[5]

徒手筋力検査（manual muscle testing：MMT）（図1）[6]は個々の筋の筋力を下記の6段階で評価する（表1）．患者の協力がないと実施できず，また検者の主観にもよるところがあり，半定量的評価といえる．圧を計測する機器を活用するのもよいが，MMTの簡便さは捨てがたい．

なお，段階評価であるので，数値としての処理には注意を要する．たとえば，MMT4の筋力はMMT2の2倍ではない（図2）[7]．

アドバイス

大腿四頭筋・下腿三頭筋は強大な抗重力筋であり，仰臥位での検者の徒手による抵抗では，そのわずかな筋力低下（MMT 4）を正常（MMT 5）と区別できない．片脚起立膝屈伸，あるいは片脚起立踵上げのように，体重を利用してはじめて軽度の筋力低下を検出できる．

表1　筋力の判定基準（MMT）

段階		所見
5	normal	強い抵抗を加えても，なお重力に打ち勝って正常可動域いっぱいに動く
4	good	いくらか抵抗を加えても，なお重力に打ち勝って正常可動域いっぱいに動く
3	fair	抵抗を加えなければ，重力に打ち勝って正常可動域いっぱいに動く
2	poor	重力を除けば，正常可動域いっぱいに動く
1	trace	筋の収縮は認められるが，関節は動かない
0	zero	筋の収縮がまったく認められない

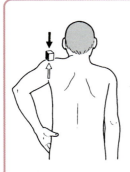
僧帽筋（上部線維群）trapezius；C 3, 4, 副神経支配．肩を挙上させ抵抗を加える．

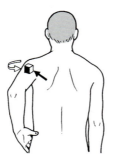
僧帽筋（下部線維群）trapezius；C 3, 4, 副神経支配．肩を後方へ突き出させ抵抗を加える．

棘下筋と小円筋 infraspinatus&teres minor；C(4), 5,6, 肩甲上神経と腋窩神経支配．肘を屈曲させて前腕を外方へ回転させ抵抗を加える．

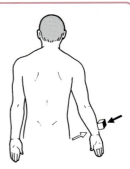
棘上筋 supraspinatus；C(4), 5, 6, 肩甲上神経支配．上肢を側方へ挙上させ抵抗を加える．ただし体幹より30°以内．

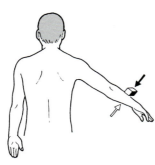
三角筋（中部線維）deltoid；C5, 6, 腋窩神経支配．上肢を側方へ挙上させ抵抗を加える．ただし体幹より30〜75°の間でみる．

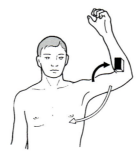
大胸筋 pectoralis major；C 5, 6, 7, 8, (T1), 前胸神経支配．上腕を側方へ水平に挙げた位置で内転を命ずる．

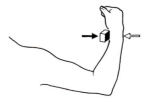
上腕二頭筋 biceps；C5, 6, 筋皮神経支配．前腕を回外させて肘を屈曲させ抵抗を加える．

上腕三頭筋 triceps；C(6), 7, 8, 橈骨神経支配．肘を屈曲位から伸展させ抵抗を加える．

橈側手根屈筋 flex. carpi radialis；C6, 7, 正中神経支配．手関節を橈側に屈曲させ抵抗を加える．

浅指屈筋 flex. digitorum superficialis；C7, 8, T1, 正中神経支配．近位指骨を固定して，近位指節間関節(PIPJ)で指を屈曲させ抵抗を加える．

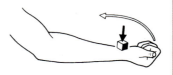
腕橈骨筋 brachioradialis；C5, 6, 橈骨神経支配．前腕回内回外中間位で肘を屈曲させ抵抗を加える．

図1 主な徒手筋力検査
必ず両側に行うこと．黒矢印は抵抗を加えるべき方向，白矢印は力を入れさせる方向．

図1 つづき

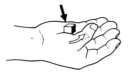
母指対立筋 opponens pollicis；C8, T1, 正中神経支配. 母指尖を小指尖に密着させるようにさせる.

深指屈筋ⅠとⅡ, flex. digitorum profundus Ⅰ&Ⅱ；C7, 8, T1, 正中神経支配. 示指と中指の末節に抵抗を加え屈曲させる. このとき中節骨は伸展位に保つ.

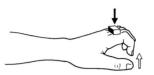
総指伸筋 extensor digitorum communis；C7, (8), 橈骨神経支配. 指(示指〜小指)を中手指節関節(MPJ)で伸展させ抵抗を加える.

小指外転筋 abductor digiti mini；C8, T1, 尺骨神経支配. 手掌を上に向けてテーブルの上に置き, 小指を伸展位で外転を命ずる.

母指内転筋 adductor pollicis；C8, T1, 尺骨神経支配. 手掌と母指の間に紙片を挟ませて, 紙を引きぬく. このとき母指の爪は手掌面に直角になるようにする.

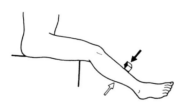
大腿四頭筋 quadriceps femoris；L2, 3, 4, 大腿神経支配. 下腿に抵抗を加えて, 膝を伸展させる.

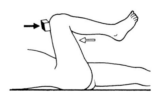
腸腰筋 iliopsoas；L1, 2, 3, 大腿神経支配. 膝屈曲位で背臥させ, 90°に曲げた股関節をさらに屈曲させ, 抵抗を加える.

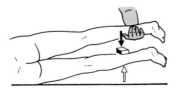
大腿内転筋群 adductors；L 2, 3, 4, 閉鎖神経支配. 膝伸展位で側臥させ, 下方の肢を内転させ抵抗を加える. 上方の肢は検者が保持する.

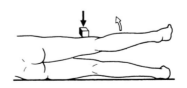
中, 小殿筋 gluteus med. & min. および大腿筋膜張筋 tensor fasciae latae；L4, 5, S1, 上殿神経支配. 下肢伸展位で側臥位に寝かせる. 抵抗を加えながら上方の肢全体を外転(上にあげる)させる.

図1つづき

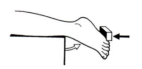

膝屈筋群 hamstrings；L 4, 5, S 1, 2，坐骨神経支配．腹臥位に寝かせ，抵抗を加えながら，膝を屈曲させる．

腓腹筋 gastrocnemius；L(5), S1, 2，脛骨神経支配．患者は腹臥位．足部を底屈させ，抵抗を加える．

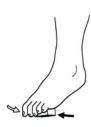

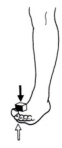

長趾屈筋 flex. digitorum longus；L5, S1, (2), 脛骨神経支配．趾の底屈を命じ，抵抗を加える．

長母趾屈筋 flex. hallucis longus；L5, S1, 2, 脛骨神経支配．母趾（指）に抵抗を加えて，底屈させる．

長母趾伸筋 ext. hallucis longus；L4, 5, S1, 深腓骨神経支配．母趾に抵抗を加えつつ背屈させる．

長趾伸筋 ext. digitorum longus；L4, 5, S1, 深腓骨神経支配．足趾を背屈させ，抵抗を加える．

〔Chusid JG, McDonald JJ : Correlative Neuroanatomy and Functional Neurology, 18th Ed, Lange, 1982 を参考に筆者作成〕

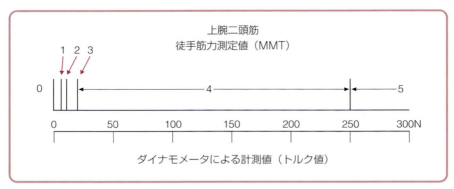

図2　徒手筋力検査

〔Van der Ploeg et al : Measuring muscle strength. J Neurol 231：203, 1984 より引用〕

3 運動器リハビリテーション実技プログラム（3ヵ月）

　日本運動器科学会（旧：日本運動器リハビリテーション学会）が設けているセラピスト資格申請には，3ヵ月以上の実技プログラムの実施期間が必要である．

運動器リハビリテーション実技プログラム（平成30（2018）年現在）

1. 総論
   - 医療従事者としての倫理
   - 安全対策，事故防止
   - 個人情報の保護
2. 物理療法
   - 物理療法の分類および機器の使用目的と日常の保守点検
   - 温熱療法の適応と禁忌ならびに注意事項
   - 腰椎・頸椎牽引の適応と禁忌ならびに注意事項
   - SSP・干渉波等電気を利用した療法の適応と禁忌ならびに注意事項
3. 運動療法
   - ROM訓練の目的と注意事項
   - 筋力強化訓練の目的・注意事項
   - 安全な起きあがり，立ち上がり動作ならびにそれらの介助法の指導
   - バランス能力訓練の目的・注意事項
   - 歩行訓練の目的・注意事項
   - 身体状況に応じた移動手段・自助具等の選択と提示（杖，松葉杖の使用法の指導）
   - ホームエクササイズ・自主トレーニングの目的・注意事項
4. 機能評価
   - 評価の意義と目的
   - ROMの定義・目的・方法
   - MMTの定義・目的・方法
   - バランス能力の評価の定義・目的・方法
   - 歩行の観察・分析
   - バーセルインデックスの理解と評点
5. 疾患別リハビリテーション
   - 適応疾患と留意点
   - 上肢のリハビリテーション
   - 下肢のリハビリテーション
   - 体幹のリハビリテーション
   - 運動器不安定症に対する指導と訓練

4 内科的併存症の管理と運動器リハビリテーション

表1　運動療法の適応と禁忌，注意点[8]

	有酸素運動の注意点	筋力強化運動の注意点	全般的注意点・指導事項
腰痛症 　椎間板症 　椎間板ヘルニア 　変形性脊椎症 　　　　　等	・急激な動作を避ける ・必要に応じてコルセットを用いる ・内科的合併症に注意する	・捻り運動，前後屈の繰り返しを避ける ・反らしすぎを避ける	・腰痛，神経症状の発現，増悪に注意
変形性関節症 　股関節 　膝関節 　足関節	・患部への荷重が少ない運動を選ぶ（やむをえずウォーキング等を行う場合，坂道を避け，距離は短めに） ・必要に応じて補装具（杖，膝装具，足底板等）を用いる ・内科的合併症に注意する	・患部への荷重を避ける ・膝蓋大腿関節に関節症性変化がある場合は膝屈伸の繰り返しを避ける	・疼痛，腫脹等関節症状の発現，増悪に注意

〔河合祥雄：運動療法・運動処方のための診断書・意見書．運動療法ガイド，第4版，井上　一ほか（編著），日本医事新報社，東京，p164-172，2006より引用〕

表2　運動負荷中止基準[9]

①自覚症状：進行増悪する胸痛，呼吸困難，息切れ，めまい，四肢疼痛，高度疲労感 ②他覚所見 　ⓐ他覚症状：顔面蒼白，チアノーゼ，冷汗，運動失調，応答不良 　ⓑ心拍数：予測心拍数到達，心拍数減少 　ⓒ血圧：著しい血圧上昇（250/120 mmHg以上），血圧低下（20 mmHg） 　ⓓ心電図：ST下降（0.2 mV以上），ST上昇（0.1 mV以上），多源性心室期外収縮，二段脈，心室頻拍，R on T，心房粗・細動，房室伝導障害（2度以上），脚ブロック，心室内伝導障害

〔上月正博：フィットネス向上．運動障害のリハビリテーション，岩谷　力ほか（編），南江堂，東京，p109，2002より引用〕

表3 運動負荷試験の中止基準[10]

絶対的適応
- 他の虚血の証拠が伴っており，仕事量の増大に反して収縮期血圧の10 mmHg以上の低下（常にベースライン値から）
- 中等度から高度の狭心症
- 中枢神経症状の増大（運動失調，めまい，near syncopeなど）
- 灌流不良所見（チアノーゼ，蒼白など）
- 心電図または収縮期血圧のモニタリングが技術的に困難
- 被験者が中止を要請
- 持続性心室頻拍
- 異常Q波を伴わないST上昇（1.0 mm以上）（V_1あるいはaV_Rを除く）

相対的適応
- 他の虚血の証拠がなく，仕事量の増大に反して収縮期血圧の10 mmHg以上の低下（常にベースライン値から）
- 過度のST低下（2 mm以上の水平または下降型）や著明な軸の偏位など，STまたはQRSの変化
- 多源性，三連発，上室性頻拍症，心ブロック，徐脈を含む．持続性心室頻拍を除く不整脈
- 疲労，息切れ，喘鳴，足のこむらがえり，跛行
- 心室頻拍とは，識別できない脚ブロックや心室内伝導障害
- 増強する胸痛
- 血圧の過度の上昇[†]

[†] 収縮期血圧250 mmHg以上，および，または拡張期血圧115 mmHg以上

〔Gibbon RA et al : ACC/AHA guidelines for exercise testing. J Am Coll Cardiol **30** : 260-315, 1997より引用〕

表4 転倒・転落アセスメントスコア[11]

	項　目	得点
1	転倒したことがある（入院前または入院後）	3
2	歩行に介助または補助具が必要である	2
3	判断力が低下している（記憶・理解・注意力低下・せん妄・不穏）	2
4	日常生活に影響する視力障害がある	1
5	頻尿・尿失禁がある．または排尿動作に介助が必要である．	1
6	薬（睡眠薬・精神安定剤・降圧・利尿剤）を服用している．	1
	合計得点	

7～10点：よく起こす．4～6点：起こしやすい．
0～3点：起こす可能性がある．

〔日本リハビリテーション医学会診療ガイドライン委員会（編）：リハビリテーション医療における安全管理・推進のためのガイドライン，医歯薬出版，東京，2006より許諾を得て転載〕

表5 転倒・転落リスクに対する対応[11]

危険度1　0～3点：起こす可能性がある．
- 端坐位時の台の高さを足が床に着く高さにする．
- 特に車いすのブレーキ不良の有無を点検する．
- 注意を促す声掛けを多くする．

危険度2　4～6点：起こしやすい．
- 患者の行動から目を離さない
- 患者のニーズが危険行動と関連しないかを見出すようにする．
- ひとつの動作を患者が身につけてから次の動作を指導する．
- 患者の見落としや不注意を過度に評価しない．

危険度3　7～10点：よく起こす．
- できる限りマンツーマンで対応する．あるいは常に傍らにいる．
- 特に障害物などの環境危険因子を排除する．
- 安全ベルトやヘッドギアを使用する（家族の了解のもとに）．

〔日本リハビリテーション医学会診療ガイドライン委員会（編）：リハビリテーション医療における安全管理・推進のためのガイドライン，医歯薬出版，東京，2006より許諾を得て転載〕

表 6　リハビリテーション中止基準 [11]

1．積極的なリハビリテーションを実施しない場合
　① 安静時脈拍 40/分以下または 120/分以上
　② 安静時収縮期血圧 70 mmHg 以下または 200 mmHg 以上
　③ 安静時拡張期血圧 120 mmHg 以上
　④ 労作性狭心症の方
　⑤ 心房細動のある方で著しい徐脈または頻脈がある場合
　⑥ 心筋梗塞発症直後で循環動態が不良な場合
　⑦ 著しい不整脈（10 回/分以上の心室性期外収縮等）がある場合
　⑧ 安静時胸痛のある場合
　⑨ リハビリテーション実施前にすでに動悸，息切れ，胸痛のある場合
　⑩ 座位でめまい，冷や汗，嘔気などがある場合
　⑪ 安静時体温が 38 ℃以上
　⑫ 安静時酸素飽和度（SpO_2）90％以下

2．途中にリハビリテーションを中止する場合
　① 中等度以上の呼吸困難，めまい，嘔気，狭心痛，強い疲労感などが出現した場合
　② 脈拍が 140/分を超えた場合
　③ 運動時収縮期血圧が 40 mmHg 以上，または拡張期血圧が 20 mmHg 以上上昇した場合
　④ 頻呼吸（30 回以上），息切れが出現したとき
　⑤ 運動により不整脈が増加した場合（10 回/分以上になる）
　⑥ 徐脈が出現した場合（40/分以下）
　⑦ 意識状態の変化

3．いったんリハビリテーションを中止し，回復を待って再開
　① 脈拍数が運動前の 30％を超えた場合，ただし 2 分間の安静で 10％以下に戻らないときは以後のリハビリテーションを中止するか，または極めて軽労作のものに切り替える．
　② 脈拍が 120/分を超えた場合
　③ 1 分間 10 回以上の期外収縮が出現した場合
　④ 軽い動機，息切れが出現した場合

4．その他の注意が必要な場合
　① 血尿の出現
　② 喀痰量が増加している場合
　③ 体重が増加している場合
　④ 倦怠感がある場合
　⑤ 食欲不振時，空腹時
　⑥ 下肢の浮腫が増加している場合

〔日本リハビリテーション医学会診療ガイドライン委員会（編）：リハビリテーション医療における安全管理・推進のためのガイドライン，医歯薬出版，東京，2006 より許諾を得て転載〕

表7　高血圧症患者のスポーツ参加・禁止基準[12]

1. 安静時において収縮期血圧180 mmHg以上，拡張期血圧110 mmHg以上の患者は，運動強度の高いスポーツ*は避ける
2. 臓器（心臓，腎臓，眼底など）に合併症を有する上記患者では絶対禁忌とする
   - 注：ライフスタイル改善や薬物治療により血圧コントロールがついた場合は，臓器合併症がない症例に限り許可される

*ウインドサーフィン，スノーボード，トライアスロンなど．詳細は以下の文献参照．
〔日本臨床スポーツ医学会学術委員会内科部会勧告．日臨スポーツ医会誌 13（suppl）：264, 2005 を参考に筆者作成〕

表8　慢性閉塞性肺疾患患者の運動療法時の注意点[13]

1. 病状が安定期にあること
2. 運動前に気管支拡張薬により気道狭窄を取っておく
3. 運動前に咳・喀痰をコントロールする
4. 運動時の呼吸方法をマスターしておく
5. 運動時の低酸素血症をチェックする

〔藤本繁夫，吉川貴仁：高齢者の運動処方・運動指導の注意点—内科的疾患がある場合（呼吸器疾患）．臨床スポーツ医学 22：198-206, 2005 より引用〕

表9　糖尿病患者における運動禁止または制限[14]

1. 糖尿病の代謝コントロールが極端にわるい場合（空腹時血糖 250 mg/dL 以上，または尿ケトン体中等度以上陽性）
2. 増殖性網膜症による新鮮な眼底出血がある場合（眼科医と相談する）
3. 腎不全のある場合（血清クレアチニン値：男性で 2.5 mg/dL，女性で 2.0 mg/dL 以上）
4. 虚血性心疾患や心肺機能に障害のある場合（各専門医の意見を求める）
5. 骨・関節疾患がある場合（専門医の意見を求める）
6. 急性感染症
7. 糖尿病壊疽
8. 高度糖尿病性自律神経障害

〔坂根直樹：高齢者の運動処方・運動指導の注意点—内科的疾患がある場合（糖尿病）．臨床スポーツ医学 22：170-175, 2005 より引用〕

表10　高血糖・低血糖の予防策[15]

1. 食　事
   1) 食事は運動の 1～3 時間前にすませておく
   2) 運動が過激であったり，長時間であったりする場合には，少なくとも 30 分ごとに糖質中心の補食をとる
   3) 運動の強度と持続時間によっては，運動後の 24 時間以内にも，食事摂取量を増やす配慮をする
2. インスリン
   1) インスリンは，運動開始 1 時間前以上に注射する
   2) 運動前のインスリン量を減じる
   3) 運動に際しては，1 日のインスリン投与スケジュールについてあらかじめ変更を考慮する
3. 血糖自己測定
   1) 運動前，運動中，運動後に血糖自己測定を行う
   2) 運動前の血糖は 250 mg/dL 以上，もしくはケトン体陽性の場合には運動を控える
   3) 常日頃，運動の種類に対応する血糖の動きを把握しておく

〔池田義雄：各種疾患・障害に対する運動療法・運動処方の実践—糖尿病．運動療法ガイド—正しい運動処方を求めて，第 4 版，井上 一ほか（編著），日本医事新報社，東京，p409-416, 2006 を参考に筆者作成〕

表11　肝臓疾患患者のスポーツ参加・禁止基準[12]

非接触性スポーツ

1. 絶対的禁止基準
    1) 原因の如何にかかわらず，非治癒期急性肝炎・急性増悪期慢性肝炎・非代償期肝硬変，食道静脈瘤
    2) 眼球結膜の黄染（ただし体質性黄疸は除く）を認めた場合
    3) 次の①または/および②の検査値のいずれかを認めた場合（なお②に関しては，まれに各検査共に真の肝機能障害に基づかない異常値を示す場合があり，2種類以上の検査の実施が望ましい）
        ① 血清 GPT 値：150 mIU/mL 以上
        ② 血清アルブミン値：2.8 g/dL 以下
           血清コリンエステラーゼ値：0.6 Δ pH 以下
           血清ヘパプラスチンテスト値：60％以下
           血清 LCAT 値：350 U 以下
           血清ビリルビン値：2 mg/dL 以上

2. 血液検査後に判断が必要な場合
    1) 原因の如何にかかわらず，肝障害・急性肝炎治癒期・慢性肝炎・肝硬変
    2) 上記の1.2)，1.3)であった者の許可条件：1～2週間の間隔で血液検査が共に上記1.3)で示した値より基準値に近い値である場合スポーツの継続は，①自覚症状として倦怠・疲労感の出現や食欲低下がない，および②1～2ヵ月ごとの検査結果で悪化が認められない場合

接触性スポーツ

1. 禁止基準
    1) 非接触性スポーツの禁止項目に該当する場合
    2) HBs 抗原陽性の場合は，必ず HBV・DNA 値を測定し，HBV・DNA 陽性の場合は禁止し，専門機関にて治療を行う[i]
    3) HCV 抗体陽性の場合は HCV・RNA 値を測定する[ii]

[i] HBV・DNA 陽性血液は，極めて感染性が強いため
[ii] HCV・RNA 陽性血液は，感染力は HBV・DNA 陽性血液に比べ著しく弱いことから，接触性スポーツ参加に際しては現場で出血に対する処置を十分に行うこと

〔日本臨床スポーツ医学会学術委員会内科部会勧告．日臨スポーツ医会誌 13（suppl）：262，2005 より引用〕

表12　腎臓疾患患者のスポーツ参加・禁止基準[12]

急性腎炎症候群

1) 禁忌　①浮腫，蛋白尿，血尿および高血圧（拡張期血圧≧95 mmHg）がみられる場合
　　　　②これらの症状が改善して6ヵ月以内
2) 健康維持程度の運動を許可：浮腫の消失，蛋白尿の陰性化，血尿の陰性化および血圧の正常化がみられて6ヵ月以上経過している場合

慢性腎炎症候群

1) 禁忌　①クレアチニンクリアランス（Ccr）50 mL/分以下の場合
　　　　② Ccr 50～70 mL/分で，持続して蛋白尿（1 g/日以上），高血圧を伴っている場合
2) 健康維持程度の運動を許可：Ccr 50 mL/分以上で，蛋白尿 1 g/1 日未満，拡張期血圧 95 mmHg 未満の場合[i]

ネフローゼ症候群

1) 禁忌　①ステロイド薬治療に反応せず，蛋白尿が1日3.5 g以上持続し，血液生化学検査がネフローゼ型を示す場合
　　　　②ステロイド薬で改善傾向がみられても，蛋白尿が1日2～3.5 g程度持続し，血液生化学検査がネフローゼ型を示す場合
2) 健康維持程度の運動を許可：ステロイド薬治療で改善傾向を示し，蛋白尿が1日2 g未満で固定しており，血液生化学検査が正常の場合[ii]

[i] 蛋白尿，Ccr は定期的に（1～3ヵ月に一度）検査する．経過中，蛋白尿が1日2 g以上に増加するときには運動を禁止する
[ii] 蛋白尿，Ccr は定期的に（1～3ヵ月に一度）検査する

〔日本臨床スポーツ医学会学術委員会内科部会勧告．日臨スポーツ医会誌 13（suppl）：263，2005 より引用〕

表13 冠動脈疾患患者のリスク分類 [16]

軽度リスク	中等度リスク	高度リスク
症状が安定し，以下に示す臨床所見をすべて満たす者	症状が安定し，以下に示す臨床所見のいずれかに該当する者	症状が不安定な者，および以下に示す臨床所見のいずれかに該当する者
1. NYHA心機能分類Ⅰ度 2. 症候限界運動負荷試験において狭心痛を認めず，虚血性ST変化および重篤な不整脈を認めない 3. 運動耐容能が10 METs以上 4. 左室駆出率が60％以上 5. 心不全症状がない	1. NYHA心機能分類Ⅱ度 2. 症候限界運動負荷試験において5 METs以下で，狭心痛や虚血性ST変化および重篤な不整脈を認めない 3. 運動耐容能が5 METs以上，10 METs未満 4. 左室駆出率が40％以上，60％未満 5. 日常生活での心不全症状はないが，胸部X線写真にて心胸郭比が55％以上，または軽度の肺うっ血の所見を認める 6. 脳性利尿ペプチド（BNP）が，基準範囲以上，100 ng/mL未満	1. NYHA心機能分類Ⅲ～Ⅳ度 2. 症候限界運動負荷試験において5 METs以下で，狭心痛や虚血性ST変化，心室頻拍などの重篤な不整脈を認める 3. 運動耐容能5 METs未満 4. 左室駆出率が40％未満 5. 日常生活で心不全症状を有する 6. 脳性利尿ペプチド（BNP）が100 ng/mL以上 7. 左冠動脈主幹部に50％以上および他の主要血管に75％以上の有意な病変を有する 8. 心停止の既往

〔スポーツ医学研修ハンドブック―応用科目，日本体育協会指導者育成専門委員会スポーツドクター部会（監），文光堂，東京，p90，2004より引用〕

表14 冠動脈疾患患者の運動許容条件 [16, 17]

	軽い運動	中等度の運動	強い運動
METs	3 METs未満	3.0～6.0 METs	6.1 METs以上
軽度リスク	すべて許容	すべて許容	条件付許容 [i]
中等度リスク	すべて許容	条件付許容 [ii]	条件付許容 [iii]
高度リスク	条件付許容 [iii]	条件付許容 [iv]	禁忌

注：等尺性運動強度が中等度以上である場合には運動強度を2段階軽いものとする
[i] 運動負荷試験で安全が確認された強度以下であればすべて可
[ii] 運動耐容能が60％以下で，かつ虚血徴候が出現しない強度であれば許容
[iii] 運動耐容能または虚血徴候出現の60％以下の強度であれば，競技を除いて許容
[iv] 専門医の管理下において許可された運動のみ可

〔循環器疾患の診断と治療に関する合同研究班（班長：川久保 清）：心疾患患者の学校，職域，スポーツにおける運動許容条件に関するガイドライン．Circ J 67（Suupl）：1261-1308, 2003／スポーツ医学研修ハンドブック―応用科目，日本体育協会指導者育成専門委員会スポーツドクター部会（監），文光堂，東京，p91，2004を参考に筆者作成〕

表15 不整脈患者のスポーツ禁止基準[12]

1. 失神あるいは失神前兆がある場合は，原因が同定され，治療されるまで競技スポーツは禁忌とする
2. 次の不整脈を有する例はすべてスポーツを禁忌とする
    1) 上室頻拍による失神，失神前兆，動悸がある場合
    2) 非持続性あるいは持続性心室頻拍発作
    3) 心室細動/粗動
    4) 失神/失神前兆，疲労感，心室不整脈のあるType I（Wenckenbach型）第2度房室ブロックやType II（Mobits型）第2度房室ブロック，後天性完全房室ブロック，先天性完全房室ブロック（QRS波間隔が狭く，労作により心室レートが増加し，心室不整脈がない例を除く）
    5) 先天性QT延長症候群
3. 次の不整脈は，括弧内の条件を除き，すべてのスポーツが禁忌である
    1) 症状を伴う徐脈頻脈症候群（治療後3～6ヵ月間無症状であればIAレベルのスポーツのみ許可される）
    2) 心房粗動を有する例（治療後であればIAレベルのスポーツのみ許可される）
    3) 発作性房室結節頻拍で心室レートのコントロールが不完全な場合
    4) 症状のある上室頻拍やWPW症候群に伴う房室回帰性頻拍（治療後6ヵ月間再発のない場合はIAレベルのスポーツのみ許可される）
    5) WPW症候群で心房細動/粗動の発作があり，失神/失神前兆があったり，副伝導路伝導する最大心拍レートが240/分以上の場合
    6) 運動中あるいは運動負荷試験中に心室期外収縮が増加し，意識障害や著しい疲労感，息切れが生じる場合
    7) 器質的心疾患があり心室期外収縮がある場合
    8) 器質的心疾患と心室頻拍がある例（治療後であればIAレベルのスポーツのみ許可される）
    9) 除細動器や抗頻拍機器を埋め込んだ者
    10) 心室細動/粗動（治療後6ヵ月間発作がない場合にはIAレベルのスポーツのみ許可される）
    11) Type I（Wenckenbach型）第2度房室ブロックが運動中あるいは運動後に出現する例（精査を行い，他の異常がない場合にはIAレベルのスポーツのみ許可される）
4. ペースメーカーを挿入した患者，抗凝固療法を必要とする患者は，衝突の危険性のあるスポーツは禁忌とする

〔日本臨床スポーツ医学会学術委員会内科部会勧告．日臨スポーツ医会誌 13（suppl）：266，2005より引用〕

表16 呼吸器疾患患者における運動療法の適応と禁忌[13]

絶対適応	相対適応	禁忌
慢性閉塞性肺疾患 肺嚢胞 気管支喘息の安定剤	陳旧性肺結核 びまん性汎細気管支炎 肺線維症 じん肺 肺癌	感冒の合併 肺炎・気管支炎 肺性心の増悪期 気胸 胸膜炎 気管支喘息の発作時

〔藤本繁夫，吉川貴仁：高齢者の運動処方・運動指導の注意点―内科的疾患がある場合（呼吸器疾患）．臨床スポーツ医学 22：198-206，2005より引用〕

表17 インスリン注射や経口糖尿病治療薬を服用している患者における注意事項[18, 19]

1. 運動中,および運動前後に血糖をチェックする(ことに,運動プログラムの開始時や変更したとき)
2. インスリンの生理活性がピークの期間の運動は避ける
3. 運動30分前に20〜30gの炭水化物を摂取する.運動後インスリンの投与量を減らす
4. 運動強度,持続時間,または各患者自身の経験に基づいて,運動前後のインスリン投与量を減らすように運動計画を立てる.その場合,インスリンは1日の必要量の50〜90%は減量できる
5. 運動中は吸収されやすい炭水化物を摂取する
6. 運動後,炭水化物のスナック菓子を摂取する
7. 低血糖の徴候や症状をよく理解しておく
8. パートナーと一緒に運動する
9. 運動に伴う低血糖のリスクをさらに下げるために,運動する四肢の筋肉にインスリンを注射することは避ける.腹壁への注射が勧められる
10. 運動プログラムの開始時や変更したときは,運動後48時間以上経ってから低血糖が出現することがある
11. 強い強度の筋力運動では,しばしば急激な高血糖が現れる
12. 基礎的な筋力運動後に低血糖のリスクが上昇する

〔運動処方の指針―運動負荷試験と運動プログラム,アメリカスポーツ医学会(編),日本体力医学会体力科学編集委員会(監訳),原書第6版(2001),p213および,原書第7版(2006),p218-219,南江堂,東京を参考に筆者作成〕

5 JKOM (Japanese knee osteoarthritis measure) 2004 [20, 21]

Ⅰ. 膝の痛みの程度
　次の線は痛みの程度をおたずねするものです．左の端を「痛みなし」，右の端をこれまでに経験した「最も激しい痛み」としたときに，この数日間のあなたの痛みの程度はどのあたりでしょうか．
　線の上でこのあたりと思われるところに×印をつけてください．

　　痛みなし　　　　　　　　　　　　　　　　　　　　　これまでに経験した最も激しい痛み

Ⅱ. 膝の痛みやこわばり
　この数日間のあなたの膝の状態についてお聞きします．
　あてはまる回答を1つ選び，□に☑をつけてください．

1. この数日間，朝，起きて動き出すとき膝がこわばりますか．
　　こわばりはない　　少しこわばる　　中程度こわばる　　かなりこわばる　　ひどくこわばる
　　　　□　　　　　　　　□　　　　　　　　□　　　　　　　　□　　　　　　　　□

2. この数日間，朝，起きて動き出すとき膝が痛みますか．
　　全く痛くない　　少し痛い　　中程度痛い　　かなり痛い　　ひどく痛い
　　　　□　　　　　　□　　　　　　□　　　　　　□　　　　　　□

3. この数日間，夜間，睡眠中に膝が痛くて目がさめることがありますか．
　　全くない　　たまにある　　ときどきある　　しばしばある　　毎晩ある
　　　□　　　　　　□　　　　　　□　　　　　　□　　　　　　□

4. この数日間，平らなところを歩くとき膝が痛みますか．
　　全く痛くない　　少し痛い　　中程度痛い　　かなり痛い　　ひどく痛い
　　　　□　　　　　　□　　　　　　□　　　　　　□　　　　　　□

5. この数日間，階段を昇るときに膝が痛みますか．
　　全く痛くない　　少し痛い　　中程度痛い　　かなり痛い　　ひどく痛い
　　　　□　　　　　　□　　　　　　□　　　　　　□　　　　　　□

6. この数日間，階段を降りるときに膝が痛みますか．
　　全く痛くない　　少し痛い　　中程度痛い　　かなり痛い　　ひどく痛い
　　　　□　　　　　　□　　　　　　□　　　　　　□　　　　　　□

7. この数日間，しゃがみこみや立ち上がりのとき膝が痛みますか．
　　全く痛くない　　少し痛い　　中程度痛い　　かなり痛い　　ひどく痛い
　　　　□　　　　　　□　　　　　　□　　　　　　□　　　　　　□

8. この数日間，ずっと立っているとき膝が痛みますか．
　　全く痛くない　　少し痛い　　中程度痛い　　かなり痛い　　ひどく痛い
　　　　□　　　　　　□　　　　　　□　　　　　　□　　　　　　□

Ⅲ. 日常生活の状態
　この数日間のあなたの日常生活の状態についてお聞きします．
　あてはまる回答を1つ選び，□に☑をつけてください．

9. この数日間，階段の昇り降りはどの程度困難ですか．
　　困難はない　　少し困難　　中程度困難　　かなり困難　　非常に困難
　　　□　　　　　　□　　　　　　□　　　　　　□　　　　　　□

10. この数日間，しゃがみこみや立ち上がりはどの程度困難ですか．
　　困難はない　　少し困難　　中程度困難　　かなり困難　　非常に困難
　　　□　　　　　　□　　　　　　□　　　　　　□　　　　　　□

11. この数日間，洋式トイレからの立ち上がりはどの程度困難ですか．
　　困難はない　　少し困難　　中程度困難　　かなり困難　　非常に困難
　　　□　　　　　　□　　　　　　□　　　　　　□　　　　　　□

12. この数日間，ズボン，スカート，パンツなどの着替えはどの程度困難ですか．
　　困難はない　　少し困難　　中程度困難　　かなり困難　　非常に困難
　　　□　　　　　　□　　　　　　□　　　　　　□　　　　　　□

13. この数日間，靴下をはいたり脱いだりすることはどの程度困難ですか．
　　困難はない　　少し困難　　中程度困難　　かなり困難　　非常に困難
　　　□　　　　　　□　　　　　　□　　　　　　□　　　　　　□

14. この数日間，平らなところを休まずにどれくらい歩けますか．
　　30分以上歩ける　　15分ぐらい歩ける　　家のまわりを歩ける程度　　家の中を歩ける程度　　ほとんど歩けない
　　　　□　　　　　　　　□　　　　　　　　□　　　　　　　　□　　　　　　　　□

15. この数日間，杖を使っていますか．
　　全く使わない　　たまに使う　　ときどき使う　　しばしば使う　　必ず使う
　　　　□　　　　　　□　　　　　　□　　　　　　□　　　　　　□

16. この数日間，日用品などの買い物はどの程度困難ですか．
　　困難はない　　少し困難　　中程度困難　　かなり困難　　非常に困難
　　　□　　　　　　□　　　　　　□　　　　　　□　　　　　　□

17. この数日間，簡単な家事（食卓のあと片付けや部屋の整理など）はどの程度困難ですか.
　　困難はない　　　少し困難　　　中程度困難　　　かなり困難　　　非常に困難
　　　□　　　　　　　□　　　　　　□　　　　　　　□　　　　　　　□

18. この数日間，負担のかかる家事（掃除機の使用，布団の上げ下ろしなど）はどの程度困難ですか.
　　困難はない　　　少し困難　　　中程度困難　　　かなり困難　　　非常に困難
　　　□　　　　　　　□　　　　　　□　　　　　　　□　　　　　　　□

IV．ふだんの活動など

この1ヵ月，あなたのふだんしていることや外出などについてお聞きします.
あてはまる回答を1つ選び，□に☑をつけてください.

19. この1ヵ月，催し物やデパートなどへ行きましたか.
　　週に2, 3回　　週に1回程度行った　　2週に1回　　月に1回行った　　全く行かなかった
　　以上行った　　　　　　　　　　　　程度行った
　　　□　　　　　　　□　　　　　　　□　　　　　　　□　　　　　　　□

20. この1ヵ月，膝の痛みのため，ふだんしていること（おけいこごと，お友達とのつきあいなど）が困難でしたか.
　　困難はない　　　少し困難　　　中程度困難　　　かなり困難　　　非常に困難
　　　□　　　　　　　□　　　　　　□　　　　　　　□　　　　　　　□

21. この1ヵ月，膝の痛みのため，ふだんしていること（おけいこごと，お友達とのつきあいなど）を制限しましたか.
　　制限しなかった　少し制限した　半分ほど制限した　かなり制限した　全くやめていた
　　　□　　　　　　　□　　　　　　□　　　　　　　□　　　　　　　□

22. この1ヵ月，膝の痛みのため，近所への外出をあきらめたことがありますか.
　　な い　　　1〜2回あった　　数回あった　　　よくあった　　　ほとんどあきらめていた
　　　□　　　　　　　□　　　　　　□　　　　　　　□　　　　　　　□

23. この1ヵ月，膝の痛みのため，遠くへの外出をあきらめたことがありますか.
　　な い　　　1〜2回あった　　数回あった　　　よくあった　　　ほとんどあきらめていた
　　　□　　　　　　　□　　　　　　□　　　　　　　□　　　　　　　□

V．健康状態について

この1ヵ月のあなたの健康状態についてお聞きします.
あてはまる回答を1つ選び，□に☑をつけてください.

24. この1ヵ月，ご自分の健康状態は人並みに良いと思いますか.
　　全くそう思う　　そう思う　　良いとも悪いとも　　そう思わない　　全然そう思わない
　　　　　　　　　　　　　　　　　言えない
　　　□　　　　　　　□　　　　　　□　　　　　　　□　　　　　　　□

25. この1ヵ月，お膝の状態はあなたの健康状態に悪く影響していると思いますか.
　　全く影響は　　　少し悪い影響　　中程度悪い影響　　かなり悪い影響　ひどく悪い影響
　　ないと思う　　　があると思う　　があると思う　　　があると思う　　があると思う
　　　□　　　　　　　□　　　　　　□　　　　　　　□　　　　　　　□

〔評価尺度作成委員会（赤居正美ほか）：疾患特異的・患者立脚型変形性膝関節症患者機能評価尺度；JKOM（Japanese Knee Osteoarthritis Measure）．運動療法と物理療法 16：55-62，2005 より許諾を得て転載〕

6 ロコモ 25[22)]

■この 1 ヵ月のからだの痛みなどについてお聞きします．

Q1	頚・肩・腕・手のどこかに痛み（しびれも含む）がありますか．	痛くない	少し痛い	中程度痛い	かなり痛い	ひどく痛い
Q2	背中・腰・お尻のどこかに痛みがありますか．	痛くない	少し痛い	中程度痛い	かなり痛い	ひどく痛い
Q3	下肢（脚のつけね，太もも，膝，ふくらはぎ，すね，足首，足）のどこかに痛み（しびれも含む）がありますか．	痛くない	少し痛い	中程度痛い	かなり痛い	ひどく痛い
Q4	ふだんの生活でからだを動かすのはどの程度つらいと感じますか．	つらくない	少しつらい	中程度つらい	かなりつらい	ひどくつらい

■この 1 ヵ月のふだんの生活についてお聞きします．

Q5	ベッドや寝床から起きたり，横になったりするのはどの程度困難ですか．	困難でない	少し困難	中程度困難	かなり困難	ひどく困難
Q6	腰掛けから立ち上がるのはどの程度困難ですか．	困難でない	少し困難	中程度困難	かなり困難	ひどく困難
Q7	家の中を歩くのはどの程度困難ですか．	困難でない	少し困難	中程度困難	かなり困難	ひどく困難
Q8	シャツを着たり脱いだりするのはどの程度困難ですか．	困難でない	少し困難	中程度困難	かなり困難	ひどく困難
Q9	ズボンやパンツを着たり脱いだりするのはどの程度困難ですか．	困難でない	少し困難	中程度困難	かなり困難	ひどく困難
Q10	トイレで用足しをするのはどの程度困難ですか．	困難でない	少し困難	中程度困難	かなり困難	ひどく困難
Q11	お風呂で身体を洗うのはどの程度困難ですか．	困難でない	少し困難	中程度困難	かなり困難	ひどく困難
Q12	階段の昇り降りはどの程度困難ですか．	困難でない	少し困難	中程度困難	かなり困難	ひどく困難
Q13	急ぎ足で歩くのはどの程度困難ですか．	困難でない	少し困難	中程度困難	かなり困難	ひどく困難
Q14	外に出かけるとき，身だしなみを整えるのはどの程度困難ですか．	困難でない	少し困難	中程度困難	かなり困難	ひどく困難
Q15	休まずにどれくらい歩き続けることができますか（もっとも近いものを選んでください）．	2～3 km 以上	1 km 程度	300 m 程度	100 m 程度	10 m 程度
Q16	隣・近所に外出するのはどの程度困難ですか．	困難でない	少し困難	中程度困難	かなり困難	ひどく困難
Q17	2 kg 程度の買い物（1 リットルの牛乳パック 2 個程度）をして持ち帰ることはどの程度困難ですか．	困難でない	少し困難	中程度困難	かなり困難	ひどく困難
Q18	電車やバスを利用して外出するのはどの程度困難ですか．	困難でない	少し困難	中程度困難	かなり困難	ひどく困難
Q19	家の軽い仕事（食事の準備や後始末，簡単なかたづけなど）は，どの程度困難ですか．	困難でない	少し困難	中程度困難	かなり困難	ひどく困難
Q20	家のやや重い仕事（掃除機の使用，ふとんの上げ下ろしなど）は，どの程度困難ですか．	困難でない	少し困難	中程度困難	かなり困難	ひどく困難
Q21	スポーツや踊り（ジョギング，水泳，ゲートボール，ダンスなど）は，どの程度困難ですか．	困難でない	少し困難	中程度困難	かなり困難	ひどく困難
Q22	親しい人や友人とのおつき合いを控えていますか．	控えていない	少し控えている	中程度控えている	かなり控えている	全く控えている
Q23	地域での活動やイベント，行事への参加を控えていますか．	控えていない	少し控えている	中程度控えている	かなり控えている	全く控えている
Q24	家の中で転ぶのではないかと不安ですか．	不安はない	少し不安	中程度不安	かなり不安	ひどく不安
Q25	先行き歩けなくなるのではないかと不安ですか．	不安はない	少し不安	中程度不安	かなり不安	ひどく不安
	解答数を記入してください →	0 点＝	1 点＝	2 点＝	3 点＝	4 点＝
	回答結果を加算してください →		合計		点	

〔星野雄一ほか：ロコモティブシンドローム診断ツール（足腰 25）の開発―運動器不安定性症（マーズ）との対比．運動療法と物理療法 20：311-318，2009 より許諾を得て転載〕

7 JLEQ(Japan low-back pain evaluation questionnaire)[23, 24)]

腰の状態についての質問票

次の線は痛みの程度をおたずねするものです．左の端を「痛みなし」，右の端を「これまでに経験したもっとも激しい痛み」としたとき，この数日間のあなたの痛みの程度はどのあたりでしょうか．線の上で，このあたりと思われるところに×印を付けてください．

|―――――――――――――――――――――――――――――――――|
痛みなし　　　　　　　　　　　　　　　　　　　これまでに経験したもっとも激しい痛み

Ⅰ．この「数日間のあなたの腰の痛み」についてお聞きします．
　　あてはまる回答を1つ選び，□に✓をつけてください．

1. この数日間，あお向けで寝ているとき腰が痛みますか．
　　痛くない　　　少し痛い　　　中程度痛い　　　かなり痛い　　　ひどく痛い
　　　□　　　　　　□　　　　　　□　　　　　　□　　　　　　□

2. この数日間，朝，起きて動き出すとき腰が痛みますか．
　　痛くない　　　少し痛い　　　中程度痛い　　　かなり痛い　　　ひどく痛い
　　　□　　　　　　□　　　　　　□　　　　　　□　　　　　　□

3. この数日間，椅子に腰かけて何分ほどたつと腰が痛みますか．
　　痛むなら　　　50〜60分以上で　　30分程度で　　10〜15分程度で　　2, 3分もたたない
　　ない　　　　　痛くなる　　　　　痛くなる　　　痛くなる　　　　　うちに痛くなる
　　　□　　　　　　□　　　　　　□　　　　　　□　　　　　　□

4. この数日間，立ち上がるときやしゃがみこむとき腰が痛みますか
　　痛くない　　　少し痛い　　　中程度痛い　　　かなり痛い　　　ひどく痛い
　　　□　　　　　　□　　　　　　□　　　　　　□　　　　　　□

5. この数日間，立っているとき腰が痛みますか．
　　痛くない　　　少し痛い　　　中程度痛い　　　かなり痛い　　　ひどく痛い
　　　□　　　　　　□　　　　　　□　　　　　　□　　　　　　□

6. この数日間，前かがみになるとき腰が痛みますか．
　　痛くない　　　少し痛い　　　中程度痛い　　　かなり痛い　　　ひどく痛い
　　　□　　　　　　□　　　　　　□　　　　　　□　　　　　　□

7. この数日間，腰をそらすとき腰が痛みますか．
　　痛くない　　　少し痛い　　　中程度痛い　　　かなり痛い　　　ひどく痛い
　　　□　　　　　　□　　　　　　□　　　　　　□　　　　　　□

Ⅱ．この「数日間のあなたの腰痛による生活上の問題」についておききします．
　　あてはまる回答を1つ選び，□に✓をつけてください．

8. この数日間，同じ姿勢を続けるのはどの程度つらいですか．
　　つらくは　　　少し　　　　　ときどき姿勢を　　しばしば姿勢を　　つらくて，つねにじっ
　　ない　　　　　つらい　　　　変えないとつらい　変えないとつらい　としていられない
　　　□　　　　　　□　　　　　　□　　　　　　□　　　　　　□

9. この数日間，腰痛のため，寝返りはどの程度困難ですか．
　　困難はない　　少し困難　　　中程度困難　　　かなり困難　　　ひどく困難
　　　□　　　　　　□　　　　　　□　　　　　　□　　　　　　□

10. この数日間，腰痛のため，朝，起き上がるのはどの程度困難ですか．
　　困難はない　　少し困難　　　中程度困難　　　かなり困難　　　ひどく困難
　　　□　　　　　　□　　　　　　□　　　　　　□　　　　　　□

11. この数日間，腰痛のため，からだを動かすのはどの程度困難ですか．
　　困難はない　　少し困難　　　中程度困難　　　かなり困難　　　ひどく困難
　　　□　　　　　　□　　　　　　□　　　　　　□　　　　　　□

12. この数日間，腰痛のため，椅子や洋式トイレからの立ち上がりはどの程度困難ですか．
　　困難はない　　少し困難　　　中程度困難　　　かなり困難　　　ひどく困難
　　　□　　　　　　□　　　　　　□　　　　　　□　　　　　　□

13. この数日間，腰痛のため，階段の昇り降りはどの程度困難ですか．
　　困難はない　　少し困難　　　中程度困難　　　かなり困難　　　ひどく困難
　　　□　　　　　　□　　　　　　□　　　　　　□　　　　　　□

14. この数日間，腰痛のため，クツ下やストッキングをはくのはどの程度困難ですか．
　　困難はない　　少し困難　　　中程度困難　　　かなり困難　　　ひどく困難
　　　□　　　　　　□　　　　　　□　　　　　　□　　　　　　□

15. この数日間，腰痛のため，ズボンやパンツの上げ下ろしはどの程度困難ですか．
　　困難はない　　少し困難　　　中程度困難　　　かなり困難　　　ひどく困難
　　　□　　　　　　□　　　　　　□　　　　　　□　　　　　　□

16. この数日間，腰痛のため，床にある3〜4キログラム（1升ビン2本，または2リットル入りのペットボトル2本）程度のものを持ち上げようとするのはどの程度困難ですか．
    困難はない　　　少し困難　　　中程度困難　　　かなり困難　　　ひどく困難
       □　　　　　　□　　　　　　□　　　　　　□　　　　　　□

17. この数日間，腰痛のため，腰を捻って後ろのものをとろうとするのはどの程度困難ですか．
    困難はない　　　少し困難　　　中程度困難　　　かなり困難　　　ひどく困難
       □　　　　　　□　　　　　　□　　　　　　□　　　　　　□

18. この数日間，腰痛のため，戸外を歩くのにどの程度支障がありますか
    1時間以上　　　30分程度は　　10〜15分程度　　2, 3分程度　　ほとんど戸外を
    歩ける　　　　歩ける　　　しか歩けない　　しか歩けない　　歩けない
       □　　　　　　□　　　　　　□　　　　　　□　　　　　　□

19. この数日間，腰痛のため，簡単な作業や家事（ものを片づける，食事に準備をするなど）はどの程度つらいですか．
    つらくない　　　少しつらい　　　中程度つらい　　　かなりつらい　　　ひどくつらい
       □　　　　　　□　　　　　　□　　　　　　□　　　　　　□

20. この数日間，腰痛のため，負担のかかる作業や家事（重いものを運ぶ，家の外の掃除など）はどの程度つらいですか．
    つらくない　　　少しつらい　　　中程度つらい　　　かなりつらい　　　ひどくつらい
       □　　　　　　□　　　　　　□　　　　　　□　　　　　　□

21. この数日間，腰痛のため，横になって休みたいと思いましたか
    思わなかった　　たまに思った　　ときどき思った　　しばしば思った　　いつも思っていた
       □　　　　　　□　　　　　　□　　　　　　□　　　　　　□

22. この数日間，腰痛のため，仕事や学校，ふだんの家事を差しひかえたいと思いましたか．
    思わなかった　　たまに思った　　ときどき思った　　しばしば思った　　いつも思っていた
       □　　　　　　□　　　　　　□　　　　　　□　　　　　　□

23. この数日間，腰痛のため，夜よく眠れないことがありましたか．
    腰痛のために　　一晩ほど　　　よく眠れるときと　　よく眠れない　　毎晩のように
    よく眠れないことは　よく眠れない　　眠れないときが　　夜の方が　　　よく眠れな
    なかった　　　ことがあった　　半々だった　　　　多かった　　　かった
       □　　　　　　□　　　　　　□　　　　　　□　　　　　　□

24. この数日間の腰の状態からみて，遠くへの外出はむずかしいと思いますか．
    むずかしくない　少しむずかしい　中程度むずかしい　かなりむずかしい　全く無理だ
    と思う　　　　と思う　　　　と思う　　　　　と思う　　　　　と思う
       □　　　　　　□　　　　　　□　　　　　　□　　　　　　□

Ⅲ．この1か月間の状態について，お聞きします．
　　あてはまる回答を1つ選び，□に✓をつけてください．

25. この1か月間，腰痛のため，近所への外出を差しひかえたりしましたか．
    差しひかえること　1, 2回　　　ときどき　　　しばしば　　　全く外出
    はなかった　　　差しひかえた　差しひかえた　差しひかえた　しなかった
       □　　　　　　□　　　　　　□　　　　　　□　　　　　　□

26. この1か月間，腰痛のため，ふだんしていること（友人とのつきあい，スポーツ活動，趣味活動など）を制限しましたか．
    制限しなかった　少し制限した　半分程度制限した　かなり制限した　全くやめていた
       □　　　　　　□　　　　　　□　　　　　　□　　　　　　□

27. この1か月間，腰痛のため，職場や学校を休日以外に休んだり，ふだんしている家事を休んだりしましたか．
    休まなかった　　1〜3日休んだ　数日以上休んだ　半分程度休んだ　ほとんど休んだ
       □　　　　　　□　　　　　　□　　　　　　□　　　　　　□

28. この1か月間，腰痛のため気分がすぐれないことがありましたか．
    気分がすぐれない　たまに気分が　ときどき気分が　気分がすぐれない　つねに気分が
    ことはなかった　すぐれなかった　すぐれなかった　ときが多かった　すぐれなかった
       □　　　　　　□　　　　　　□　　　　　　□　　　　　　□

29. この1か月間，腰痛はあなたの精神状態に悪く影響していると思いますか．
    全く影響は　　少し悪い影響が　中程度悪い影響が　かなり悪い影響が　ひどく悪い影響が
    ない　　　　ある　　　　　ある　　　　　　ある　　　　　　ある
       □　　　　　　□　　　　　　□　　　　　　□　　　　　　□

30. この1か月間，腰痛はあなたの健康状態に悪く影響していると思いますか
    全く影響は　　少し悪い影響が　中程度悪い影響が　かなり悪い影響が　ひどく悪い影響が
    ない　　　　ある　　　　　ある　　　　　　ある　　　　　　ある
       □　　　　　　□　　　　　　□　　　　　　□　　　　　　□

〔白土　修ほか：疾患特異的・患者立脚型慢性腰痛疾患者機能評価尺度；JLEQ（Japan Low back pain Evaluation Questionnaire）．日腰痛会誌 13：225-235, 2007 より引用〕

8 健康づくりのための身体活動基準 2013（一部抜粋）（戸山芳昭座長）[25]

1. 18〜64 歳の身体活動（生活活動・運動）の基準
　強度が普通歩行，速歩は 4〜5 メッツ以上の身体活動を 23 メッツ・時/週[20] 行う．具体的には，歩行又はそれと同等以上の強度の身体活動を毎日 60 分行う．

2. 生活活動における主な身体活動量
　・普通歩行（3.0 メッツ）
　・犬の散歩をする（3.0 メッツ）
　・そうじをする（3.3 メッツ）
　・自転車に乗る（3.5〜6.8 メッツ）
　・早歩きをする（4.3〜5.0 メッツ）

3. 18〜64 歳の運動の基準
　強度が 3 メッツ以上の運動を 4 メッツ・時/週行う．具体的には，息が弾み汗をかく程度の運動を毎週 60 分行う．

4. 【参考】「3 メッツ以上の運動（息が弾み汗をかく程度の運動）」の例
　・ボウリング，社交ダンス（3.0 メッツ）
　・自体重を使った軽い筋力トレーニング（3.5 メッツ）
　・ゴルフ（3.5〜4.3 メッツ）
　・ラジオ体操第一（4.0 メッツ）
　・卓球（4.0 メッツ）
　・ウォーキング（4.3 メッツ）
　・野球（5.0 メッツ）
　・ゆっくりとした平泳ぎ（5.3 メッツ）

5. 65 歳以上の身体活動（生活活動・運動）の基準
　強度を問わず，身体活動を 10 メッツ・時/週行う．具体的には，横になったままや座ったままにならなければどんな動きでもよいので，身体活動を毎日 40 分行う．

6. 【参考】3メッツ未満の身体活動（生活活動・運動）
　　　・皿洗いをする（1.8メッツ）
　　　・洗濯をする（2.0メッツ）
　　　・立って食事の支度をする（2.0メッツ）
　　　・こどもと軽く遊ぶ（2.2メッツ）
　　　・時々立ち止まりながら買い物や散歩をする（2.0～3.0メッツ）
　　　・ストレッチングをする（2.3メッツ）
　　　・ガーデニングや水やりをする（2.3メッツ）
　　　・動物の世話をする（2.3メッツ）
　　　・座ってラジオ体操をする（2.8メッツ）
　　　・ゆっくりと平地を歩く（2.8メッツ）

7. 18歳未満の基準（参考）
　　18歳未満に関しては，身体活動（生活活動・運動）が生活習慣病等及び生活機能低下のリスクを低減する効果について十分な科学的根拠がないため，現段階では定量的な基準を設定しない．しかしながら，こどもから高齢者まで，家族がともに身体活動を楽しみながら取り組むことで，健康的な生活習慣を効果的に形成することが期待できる．そのため，18歳未満のこどもについても積極的に身体活動に取り組み，こどもの頃から生涯を通じた健康づくりが始まるという考え方を育むことが重要である．

8. 全年齢層における身体活動（生活活動・運動）の考え方
　　現在の身体活動量を，少しでも増やす．例えば，今より毎日10分ずつ長く歩くようにする．

9. 全年齢層における運動の考え方
　　運動習慣をもつようにする．具体的には，30分以上の運動を週2日以上行う．

〔運動基準・運動指針の改定に関する検討会報告書（平成25年3月），https://www.mhlw.go.jp/stf/houdou/2r9852000002xple-att/2r9852000002xpqt.pdf（2022.5.13 アクセス）より引用〕

⑨ Mini-Mental State Examination（MMSE）回答用紙[26)]

検査日：２００　年　月　日　曜日　施設名：＿＿＿＿＿＿＿＿＿＿

被験者：＿＿＿＿＿＿＿＿＿＿　男・女　生年月日：明・大・昭　年　月　日　歳

プロフィールは事前または事後に記入します。　検査者：＿＿＿＿＿＿＿

得点：30点満点

	質問と注意点		回　答	得　点
1（5点）時間の見当識	「今日は何日ですか」	＊最初の質問で、被験者の回答に複数の項目が含まれていてもよい。その場合、該当する項目の質問は省く。	日	0　1
	「今年は何年ですか」		年	0　1
	「今の季節は何ですか」			0　1
	「今日は何曜日ですか」		曜日	0　1
	「今月は何月ですか」		月	0　1
2（5点）場所の見当識	「ここは都道府県でいうと何ですか」			0　1
	「ここは何市（＊町・村・区など）ですか」			0　1
	「ここはどこですか」（＊回答が地名の場合、この施設の名前は何ですか、と質問をかえる。正答は建物名のみ）			0　1
	「ここは何階ですか」		階	0　1
	「ここは何地方ですか」			0　1
3（3点）即時想起	「今から私がいう言葉を覚えてくり返し言ってください。『さくら、ねこ、電車』はい、どうぞ」＊テスターは3つの言葉を1秒に1つずつ言う。その後、被験者にくり返させ、この時点でいくつ言えたかで得点を与える。＊正答1つにつき1点。合計3点満点。「今の言葉は、後で聞くので覚えておいてください」＊この3つの言葉は、質問5で再び復唱させるので3つ全部答えられなかった被験者については、全部答えられるようになるまでくり返す（ただし6回まで）。			0　1 2　3
4（5点）計算	「１００から順番に7をくり返しひいてください」＊5回くり返し7を引かせ、正答1つにつき1点。合計5点満点。　正答例：93　86　79　72　65　＊答えが止まってしまった場合は「それから」と促す。			0　1　2 3　4　5
5（3点）遅延再生	「さっき私が言った3つの言葉は何でしたか」＊質問3で提示した言葉を再度復唱させる。			0　1　2　3
6（2点）物品呼称	時計（又は鍵）を見せながら「これは何ですか？」鉛筆を見せながら「これは何ですか？」＊正答1つにつき1点。合計2点満点。			0　1　2
7（1点）文の復唱	「今から私がいう文を覚えてくり返し言ってください。『みんなで力を合わせて綱を引きます』」＊口頭でゆっくり、はっきりと言い、くり返させる。1回で正確に答えられた場合1点を与える。			0　1
8（3点）口頭指示	＊紙を机に置いた状態で教示を始める。「今から私がいう通りにしてください。右手にこの紙を持ってください。それを半分に折りたたんでください。そして私にください」＊各段階毎に正しく作業した場合に1点ずつ与える。合計3点満点。			0　1　2　3
9（1点）書字指示	「次の文章を読んで、その通りにしてください。『眼を閉じなさい』」＊被験者は音読でも黙読でもかまわない。実際に目を閉じれば1点を与える。		裏面に質問有	0　1
10（1点）自発書字	「この部分に何か文章を書いてください。どんな文章でもかまいません」＊テスターが例文を与えてはならない。意味のある文章ならば正答とする。（＊名詞のみは誤答、状態などを示す四字熟語は正答）		裏面に質問有	0　1
11（1点）図形模写	「この図形を正確にそのまま書き写してください」＊模写は角が10個あり、2つの五角形が交差していることが正答の条件。手指のふるえなどはかまわない。		裏面に質問有	0　1

〔Folstein MF et al："Mini-Mental State"：A practical method for grading the cognitive state of patients for the clinician. J Psychiatr Res 12：189-198，1975 を参考に筆者作成〕

10 改訂 長谷川式簡易知能評価スケール（HDS-R）検査用紙[27]

（検査日： 　年　　月　　日）			（検査者： 　　　　　）	
氏名：		生年月日：	年齢： 　　　歳	
性別： 男／女	教育年数（年数で記入）： 　　　年		検査場所：	
DIAG：	（備考）			

1	お歳はいくつですか？（2年までの誤差は正解）		0	1
2	今日は何年の何月何日ですか？何曜日ですか？ （年月日、曜日が正解でそれぞれ1点ずつ）	年	0	1
		月	0	1
		日	0	1
		曜日	0	1
3	私たちがいまいるところは、どこですか？ （自発的にできれば2点、5秒おいて家ですか？病院ですか？施設ですか？ のなかから正しい選択をすれば1点）		0　1	2
4	これから言う3つの言葉を言ってみてください。またあとで聞きますので よく覚えておいてください。 （以下の系列のいずれか1つで、採用した系列に○印をつけておく） 　1： a) 桜　　b) 猫　　c) 電車　　2： a) 梅　　b) 犬　　c) 自動車		0 0 0	1 1 1
5	100から7を順番に引いてください。（100−7は？それからまた7を引くと？　と 質問する。最初の答えが不正解の場合、打ち切る）	(93) (86)	0 0	1 1
6	私がこれから言う数字を逆から言ってください。（6・8・2、3・5・2・9） を逆に言ってもらう。3桁逆唱に失敗したら打ち切る。	2・8・6 9・2・5・3	0 0	1 1
7	先ほど覚えてもらった言葉をもう一度言ってみてください。 （自発的に回答があれば各2点。もし回答がない場合以下のヒントを与え 正解であれば1点） 　a) 植物　　b) 動物　　c) 乗り物	a： b： c：	0　1 0　1 0　1	2 2 2
8	これか5つの品物を見せます。それを隠しますのでなにがあったか言ってください。 （時計、鍵、タバコ、ペン、硬貨など必ず相互に無関係なもの）		0　1 3　4	2 5
9	知っている野菜の名前をできるだけ多く言ってください。 （答えた野菜の名前を右の欄に記入する。途中で詰まり、 約10秒間待っても答えない場合にはそこで打ち切る。） 0〜5＝0点、6＝1点、7＝2点、8＝3点、9＝10点、10＝5点		0　1 3　4	2 5
		合計得点		

〔加藤伸司ほか：改訂長谷川式簡易知能評価スケール（HDS-R）の作成．老年精神医誌 2：1339-1347，1991 より許諾を得て転載〕

※ HDS-R 用紙・手引は（株）三京房より公刊されている

11 フレイル・ロコモ克服のための医学会宣言[28]

❶ フレイル・ロコモは，生活機能が低下し，健康寿命を損ねたり，介護が必要になる危険が高まる状態です

　フレイルとロコモティブシンドローム（ロコモ）は，人生100年時代における健康寿命延伸のための健康増進と医療対策のために克服すべき状態です．フレイルは老化に伴い抵抗力が弱まり体力が低下した状態，ロコモは関節など運動器の機能が低下して移動が困難になる状態です．多くの人は高齢になるに従って，移動することが不自由になり（ロコモの状態），特定の病気によらない体力の衰えが増え（フレイルの状態），様々な病気の進行と相まって徐々に生活機能が低下して一人では身の回りのことをするのが不自由になっていきます（要介護の状態）．フレイル・ロコモの人はそうでない人と比較して要介護に至る危険度が約4倍あります．

❷ フレイル・ロコモは，適切な対策により予防・改善が期待できます

　フレイル・ロコモは，気づかないうちに進行していることが多いために予防と早期からの対応が大事で，適切な対策によって要介護に至る危険度を下げたり，元の健常な状態に戻したりできます．また，フレイル・ロコモの原因となっている傷病があれば，早期に発見して治療・管理することが重要です．すなわち，フレイル・ロコモの克服には，小児期から高齢期までのライフスコースに応じた対策，様々な領域にまたがった横断的な対策が必要です．

❸ 私たちは，フレイル・ロコモ克服の活動の中核となり，一丸となって国民の健康長寿の達成に貢献します

　国民の健康長寿の達成には，医学界，市民，産業界，行政，教育界，それぞれの立場の人が，フレイル・ロコモの克服にむけて自ら対策に取り組み，お互いに支えあうことが重要です．私たち医学会は個々に研究開発を推進し，啓発活動を実施するだけでなく，相互に連携してライフコースに応じた対策や領域横断的対策を推進します．さらに，個人のフレイル・ロコモ克服対策の支援，産業界との連携による新しい対策法の開発，行政と協調した公衆衛生活動や健康増進の取り組みの支援を積極的に行います．

❹ 私たちは，フレイル・ロコモ克服のために，国民が自らの目標として実感でき実践できる活動目標として80歳での活動性の維持を目指す「80GO（ハチマルゴー）」運動を展開します．

　国民の一人一人が自分自身のビジョンとしてフレイル・ロコモを克服した社会を思い描けるよう，「80GO（ハチマルゴー）」を提案します．これは80歳で歩いて外出しているという意味です．車いすを使って暮らしている方の場合は，車いすを自分で操作して外出しているということです．多くの国民が80GOを目指して健康長寿を謳歌する共生社会を30年後の次の世代に残そうではありませんか．

・文　献・

1) 日本整形外科学会　評価基準・ガイドライン・マニュアル集，日本整形外科学会，p4-9，1999
2) 日本整形外科学会ほか：関節可動域表示ならびに測定法改訂について（2022 年 4 月改訂）．日整会誌 **96**：75-86，2022
3) 日本整形外科学会ほか：関節可動域表示ならびに測定法改訂について（2022 年 4 月改訂）．Jpn J Rehabil Med **58**：1188-1200，2021
4) 日本整形外科学会ほか：関節可動域表示ならびに測定法改訂について（2022 年 4 月改訂）．日本足の外科学会雑誌 **42**：S372-385，2021
5) 標準整形外科学，第 10 版，国分正一，鳥巣岳彦（監），医学書院，東京，p820-822，2005
6) Chusid JG, McDonald JJ：Correlative Neuroanatomy and Functional Neurology, 18th Ed, Lange, 1982
7) Van der Ploeg et al：Measuring muscle strength. J Neurol **231**：203, 1984
8) 河合祥雄：運動療法・運動処方のための診断書・意見書．運動療法ガイド，第 4 版，井上　一ほか（編著），日本医事新報社，東京，p164-172，2006
9) 上月正博：フィットネス向上．運動障害のリハビリテーション，岩谷　力ほか（編），南江堂，東京，p109，2002
10) Gibbon RA et al：ACC/AHA guidelines for exercise testing. J Am Coll Cardiol **30**：260-315, 1997
11) 日本リハビリテーション医学会診療ガイドライン委員会（編）：リハビリテーション医療における安全管理・推進のためのガイドライン，医歯薬出版，東京，2006
12) 日本臨床スポーツ医学会学術委員会内科部会勧告．日臨スポーツ医会誌 **13**（suppl）：262，263，264，266，2005
13) 藤本繁夫，吉川貴仁：高齢者の運動処方・運動指導の注意点—内科的疾患がある場合（呼吸器疾患）．臨床スポーツ医学 **22**：198-206，2005
14) 坂根直樹：高齢者の運動処方・運動指導の注意点—内科的疾患がある場合（糖尿病）．臨床スポーツ医学 **22**：170-175，2005
15) 池田義雄：各種疾患・障害に対する運動療法・運動処方の実践—糖尿病．運動療法ガイド—正しい運動処方を求めて，第 4 版，井上　一ほか（編著），日本医事新報社，東京，p409-416，2006
16) スポーツ医学研修ハンドブック—応用科目，日本体育協会指導者育成専門委員会スポーツドクター部会（監），文光堂，東京，p90，2004
17) 循環器疾患の診断と治療に関する合同研究班（班長：川久保　清）：心疾患患者の学校，職域，スポーツにおける運動許容条件に関するガイドライン．Circ J **67**（Suupl）：1261-1308，2003
18) 運動処方の指針—運動負荷試験と運動プログラム，アメリカスポーツ医学会（編），日本体力医学会体力科学編集委員会（監訳），原書第 6 版，南江堂，東京，p213，2001
19) 運動処方の指針—運動負荷試験と運動プログラム，アメリカスポーツ医学会（編），日本体力医学会体力科学編集委員会（監訳），原書第 7 版，南江堂，東京，p218-219，2006
20) Akai M, Doi T, Fujino K et al：An outocome measure for Japanese people with knee osteoarthritis. J Rheumatol **32**：1524-1532, 2005
21) 評価尺度作成委員会（赤居正美ほか）：疾患特異的・患者立脚型変形性膝関節症患者機能評価尺度；JKOM（Japanese Knee Osteoarthritis Measure）．運動療法と物理療法 **16**：55-62，2005
22) 星野雄一ほか：ロコモティブシンドローム診断ツール（足腰 25）の開発—運動器不安定性症（マーズ）との対比．運動療法と物理療法 **20**：311-318，2009
23) Shirado O et al：An outcome measure for Japanese people with chronic low back pain an introduction and validation study of Japan Low Back Pain Evaluation Questionnaire. Spine **32**：3052-3059, 2007
24) 白土　修ほか：疾患特異的・患者立脚型慢性腰痛疾患者機能評価尺度；JLEQ（Japan Low back pain Evaluation Questionnaire）．日腰痛会誌 **13**：225-235，2007
25) 運動基準・運動指針の改定に関する検討会報告書（平成 25 年 3 月），https://www.mhlw.go.jp/stf/houdou/2r9852000002xple-att/2r9852000002xpqt.pdf（2022.5.13 アクセス）
26) Folstein MF et al："Mini-Mental State"：A practical method for grading the cognitive state of patients for the clinician. J Psychiatr Res **12**：189-198, 1975
27) 加藤伸司ほか：改訂長谷川式簡易知能評価スケール（HDS-R）の作成．老年精神医誌 **2**：1339-1347，1991
28) 日本医学会連合：フレイル・ロコモ克服のための医学会宣言（2022 年 4 月 1 日），https://www.jmsf.or.jp/activity/page_792.html（2022.5.13 アクセス）

和文索引

あ
アイシング 162
アイスパック 95
アウトリガー型動的装具 220
アキレス腱断裂 67, 188
足関節捻挫 186
アスレティックリハビリテーション 141
　段階的—— 145
圧注浴 103
アルツハイマー病 83, 84
アンダーアーム装具 200

い
イールディング 217
異所性骨化 199
痛み 72
　——の測定 72
医療安全管理指針 20
医療安全対策 17
インスリン注射 247
インフォームドコンセント 20, 21
インプラント 172

う
ウイリアムズ屈曲装具 207
運動開始時痛 182
運動学習 110
運動器機能 10
運動器検診 49, 51
運動器疾患 1, 5
運動機能低下をきたす11の運動器疾患 137
運動器不安定症 136
　——，診断基準 137
運動強度 107
運動器リハビリテーション 1, 8
　——実技プログラム 239
　——総合実施計画書 29
　——のプロセス 17
　——の目的 6
　——料 26
　——　——の対象となる患者 27
　——，診断と評価 8
運動障害に関連する機能障害 10
運動処方 107
運動神経 57
運動負荷試験 110

　——の中止基準 241
運動負荷中止基準 240
運動負荷量 22, 109
運動療法，禁忌 240
運動療法，適応 240

え
エクササイズ 107
エネルギー蓄積型足部 218
遠心性筋収縮 114

お
オーダーメイド車いす 227
オーバーヘッドスクワット 151
オーバーユース 68
おじぎ体操 155
オッペンハイマー型装具 220
温熱療法 93, 154, 162

か
ガーデン分類 175
回外 73, 74
開眼片脚起立 131
　——時間 75, 136
介護サービス，受給者数 39
介護サービス利用の手続き 35, 38
介護施設 42
介護保険 35
介護保険制度，被保険者 35
介護リハビリテーション 41
外傷後拘縮 162
外傷性頸部症候群 66
介助用車いす 277
回旋筋腱板 58
外旋 72, 74
外側ウエッジ 222
外側側副靭帯 60
　——損傷 220
介達間欠牽引 197
改訂 長谷川式簡易知能評価スケール 77, 84, 256
外転 61, 72, 73
回内 73, 74
外反 61
外反変形 61, 182
開放運動系訓練 185
海綿骨 59
殻構造義足 215

仮骨形成 65
下肢装具 220
肩外転装具 220
肩関節 153
　——周囲炎 153
　——　——，治療 154
肩腱板損傷 160
学校健診 49
滑車運動 157, 158
滑膜 58
　——関節 60
カナダ式ソケット 215
化膿性関節炎 68
過負荷の原則 136
カフパンピング 172, 174
渦流浴 103, 162
感覚障害 71
感覚神経 57
環境整備責任 21
間欠性跛行 71
寛骨臼回転骨切り術 179
干渉波 101
関節 58
　——の動き 61
　——の形態 59
関節液 58
関節炎 68
関節可動域 61, 72
　——訓練 68, 110, 162
　——制限 111, 162, 177, 179, 182
　——表示ならびに測定法 229
関節拘縮 68, 199
関節固定術 180
関節腫脹 182
関節水腫 69
関節不安定性 66
関節リウマチ 68, 167, 180, 219
完全麻痺 198
肝臓疾患 244
冠動脈疾患 245
嵌頓 184
カンファレンス 23, 24, 25
寒冷療法 95

き
キアリ骨盤骨切り術 177
偽関節 65
義肢 213
義手 213
　——の名称 214
義足 215

和文索引

期待権侵害論　21
機能的自立度評価法　29, 77
機能的電気刺激　105
機能評価尺度　11
ギプス　64, 65
　　──障害　65
気泡浴　103
基本的日常生活活動（動作）　1, 77
臼蓋形成術　177
球関節　58, 59
求心性筋収縮　114
吸着式ソケット　216
競技復帰時のチェック項目　147
行政処分　21
強直　68
挙上介助運動　156
筋　58
　　──の構造　59
　　──の収縮　61
筋萎縮　182
筋区画症候群　65
筋収縮　58, 60
筋線維　58
筋断裂　67
筋電義手　214
筋力　60
　　──増強　101, 113
　　── ──訓練　60, 113

屈曲　61, 72, 73
靴装具　222
クリック　184
クリニカルパス　174
車いす　227
　　──の給付制度　228

け

ケアプラン　37
経口糖尿病治療薬　247
刑事責任　21
頸髄症　194
頸髄損傷　198, 220
痙性麻痺　71, 112
頸椎カラー　195, 196
頸椎牽引　197
頸椎装具　196, 197, 223
頸椎捻挫　66
軽度認知機能障害　84
経皮的電気神経刺激　100, 105
頸部痛　191
結果回避義務　20
血管性間欠跛行　206
血管性認知症　83, 85
血管性パーキンソニズム　85
腱　58

　　──の構造　58
牽引療法　102
健康関連 QOL　79
　　──尺度　10
健康寿命　2, 3, 124
健康づくりのための身体活動基準
　2013　253
幻視　85
腱損傷　166
腱断裂　67
腱板　58, 158
　　──外旋筋力強化　160
　　──損傷　158
　　──断裂　159
　　──内旋筋力強化　160
腱反射　71
ケンプテスト　206

コアトレーニング　147, 150
　　段階的──　147
高位脛骨骨切り術　183
交感神経　57
高血圧　243
高血糖　243
後十字靱帯　60
抗重力機構　118
抗重力筋　235
拘縮　68, 111, 168, 220
硬性コルセット　223, 224
硬性装具　202
行動・心理症状　86
硬膜外ブロック　205
高齢化率　124
高齢社会　1
高齢者の運動器疾患　6
高齢者の三大骨折　200
コールドパック　95
股関節　171
　　──外転筋筋力増強訓練　178
　　──装具　220
呼吸器疾患　246
国際生活機能分類（ICF）　8, 12
国民生活基礎調査　2, 6, 124
五十肩　68, 153, 158
　　──，病期　154
骨格筋構造義足　215
骨格筋電気刺激法　105
骨化性筋炎　113, 162
骨管端部　59
骨幹部　59
骨棘　192
コックアップ装具　220
骨折　63, 162, 168
　　──の合併症　65
骨粗鬆症　125, 200
骨粗鬆症性椎体骨折　200

骨端部　59
骨頭回転骨切り術　179
骨膜　59
骨癒合　65
固定　63
　　──肢位　68
コドマン振り子運動　156, 157
コブ角　199
ゴムバンド　114
コルセット　201, 207, 208
コレス骨折　200
コンディショニング　110

最大心拍数　109
作業用義手　213
坐骨収納型ソケット　216
坐骨神経痛　204
サルコペニア　126
猿手　169, 220

シーネ　64, 65
弛緩性麻痺　113
事故防止　17
自操用車いす　227
持続的他動的運動装置　112
肢体不自由　107
膝蓋骨骨折　186
失調　120
自動運動　110, 111, 115
自動介助運動　111, 115
自動伸展運動　166
自分が健康であると自覚している
　期間　3
四辺形ソケット　216
社会保険点数表　24
社会保険方式　35
尺骨神経　169
　　──麻痺　220
尺側偏位　167, 168
ジャクソンテスト　193
重錘バンド　114
ジュエット型　223, 224
手指巧緻運動障害　194
手段的日常生活活動　77
主要死因疾患　2
傷害予防実践モデル　144
掌屈　73, 74
上肢装具　219
小脳性失調　116
踵腓靱帯　186
上腕骨外側上顆炎　165
上腕骨近位端骨折　160
初期認知症徴候観察リスト　86,
　87

和文索引

職業性腰痛　209
徐脈　62
自立支援　35
自律神経　57
新型コロナウイルス（COVID-19）　54
伸筋腱断裂　167, 168
神経機能の評価　71
神経根圧迫テスト　193
神経根症　191, 192
神経障害　71
神経性間欠跛行　206
人工関節　171
人工股関節全置換術（THA）　171
人工骨頭置換術　171
人口増減率　1
人工膝関節全置換術（TKA）　181
腎臓疾患　244
靱帯　59, 60
　　──断裂　66
　　──損傷　66
身体活動　4, 5
伸張　113
伸展　61, 72, 73
深部静脈血栓症　172
心理的ゴール　30

水中運動　110
水中歩行　118
水治療法　103
スクワット　131, 132
ストレッチング　113, 193, 203, 204, 208
スパーリングテスト　193
スポーツ外傷・障害　141
スワンネック変形　167, 168

せ

生活機能　6, 12
生活習慣病　13
生活の質　79
正中神経　169
整復　63
赤外線　94
脊髄症　191, 194
脊髄障害　71
脊髄損傷　198
脊柱管狭窄　63
赤筋　58
切断　211
　　──レベル　214
説明責任　20, 21
セミリジッドドレッシング　211
線維性癒着　68
前距腓靱帯　186

前十字靱帯　60
　　──損傷　184, 220
漸進性の原則　136
前頭側頭型認知症　84, 85

そ

創外固定器　64
装具　219
　　──療法　199
促通　110
足底板　222
側弯症　199
ソケット　215
速筋　58
ソフトカラー　196, 197

た

ダーメンコルセット　223, 224
ダイアゴナルソケット　215
大腿骨外反骨切り術　177
大腿骨近位部骨折　175
大腿骨頚部骨折　175
大腿骨転子部骨折　175
大腿骨頭壊死症　179
大腿骨内反骨切り術　177
大腿四頭筋　58
　　──セッティング　114
大腿神経伸張テスト（FNST）　204
ダイナミックアライメント　143
多軸足　218
立ち上がりテスト　127, 129, 130
脱臼誘発肢位　174
立って歩けテスト（TUG）　29, 76, 127, 136
他動運動　110, 111, 115
他動的可動域訓練　162
段階的アスレティックリハビリテーション　145
段階的コアトレーニング　147
短下肢装具　221
単軸足　218
弾性包帯　66, 211
タンデム肢位　75
タンデム歩行　75

ち

地域包括ケアシステム　37, 40
遅筋　58
注意義務　20
　　──違反　21
中心性頚髄損傷　198
超音波照射　162
超音波療法　96
長下肢装具　220
長管骨　59, 60

超高齢社会　124
長・短対立装具　220
超短波　98
蝶番関節　58, 59
治療的電気刺激　105

つ

椎間関節の離開　102
椎間板内圧　63, 64
椎間板ヘルニア　192
椎間板膨隆の整復　102
椎弓切除術　206
通院者数　3
通所介護　38
通所リハビリテーション　30, 38
痛風　68
杖　208, 223, 224
使いすぎ　68
使いすぎ症候群　107, 116

て

低エネルギー超音波（LIPUS）　65
底屈　73, 74
デイケア　38, 42
低血糖　243
抵抗運動　111, 115
デイサービス　38, 42
低出力レーザー療法　98
テーピング　66, 187
手関節　166
テニス肘　68, 165
手の装具　219
デューク・シンプソン装具　220
デローム法　115
電磁波療法　98
転倒・転落アセスメントスコア　241
電動車いす　228

と

等運動性収縮　113, 114
橈骨遠位端骨折　200
橈骨神経　169
　　──麻痺　220
等尺性筋力増強訓練　193
等尺性収縮　60, 61, 113
等尺性背筋増強訓練　203
等尺性腹筋増強訓練　203
等張性収縮　60, 61, 113, 114
糖尿病　243
トーマス型懸垂装具　220
特定健康診査　43, 46
特定保健指導　47
特発性側弯症　199
徒手筋力検査（MMT）　75, 235

和文索引

トリガーポイント注射　192
トンプソンテスト　188

な

内・外転介助運動　156
内科的併存症の管理　240
内旋　72, 74
　──介助運動　156, 157
内側側副靱帯　60
　──損傷　184, 220
内転　61, 72, 73
内軟骨性骨化　63
内反　61
内反変形　61
ナックルベンダ　220
軟骨　58
　──形成　63
　──損傷　68
軟性装具　201
軟部組織の伸張　68, 102

に

肉離れ　67, 188
日常生活活動（ADL）　9
　基本的──　1, 77
　手段的──　77
日常生活自立度判定基準　79
日常生活動作が自立している期間　3
日常生活に制限のない期間　3
認知症　77, 83
　──度判定基準　79
　──の運動処方　90

ね

寝たきり度判定基準　79
ネックカラー　223
捻挫　66, 186
粘弾性　68

の

脳性麻痺　119
能動式義手　213

は

バーセルインデックス　29, 77, 78
背屈　73, 74
肺梗塞　63
肺塞栓　65
廃用　120
廃用症候群　195, 201
ハインリッヒの法則　18
バウンシング　217

跛行　177
白筋　58
ハバード浴　103
パラフィン　94
バランス　126
　──訓練　116
バランスボード　116, 117
バルーンセラピー　116, 117
ハローベスト　196, 197, 223
半月板損傷　184

ひ

ヒアルロン酸ナトリウム　183
ヒールレイズ　131, 133
膝関節　181
　──屈曲運動　183
　──伸展運動　183
膝装具　220
肘関節　162
皮質骨　59
ヒヤリ・ハット報告　18
ピンサーメカニズム　63

ふ

ファンクショナルリーチテスト　76
フィラデルフィアカラー　196, 197, 223
フェイススケール　72
副交感神経　57
副子　64, 65
不随意運動　120
不整脈　246
不全麻痺　198
物理療法　93
不動　68
プラットホームクラッチ　224
振り子運動　155
ブルンストローム回復ステージ　119
フレイル　45, 48, 137
　──健診　43, 47
　──・ロコモ克服のための医学会宣言　257
プレフレイル　48
フレンケル体操　116, 117
ブロック療法　192, 193
フロントランジ　131, 223, 224
分時酸素摂取量　109

へ

平均寿命　2
平均余命　2
閉鎖運動系訓練　185
併存症　13

ヘバーデン結節　68
ベルト電極式骨格筋電気刺激法　105
変形　182, 220
変形性関節症　66, 68, 125
変形性頚椎症　191
変形性股関節症　176
変形性膝関節症　12, 13, 120, 182, 220
変形性腰椎症　125
扁平骨　59
片麻痺　119, 120

ほ

膀胱直腸障害　194
棒体操　157, 158
法的責任　20
訪問リハビリテーション　32
ボールエクササイズ　116
保健調査票　49, 52
歩行　6, 62
　──訓練　118
　──周期　62
母指手根中手関節　69
保存治療　188
ボタン穴変形　167, 168
ホットパック　94
骨の構造　59, 60
ポリネックカラー　196, 197
ボルグ指数　30, 107, 109

ま

マーズ　136
マイクロウェーブ　98
膜性骨化　63
マクマレーテスト　184
枕　197
末梢神経障害　71
末梢神経麻痺　65
松葉杖　118, 224
麻痺手　169
慢性閉塞性肺疾患　243

み

ミュンスター型ソケット　215
民事責任　20

む，め

無軸足　218
メッツ　107
　──・時　107
　──表　108

も

目標心拍数　62
目標設定等支援・管理シート料　32
モジュラー車いす　227
もの忘れ　83

や，ゆ

野球肘　164
遊脚期　62
有酸素運動　6
有訴者数　3

よ

要介護　41, 42
　——，原因　6, 40, 124
　——，認定者数　39
　——度判定基準　77
　——認定　37
要支援　41, 42
　——，原因　37, 124
　——，認定者数　39
腰椎椎間板ヘルニア　204
腰痛症　202
腰痛体操　203
腰部脊柱管狭窄症　71, 125, 206
予見義務　20

ら

ライナー式ソケット　216
ライフコースアプローチ　138
ラセーグ徴候　204
螺旋型装具　219
ラックマン徴候　185
ランジ　151

り

リジッドドレッシング　211
リスク管理　17, 20
離断　211
立位バランス　61
立脚期　62
リハビリテーション医療，事故事例　17
リハビリテーション計画書　32, 33
リハビリテーション施設　42
リハビリテーション総合実施計画書　22
　——，書き方　29
リハビリテーション中止基準　242
リハビリテーションにおける介護優先　42
リハビリテーションの算定日数　27
リハビリテーションマネジメント　22
リュックサック型装具　202
領域横断的アプローチ　138
リング型装具　219

る，れ

ルシュカ関節　192
冷却スプレー　95
レディメイド車いす　227
レビー小体型認知症　83, 84
レム期睡眠行動異常症　85

ろ，わ

老研式活動能力指標　77
老人性健忘　83
ローテーターカフ　58, 158
ロコトレプラス　131
ロコモ 25　80, 127, 129, 130, 250
ロコモーションチェック（ロコチェック）　126, 127
ロコモーショントレーニング（ロコトレ）　127, 131
ロコモコール　134
ロコモティブシンドローム（ロコモ）　22, 48, 123
　——の概念　126
ロコモ度テスト　126, 129
　——，判定基準　129
ロッキング　164
ロバスト　48
ロフストランド杖　224
鷲手　169

数字・欧文索引

 数字

2 関節筋　58, 59, 111
2 ステップテスト　127, 129, 130
2 点歩行　225
3 点杖　224
4 点歩行　225, 226
10 m 最大歩行速度　76
10 RM　115

 A

activities of daily living（ADL）　9
AIMS2　80
amputation　211

 B

Barton 骨折　168
BFO（balanced forearm orthosis）　220
Borg 指数　30, 107, 109
BPSD（behavioral and psychological symptoms of dementia）　86
bridge exercise　149
Brunnstrom 回復ステージ　119
B-SES（belt electrode skeletal muscle electrical stimulation）　105

 C

Cardiovascular Health Study（CHS）基準　48
Chiari 骨盤骨切り術　177
CKC（closed kinetic chain）　146, 185
CM 関節　69
Colles 骨折　168, 200
COVID-19　54
CPM（continuous passive motion）　112, 181
　　——装置　162

D

DeLorme 法　115
disarticulation　211
draw-in exercise　148
drop arm sign　158, 159

Duke Simpson 装具　220

 E

EMS（electrical muscle stimulation）　101, 105
EQ-5D（EuroQol-5 dimensions）　128

 F

FAST（functional assessment staging）　87, 88
FES（functional electrical stimulation）　105
FIM（functional independence measure）　77
FNST　204
frailty　47
Frankel 体操　116
functional brace　220

 G

Garden 分類　175
giving way　185

 H

HDS-R　77, 84, 86, 256
Heberden 結節　68
Heinrich の法則　18
HRmax　109
HRQOL（health-related QOL）　79

 I

ICF　28
incidence A　143
instrumental ADL　77
International Classification of Functioning, Disability and Health（ICF）　8

 J

Jackson テスト　193
JKOM（Japanese knee osteoarthritis measure）　80, 183, 248
JLEQ（Japan low-back pain evaluation questionnaire）　251

 K

Kellgren-Lawrence 分類　6, 7
Kemp テスト　206

 L

Lachman 徴候　185
Lasègue 徴候　204
LIPUS（low intensity pulsed ultrasound）　65
locking　184
Luschka 関節　192

 M

MADS（musculoskeletal ambulation disability symptom complex）　136
MCI（mild cognitive impairment）　84
McMurray テスト　184
MET（s）　107
MMSE（mini-mental state examination）　84, 86, 255
MMT（manual muscle testing）　75, 235

 N

Neer の 4-part 分類　160
NRS（numerical rating scale）　72

 O

OKC（open kinetic chain）　146, 185
OLD（Observation List for early signs of Dementia）　86, 87
O 脚　61, 182

 P

painful arc　158
PDCA　32
PTB（patellar tendon bearing）　217
　　——装具　221, 222

Q, R

QOL (quality of life)　79
RBD (REM sleep behavior disorder)　85
RICE　145, 187
RM (repetitive maximum)　115
ROM (range of motion)　110
　──エクササイズ　110

S

SACH (Solid Ankle Cushion Heel foot)　218
SF-36　80
SLR (straight leg raising)　149
SLR テスト　204
Smith 骨折　168
Spurling テスト　193
SSP (silver spike point)　100

T

TENS (transcutaneous electrical nerve stimulation)　100, 105
TES (therapeutic electrical stimulation)　105
THA (total hip arthroplasty)　171
TKA (total knee arthroplasty)　181
Tompson テスト　188
TSB (total surface bearing)　217
TUG (timed up & go test)　76, 127, 136
T 字杖　118, 224

V

VAS (visual analogue scale)　72
VO_2　109

W, X

William's 屈曲装具　207
WOMAC　80
X 脚　61

運動器リハビリテーションシラバス（改訂第5版）
── セラピストのための実践マニュアル

2007年10月10日	第1版第1刷発行	監修者	日本運動器科学会
2014年 6月20日	第3版第1刷発行		日本臨床整形外科学会
2018年 6月15日	第4版第1刷発行	編集者	星野雄一，佐藤公一，大江隆史，
2022年 6月15日	改訂第5版発行		大井直往，志波直人，尾﨑敏文，
			竹下克志，池内昌彦

発行者　小立健太

発行所　株式会社　南江堂
　　　　〒113-8410 東京都文京区本郷三丁目42番6号
　　　　☎(出版)03-3811-7198　(営業)03-3811-7239
　　　　ホームページ https://www.nankodo.co.jp/

印刷・製本　壮光舎印刷
装丁　星子卓也

Musculo-skeletal Rehabilitation Syllabus − Practical Manual for Therapist, 5th Edition
© Japanese Society for Musculoskeletal Medicine, The Japanese Clinical Orthopaedic Association, 2022

定価は表紙に表示してあります．
落丁・乱丁の場合はお取り替えいたします．
ご意見・お問い合わせはホームページまでお寄せください．

Printed and Bound in Japan
ISBN978-4-524-23279-6

本書の無断複製を禁じます．

[JCOPY]〈出版者著作権管理機構　委託出版物〉
本書の無断複製は，著作権法上での例外を除き禁じられています．複製される場合は，そのつど事前に，出版者著作権管理機構（TEL 03-5244-5088，FAX 03-5244-5089，e-mail: info@jcopy.or.jp）の許諾を得てください．

本書の複製（複写，スキャン，デジタルデータ化等）を無許諾で行う行為は，著作権法上での限られた例外（『私的使用のための複製』等）を除き禁じられています．大学，病院，企業等の内部において，業務上使用する目的で上記の行為を行うことは私的使用には該当せず違法です．また私的使用であっても，代行業者等の第三者に依頼して上記の行為を行うことは違法です．

〈関連図書のご案内〉

＊詳細は弊社ホームページをご覧下さい《www.nankodo.co.jp》

障害と活動の測定・評価ハンドブック 機能からQOLまで（改訂第2版）
岩谷 力・飛松好子 編　　A4判・274頁　定価6,160円（本体5,600円＋税10％）　2015.11.

国立障害者リハビリテーションセンター 社会復帰をめざす高次脳機能障害リハビリテーション
飛松好子・浦上裕子 編　　B5判・318頁　定価5,060円（本体4,600円＋税10％）　2016.11.

そうだったのか！腰痛診療 エキスパートの診かた・考えかた・治しかた
松平 浩・竹下克志 著　　B5判・204頁　定価5,280円（本体4,800円＋税10％）　2017.11.

運動処方の指針 運動負荷試験と運動プログラム（原書第8版）
日本体力医学会体力科学編集委員会 監訳　　A5判・416頁　定価3,850円（本体3,500円＋税10％）　2011.7.

関節内運動学 4D-CTで解き明かす［Web動画付］
宇都宮初夫 監修／片岡寿雄 著　　A4判・188頁　定価7,700円（本体7,000円＋税10％）　2021.4.

スポーツ医学を志す君たちへ
武藤芳照 著　　四六判・296頁　定価2,750円（本体2,500円＋税10％）　2021.5.

リハセラピストのためのやさしい経営学（マネジメント）
八木麻衣子・岩﨑裕子・亀川雅人 編　　A5判・222頁　定価2,530円（本体2,300円＋税10％）　2020.3.

理学療法士・作業療法士のためのヘルスプロモーション 理論と実践
日本ヘルスプロモーション理学療法学会 編　　B5判・172頁　定価3,520円（本体3,200円＋税10％）　2014.2.

臨床実習フィールドガイド（改訂第2版）
石川 朗・内山 靖・新田 收 編　　A5判・542頁　定価6,050円（本体5,500円＋税10％）　2014.2.

ベッドサイドですぐにできる！転倒・転落予防のベストプラクティス
鈴木みずえ 編　　B5判・230頁　定価2,860円（本体2,600円＋税10％）　2013.8.

ナショナルチームドクター・トレーナーが書いた 種目別スポーツ障害の診療（改訂第2版）
林 光俊 編集主幹／岩崎由純 編　　B5判・516頁　定価7,480円（本体6,800円＋税10％）　2014.5.

エッセンシャル・キネシオロジー 機能的運動学の基礎と臨床（原書第3版）（電子書籍付）
弓岡光徳・溝田勝彦・村田 伸 監訳　　A4変型判・400頁　定価6,380円（本体5,800円＋税10％）　2020.7.

痛みの考えかた しくみ・何を・どう効かす
丸山一男 著　　A5判・366頁　定価3,520円（本体3,200円＋税10％）　2014.5.

別冊整形外科76 運動器疾患に対する保存的治療 私はこうしている
竹下克志 編　　A4判・192頁　定価7,150円（本体6,500円＋税10％）　2019.10.

別冊整形外科66 整形外科の手術手技 私はこうしている
星野雄一 編　　A4判・254頁　定価6,930円（本体6,300円＋税10％）　2014.10.

続・あなたのプレゼン 誰も聞いてませんよ！ とことんシンプルに作り込むスライドテクニック
渡部欣忍 著　　A5判・184頁　定価3,080円（本体2,800円＋税10％）　2017.10.

症状を読めるナースが知っているロジカルアセスメント
櫻本秀明 著　　A5判・184頁　定価2,860円（本体2,600円＋税10％）　2022.4.

ケアを可視化！中範囲理論・看護モデル 事例を読み解く型紙
荒尾晴惠 編　　B5判・220頁　定価3,300円（本体3,000円＋税10％）　2021.3.

頑張るナース・対人援助職のための "読む"こころのサプリ
宇野さつき 著　　A5判・146頁　定価1,980円（本体1,800円＋税10％）　2020.2.

看護の教育・実践にいかすリフレクション 豊かな看護を拓く鍵
田村由美・池西悦子 著　　A5判・208頁　定価3,080円（本体2,800円＋税10％）　2014.12.

整形外科ガール ケアにいかす解剖・疾患・手術
清水健太郎 著　　AB判・302頁　定価3,520円（本体3,200円＋税10％）　2014.1.